Como *eu* era antes de *você*

Como *eu* era antes de *você*

JOJO MOYES

Tradução de Beatriz Horta

TÍTULO ORIGINAL
Me Before You

REVISÃO
Milena Vargas

DIAGRAMAÇÃO
Editoriarte

CIP-BRASIL. CATALOGAÇÃO-NA-FONTE
SINDICATO NACIONAL DOS EDITORES DE LIVROS, RJ

M899c

Moyes, Jojo, 1969-
Como eu era antes de você / Jojo Moyes ; tradução de Beatriz Horta. – Rio de Janeiro : Intrínseca, 2013.
320 p. : 23 cm

Tradução de: Me Before You
ISBN 978-85-8057-329-9

1. Ficção inglesa. I. Horta, Beatriz, 1954-. II. Título.

13-1387. CDD: 823
CDU: 821.111-3

[2013]

EDITORA INTRÍNSECA LTDA.
Av. das Américas, 500, bloco 12, sala 303
22640-904 – Barra da Tijuca
Rio de Janeiro – RJ
Tel./Fax: (21) 3206-7400
www.intrinseca.com.br

Para Charles, com amor

2007

Quando ele sai do banheiro, ela está acordada, recostada nos travesseiros e folheando os prospectos de viagem que estavam ao lado da cama. Usa uma camiseta dele e seu cabelo comprido está despenteado de uma maneira que o faz lembrar da noite anterior. Ele fica parado, desfrutando da breve recordação enquanto enxuga seu próprio cabelo com uma toalha.

Ela levanta os olhos do prospecto e faz um beicinho. É um pouco velha para isso, mas eles estão juntos há pouco tempo e ainda é bonitinho.

— A gente *precisa* mesmo fazer algo que envolva escalar montanhas ou se pendurar em ribanceiras? É a primeira vez que vamos tirar férias juntos para valer e não há uma única viagem nesses folhetos que não envolva se atirar de algum lugar ou — ela finge tiritar de frio — usar casacos de *fleece*.

Ela joga os folhetos na cama e estica os braços bronzeados acima da cabeça. A voz está rouca, prova de que dormiram pouco.

— Que tal um spa de luxo em Bali? Poderíamos ficar deitados na areia... passar horas sendo paparicados... ter longas noites relaxantes...

— Não posso ter esse tipo de férias. Preciso de atividade...

— Como se jogar de aviões.

— Não critique até que tenha experimentado.

Ela fica amuada.

— Se você não se importar, acho que vou continuar criticando.

A camiseta dele está ligeiramente úmida em sua pele. Ele passa um pente pelo cabelo, liga o celular e dá uma olhada na lista de recados que surge imediatamente na telinha.

— Muito bem, preciso ir — diz ele. — Tome seu café da manhã. — Inclina-se sobre a cama para beijá-la. Ela tem um cheiro morno, perfumado e muito sensual. Ele inala o aroma de sua nuca e, por um instante, perde o rumo dos pensamentos quando ela o envolve pelo pescoço com os braços, puxando-o para a cama.

— Ainda vamos viajar no fim de semana?

Ele se desvencilha, relutante.

— Depende do que acontecer nessa reunião. Por enquanto, tudo está meio no ar. Pode ser que eu ainda tenha de ir a Nova York. Que tal jantar num lugar bacana na quinta-feira, para compensar? Você escolhe o restaurante. — Sua jaqueta de motoqueiro está pendurada atrás da porta, ele a pega.

Ela estreita os olhos, pensativa.

— Jantar com ou sem o Sr. BlackBerry?

— Com quem?

— O Sr. BlackBerry faz com que eu me sinta uma intrusa. — Ela faz beicinho de novo. — Parece que sempre tem uma terceira pessoa disputando sua atenção.

— Vou colocá-lo no silencioso.

— Will Traynor! — ela o repreende. — Você precisa desligar esse aparelho em algum momento.

— Na noite passada eu desliguei, não foi?

— Só sob enorme coação.

Ele sorri.

— É assim que chamamos isso agora? — Ele calça os sapatos.

E o efeito que Lissa mantinha sobre sua mente se rompe. Ele joga a jaqueta de motoqueiro no braço e lança um beijo para ela ao sair.

O BlackBerry tem vinte e duas mensagens, a primeira delas enviada de Nova York às três e quarenta e dois da manhã. Algum problema legal. Will desce de elevador até o estacionamento no subsolo, tentando rememorar os acontecimentos da noite.

— Bom dia, Sr. Traynor.

O segurança sai de seu cubículo. O lugar é à prova de intempéries, embora ali não haja intempéries das quais se proteger. Às vezes, Will imagina o que o segurança faz lá embaixo, de madrugada, olhando fixamente para a televisão do circuito interno e para os para-lamas reluzentes de carros de sessenta mil libras que jamais ficam sujos.

Ele enfia os ombros na jaqueta de couro.

— Como está o tempo lá fora, Mick?

— Horrível. Está chovendo canivetes.

Will para.

— É mesmo? Não dá para ir de moto?

Mick balança a cabeça.

— Não, senhor. A menos que tenha um bote inflável. Ou esteja querendo morrer.

Will olha para a moto e tira a jaqueta. Não importa o que Lissa pense, ele não é o tipo de homem que corre riscos desnecessários. Abre o porta-capacete da moto e guarda a jaqueta lá dentro, tranca o compartimento e joga as chaves para Mick, que pega-as precisamente com uma das mãos.

— Passe por debaixo da porta do meu apartamento, pode ser?

— Sem problemas. Quer que eu chame um táxi?

— Não. Não faz sentido nós dois nos molharmos.

Mick aperta o botão do portão automático e Will sai, acenando em agradecimento. A manhã está escura e trovejante a seu redor, o tráfego no centro de Londres já está intenso e lento apesar de ainda ser sete e meia. Ele levanta o colarinho em volta do pescoço e segue a passos largos pela rua até o cruzamento, onde é mais provável que consiga um táxi. As ruas estão escorregadias por causa da água, a luz cinzenta se reflete nas poças da calçada.

Will amaldiçoa intimamente outros engravatados ao enxergá-los na beira do meio-fio. Desde quando Londres inteira acorda tão cedo? Todos tiveram a mesma ideia.

Enquanto pensa no melhor lugar para se posicionar, o celular toca. É Rupert.

— Estou chegando. Estou tentando pegar um táxi.

Ele vislumbra um táxi livre se aproximando pelo outro lado da rua e começa a ir em sua direção, desejando que ninguém mais o tenha visto. Um ônibus passa roncando, seguido de um caminhão que freia de maneira estridente, impedindo-o de ouvir o que Rupert diz.

— Não estou ouvindo, Rupe — grita, por sobre o barulho do trânsito. — Você vai precisar repetir. — Meio isolado em uma ilha de trânsito, com o tráfego fluindo por ele como uma correnteza, vê a luz alaranjada sobre o capô do táxi, indicando que o veículo está desocupado, e estica a mão livre, na esperança de que o motorista consiga vê-lo através da chuva forte.

— Você precisa ligar para Jeff em Nova York. Ele ainda está acordado, à sua espera. Tentamos falar com você na noite passada.

— Qual é o problema?

— Um empecilho legal. Duas cláusulas que eles estão protelando por causa de duas alíneas... assinatura... papéis. — A voz é abafada por um carro que passa, os pneus silvando na água.

— Não entendi.

O táxi o viu. Está reduzindo a marcha, esguichando um fino borrifo de água à medida que anda mais devagar do outro lado da rua. Will percebe que o homem mais adiante diminui o passo, desapontado, ao perceber que não alcançará o táxi a tempo. Ele tem uma íntima sensação de vitória.

— Escute, peça a Cally para colocar a papelada na minha mesa — grita. — Chego em dez minutos.

Olha para os dois lados, então baixa a cabeça ao dar os últimos passos para atravessar a rua em direção ao táxi, já com o destino "Blackfriars" na ponta da língua. A chuva se infiltra pelo espaço entre o colarinho e a camisa. Ele vai chegar ao escritório ensopado só por ter andado aquele pedacinho na chuva. Talvez precise mandar a secretária comprar outra camisa.

— E temos de resolver essa questão importante antes que Martin chegue...

Ele olha em direção ao chiado, o som rude e estridente de uma buzina. Vê a lustrosa lateral do táxi negro diante de si, o motorista já abaixando o vidro, e pelo canto do olho nota algo que não distingue direito, que está vindo para cima dele numa velocidade incrível.

Ele se vira e, nesse milésimo de segundo, percebe que a coisa vem em sua direção, que não há como sair da frente. Surpreso, abre a mão e o BlackBerry cai no chão. Ouve um grito que talvez seja seu. A última coisa que vê é uma luva de couro, um rosto dentro de um capacete, o choque nos olhos do homem refletindo o dele próprio. Há uma explosão quando tudo se parte em pedaços.

E então não há nada.

1

2009

São cento e cinquenta e oito passos entre o ponto de ônibus e minha casa, mas é possível esticar esse número para cento e oitenta se você não estiver com pressa, ou, por exemplo, se estiver usando sapatos de plataforma. Ou se estiver com os sapatos que você comprou num brechó e que possuem borboletas nos dedos e nunca ficam bem presos nos calcanhares, o que explica por que custaram a pechincha de uma libra e noventa e nove centavos. Virei a esquina na nossa rua (sessenta e oito passos) e logo pude ver a casa — uma casa geminada de quatro quartos numa sequência de outras casas geminadas de três e quatro quartos. O carro de papai estava do lado de fora, o que significava que ele ainda não tinha ido para o trabalho.

Às minhas costas, o sol se punha atrás do castelo Stortfold, sua sombra escura escorrendo pela colina feito cera derretida para me engolir. Quando eu era pequena, costumávamos fazer com que nossas sombras alongadas participassem de tiroteios, nossa rua era o *O.K. Corral*. Em outro dia, eu poderia contar tudo o que vivi nessa rua: onde papai me ensinou a andar de bicicleta sem rodinhas; onde a Sra. Doherty, com sua peruca torta, fazia bolos galeses para nós; onde Treena, aos onze anos, prendeu a mão numa cerca viva e perturbou um ninho de vespas nos fazendo correr aos gritos por todo o trajeto até o castelo.

O triciclo de Thomas estava jogado no meio do caminho e, ao fechar o portão atrás de mim, eu o arrastei até a entrada e abri a porta. O calor me atingiu com a força de um *air bag*. Mamãe é torturada pelo frio e mantém a calefação ligada o ano inteiro. Papai está sempre abrindo janelas, reclamando que ela vai nos levar à falência. Ele diz que nossa conta de luz é maior que o PIB de um pequeno país africano.

— É você, querida?

— Sou eu. — Pendurei minha jaqueta no gancho, lutando para conseguir um espaço no meio das outras.

— Eu quem? Lou? Treena?

— Lou.

Da porta da sala, olhei ao redor. Papai estava de bruços no sofá, o braço enfiado entre as almofadas, como se elas estivessem tentando engoli-lo. Thomas, meu sobrinho de cinco anos, o observava atentamente logo atrás.

— Lego. — Papai virou-se para mim, o rosto vermelho devido ao esforço. — Não sei por que eles fazem as malditas peças tão pequenas. Você viu o braço esquerdo de Obi-Wan Kenobi?

— Estava em cima do aparelho de DVD. Acho que ele trocou o braço do Obi pelo do Indiana Jones.

— Bom, aparentemente Obi não pode ter braços bege agora. Temos de achar os braços pretos.

— Eu não me preocuparia. Darth Vader não arranca o braço dele no segundo episódio? — Apontei para minha bochecha para Thomas dar um beijo. — Cadê a mamãe?

— No andar de cima. Veja o que eu achei! Uma moeda!

Olhei para cima bem a tempo de escutar o conhecido ranger da tábua de passar. Josie Clark, minha mãe, jamais se senta. É uma questão de honra. Era conhecida por ficar numa escada do lado de fora pintando as janelas, parando de vez em quando para acenar, enquanto o restante de nós jantava rosbife.

— Você pode achar o bendito braço para mim? Thomas está me obrigando a procurar por isso há meia hora e preciso me arrumar para o trabalho.

— Você está no turno da noite?

— Sim. São cinco e meia.

Dei uma olhada no relógio.

— Na verdade, são quatro e meia.

Ele retirou o braço de baixo das almofadas e estreitou os olhos para conferir o relógio de pulso.

— E o que você está fazendo em casa tão cedo?

Balancei a cabeça vagamente, como se não tivesse entendido a pergunta direito, e entrei na cozinha.

Vovô estava sentado na cadeira ao lado da janela, completando um *sudoku*. O assistente social nos tinha dito que o jogo seria bom para melhorar a concentração dele, que ajudaria nisso depois dos derrames. Desconfio de que eu era a única a perceber que ele apenas preenchia os quadradinhos com o primeiro número que lhe viesse à cabeça.

— Oi, vovô.

Ele me olhou e sorriu.

— Quer uma xícara de chá?

Ele balançou a cabeça e abriu um pouco a boca.

— Uma bebida gelada?

Ele anuiu.

Abri a porta da geladeira.

— Não tem suco de maçã. — Disse, e então me lembrei de que suco de maçã era muito caro. — Quer um pouco de Ribena?

Ele balançou a cabeça.

— Água?

Ele fez que sim e murmurou alguma coisa que poderia ser um obrigado quando lhe entreguei o copo.

Minha mãe entrou na cozinha carregando um enorme cesto de roupas lavadas e cuidadosamente dobradas.

— São suas? — perguntou, exibindo ostensivamente um par de meias.

— São de Treena, eu acho.

— Também pensei que fossem dela. Cor estranha. Devem ter ficado junto com o pijama cor de ameixa do seu pai. Você chegou cedo. Vai a algum lugar?

— Não. — Enchi um copo com água da torneira e bebi.

— Patrick vem aqui mais tarde? Ele ligou para cá de manhã. Você desligou seu celular?

— Hum.

— Ele falou que está tentando marcar as férias de vocês. Seu pai disse que ele viu alguma coisa sobre isso na TV. Vocês querem ir para onde? Ipsos? Calipso?

— Skiathos.

— É, isso. Você precisa verificar o hotel com muito cuidado. Faça isso pela internet. Ele e seu pai viram algo no noticiário da hora do almoço. Parece que estão fazendo uns sites, oferecendo pacotes pela metade do preço, e você só fica sabendo quando chega lá. Papai, quer uma xícara de chá? Lou não ofereceu uma para você? — Ela colocou a chaleira com água para esquentar e olhou para mim. Finalmente deve ter percebido que eu não disse nada. — Você está bem, querida? Está tão pálida.

Colocou a mão na minha testa como se eu tivesse bem menos que meus vinte e seis anos.

— Acho que não vamos tirar férias.

A mão da minha mãe ficou imóvel. O olhar dela tinha aquela coisa meio raio x desde quando eu era criança.

— Você e Pat estão com algum problema?

— Mãe, eu…

— Não estou querendo me intrometer. É que vocês estão juntos há tanto tempo. É muito natural que as coisas se compliquem de vez em quando. Quer dizer, eu e seu pai, nós…

— Fui demitida.

Minha voz cortou o silêncio. As palavras ficaram ali, no ar, esmorecendo na pequena cozinha por muito tempo após o som ter sumido.

— Você o quê?

— Frank vai fechar o café. Amanhã. — Estendi a mão com o envelope meio molhado que, em estado de choque, eu havia apertado ao longo de todo o trajeto para casa. Todos os cento e oitenta passos desde o ponto de ônibus. — Ele pagou os três meses do seguro.

O dia tinha começado como outro qualquer. Todo mundo que eu conhecia detestava manhãs de segunda-feira, mas eu nunca me incomodei. Gostava de chegar cedo ao The Buttered Bun, ligar a enorme máquina de chá, trazer os caixotes de leite e pão do depósito e conversar com Frank enquanto nos preparávamos para abrir.

Gostava do calor abafado com aroma de bacon que havia no café, das pequenas rajadas de ar frio quando a porta se abria e se fechava, do murmúrio das conversas e, quando estava tudo calmo, do rádio de Frank tocando baixinho no canto. Não era um lugar moderninho, as paredes eram cobertas de fotos do castelo da colina, as mesas ainda ostentavam tampos de fórmica e o cardápio era o mesmo desde que comecei lá, exceto por algumas mudanças nos tipos de chocolate servidos no balcão e pela inclusão de brownies e bolinhos de chocolate na bandeja de bolos gelados.

Mas, acima de tudo, eu gostava dos clientes. Gostava de Kev e de Angelo, os encanadores que vinham quase todas as manhãs e brincavam com Frank perguntando de onde vinha a carne que ele servia. Gostava da Sra. Dente-de-leão, apelidada assim por causa da cabeleira branca, que comia ovo com fritas de segunda a quinta-feira e se sentava para ler os jornais de distribuição gratuita, bebendo duas xícaras inteiras de chá de um jeito único. Sempre me esforçava para conversar com ela. Desconfiava de que fosse a única conversa que a velhinha tinha durante todo o dia.

Gostava dos turistas, que paravam em seu caminho, indo e vindo do castelo; das crianças agitadas do colégio que davam uma passada lá depois das aulas; dos *habitués* dos escritórios que ficavam do outro lado da rua; e de Nina e Cherie, as cabeleireiras que sabiam quantas calorias tinha cada produto que oferecíamos em The Buttered Bun. Nem os clientes chatos, como a mulher ruiva, que gerenciava a loja de brinquedos e reclamava do troco pelo menos uma vez por semana, me incomodavam.

Testemunhei o início e o fim de relacionamentos naquelas mesas; pais divorciados entregando e recebendo os filhos de seus ex-cônjuges; o alívio culpado dos que não suportavam cozinhar e o prazer secreto dos aposentados diante de um café da manhã com frituras. Todo tipo de pessoa frequentava aquele lugar e a maioria partilhava algumas palavras comigo, fazendo piadas e comentários por cima das canecas de chá fumegantes. Papai sempre dizia que jamais sabia o que sairia da minha boca, mas lá no café isso não importava.

Frank gostava de mim. Era calado por natureza e dizia que eu animava o lugar. Para mim, era como ser garçonete de bar, mas sem a chatice dos bêbados.

Até que, naquela tarde, depois que o movimento do almoço terminou e o café ficou vazio por um breve período, Frank, limpando as mãos no avental, saiu de trás da chapa do fogão e virou a pequena placa de *Fechado* para a rua.

— Ai, ai, Frank, eu já disse a você. O salário-mínimo não inclui horas-extra. — Frank era, como dizia papai, esquisito como um gnu azul. Olhei para ele.

Ele não estava sorrindo.

— Oh-oh. Não coloquei de novo sal no pote de açúcar, coloquei?

Ele estava torcendo um pano de prato com as duas mãos e eu nunca o vira mais desconfortável. Supus, num lampejo, que alguém tivesse reclamado de mim. Então ele fez sinal para eu me sentar.

— Desculpe, Louisa — disse, depois de me contar. — Vou voltar para a Austrália. Meu pai não está bem e parece que o castelo vai mesmo começar a servir seus próprios lanches. Tem um aviso na parede.

Acho que fiquei lá sentada, literalmente de boca aberta. Frank então me entregou o envelope e respondeu minha pergunta antes que ela saísse da minha boca.

— Sei que nunca tivemos, você sabe, um contrato formal ou algo do tipo, mas eu não quero deixá-la na mão. No envelope tem três meses de salário. Fechamos amanhã.

— Três meses! — explodiu papai, quando mamãe colocou uma xícara de chá adoçado nas minhas mãos. — Bom, é generoso da parte dele, já que ela trabalhou como escrava naquele lugar nos últimos seis anos.

— Bernard. — Mamãe lançou-lhe um olhar de aviso, indicando Thomas com a cabeça. Meus pais cuidavam dele depois da escola até Treena voltar do trabalho.

— Que diabo ela deve fazer agora? No mínimo, poderia ter sido avisada com mais de um dia de antecedência.

— Bom... ela simplesmente vai ter de arrumar outro emprego.

— Não tem outra porcaria de emprego, Josie. Você sabe tão bem quanto eu. Estamos numa maldita recessão.

Mamãe fechou os olhos por um instante, como se estivesse se controlando antes de falar.

— Ela é uma garota inteligente. Vai achar alguma coisa. Tem um currículo consistente, não tem? Frank vai escrever uma boa carta de referências.

— Ah, grande coisa... "Louisa Clark é muito boa em passar manteiga na torrada e excelente com o velho bule de chá."

— Obrigada pelo voto de confiança, pai.

— Só estou dizendo.

Eu sabia o verdadeiro motivo da preocupação de papai. Eles dependiam do meu salário. Treena ganhava quase nada na floricultura. Mamãe não podia trabalhar, pois tinha de cuidar do vovô e a pensão dele era mínima; papai estava sempre tenso em relação a seu emprego na fábrica de móveis. Fazia meses que o patrão vinha resmungando sobre um possível corte de pessoal. Em casa, comentava-se sobre dívidas, sobre a ilusão dos cartões de crédito. Dois anos antes, um motorista sem seguro destruíra o carro de papai e, de certa maneira, foi o que bastou para pôr abaixo o instável edifício que eram as finanças de meus pais. Meu modesto salário vinha sendo um pequeno pilar no orçamento doméstico, suficiente para ajudar a cuidar de nossa família a cada semana.

— Não vamos nos precipitar. Amanhã ela pode ir ao Centro de Trabalho e ver quais são as ofertas. Ela tem o suficiente para se sustentar, por enquanto. — Eles falavam como se eu não estivesse ali. — E é inteligente. Você é inteligente, não é, querida? Talvez possa fazer aulas de digitação. Trabalhar em um escritório.

Eu me sentei enquanto meus pais discutiam que trabalhos eu poderia conseguir com minhas poucas qualificações. Operária de fábrica, especialista em ferramentas mecânicas, passadora de manteiga. Pela primeira vez naquela tarde, tive vontade de chorar. Thomas me olhava com seus grandes olhos redondos e, sem dizer nada, me deu a metade de um biscoito babado.

— Obrigada, Tommo — falei apenas movendo os lábios, sem emitir som, e comi o biscoito.

Ele estava na academia de ginástica, como eu sabia que estaria. De segunda a quinta, pontual como um relógio suíço, Patrick ficava lá se exercitando ou dando voltas na pista bem-iluminada. Subi a escada abraçando a mim mesma para me proteger do frio e entrei devagar na pista, acenando quando ele chegou perto o bastante para conseguir me ver.

— Venha correr comigo — disse ele, ofegante, ao se aproximar. Sua respiração formava nuvens claras. — Faltam quatro voltas.

Relutei por um instante e então comecei a correr ao seu lado. Era o único jeito de conseguir ter qualquer tipo de conversa com ele. Eu estava com meus tênis rosa com cadarços turquesa, o único sapato com o qual eu conseguia correr.

Tinha passado o dia em casa, tentando ser útil. Acho que isso aconteceu uma hora antes de eu começar a perturbar minha mãe. Ela e vovô tinham sua rotina e minha presença atrapalhava os dois. Papai estava dormindo, já que havia passado para o turno da noite naquele mês, e não podia ser incomodado. Arrumei meu quarto, depois me sentei e assisti à TV em volume baixo e, algumas vezes, quando me lembrava por que eu estava em casa no meio do dia, sentia uma leve dor no peito.

— Não estava esperando por você.

— Eu me cansei de ficar em casa. Pensei que talvez pudéssemos fazer alguma coisa.

Ele me olhou de soslaio. Seu rosto tinha uma leve camada de suor.

— Quanto antes você arrumar outro emprego, querida, melhor.

— Eu perdi meu emprego há apenas vinte e quatro horas. Será que eu posso me sentir um pouco infeliz e desanimada? Sabe, só por hoje?

— Você precisa ver o lado bom. Você sabia que não poderia ficar naquele emprego para sempre. Precisa seguir em frente.

Dois anos antes, Patrick tinha sido eleito o Jovem Empreendedor do Ano de Stortfold e ainda não tinha se recuperado bem da fama. Ele até havia conseguido um sócio, Ginger Pete, com quem montou uma empresa que oferecia formação pessoal para clientes num raio de duzentos metros e contava com dois furgões financiados. Também tinha um quadro branco no escritório onde ele gostava de rabiscar, com grossos marcadores pretos, a projeção que fazia para o volume de seus negócios, escrevendo e reescrevendo os números até corresponderem a suas expectativas. Nunca tive muita certeza de que os números tivessem alguma ligação com a realidade.

— Lou, perder o emprego pode mudar a vida de uma pessoa. — Ele deu uma olhada no relógio, conferindo o tempo que fizera naquela volta. — O que você quer fazer? Podia estudar. Tenho certeza de que o mercado valoriza gente como você.

— Gente como eu?

— Sim, que busca uma nova oportunidade. O que você quer ser? Poderia ser esteticista. É bonita o bastante.

Fez um sinal para mim enquanto corria, como se eu devesse agradecer o elogio.

— Você conhece minha rotina de beleza. Água, sabão e um saco de papel enfiado na cabeça.

Patrick começava a parecer exasperado.

E eu, a ficar para trás. Detesto correr. E detestei-o por não ir mais devagar.

— Pense... lojista. Secretária. Corretora de imóveis. Sei lá... deve ter alguma coisa que você queira fazer.

Mas não tinha. Eu gostava de trabalhar no café. Gostava de saber tudo o que era possível saber a respeito do The Buttered Bun e de escutar sobre a vida das pessoas que frequentavam o lugar. Eu me sentia bem lá.

— Não pode ficar infeliz, querida. Você precisa superar isso. Todos os melhores empreendedores lutaram para se reerguer dos piores infortúnios. Jeffrey Archer fez isso. Richard Branson também. — Ele deu uma batidinha no meu braço, tentando me animar.

— Duvido que Jeffrey Archer algum dia tenha perdido seu emprego de esquentar bolinhos para o chá. — Perdi o fôlego. E estava com o sutiã errado. Desacelerei, baixei as mãos e as apoiei nos joelhos.

Ele se virou e voltou, a voz agitando o ar parado e frio.

— Mas se ele tivesse... estou só falando. Pense melhor, ponha uma roupa bonita e vá ao Centro de Trabalho. Ou posso treinar você para trabalhar comigo, se quiser. Você sabe que isso dá dinheiro. E não se preocupe com a viagem. Eu pago.

Sorri para ele.

Ele me jogou um beijo e sua voz ecoou pelo ginásio vazio.

— Você pode me pagar quando voltar a trabalhar.

Minha primeira tentativa foi na Agência de Empregos. Fiz uma entrevista individual que durou quarenta e cinco minutos e outra em grupo, na qual fiquei sentada com mais ou menos vinte pessoas, entre homens e mulheres, metade delas com a mesma expressão meio apalermada que eu também devia estar exibindo, a outra metade com a expressão vazia e desinteressada de quem já estivera ali diversas vezes. Eu vestia o que papai chamou de meus trajes "civis".

Como resultado desses esforços, consegui um estágio noturno numa fábrica de processamento de frangos (o que me causou pesadelos por semanas) e dois dias de treinamento no Conselho de Energia Doméstica. Cheguei bem rápido à conclusão de que estava sendo orientada a convencer idosos a trocar de fornecedores de energia e disse ao meu "conselheiro" pessoal, Syed, que não conseguia fazer isso. Ele insistiu para que eu continuasse, então fiz uma lista com alguns métodos que eles me pediram para usar e, a essa altura, ele ficou meio calado e sugeriu que nós (tudo era sempre "nós", embora fosse bastante óbvio que um de nós *tinha* emprego) tentássemos outro cargo.

Fiquei duas semanas numa rede de lanchonetes. O horário era bom, eu podia lidar com o fato de o uniforme dar estática no meu cabelo, mas achei impossível aguentar o regulamento de "respostas adequadas", com seus "Posso ajudar?" e "Gostaria de adicionar uma porção grande de batata frita?", e desisti depois que uma das garotas que fazia rosquinhas me pegou discutindo com uma criança de quatro anos sobre as diversas vantagens dos brinquedos gratuitos. O que posso dizer? Ela era uma menina de quatro anos inteligente. E eu também achava as Belas Adormecidas bobinhas.

Agora eu estava sentada, esperando a quarta entrevista, enquanto Syed explorava o touch screen em busca de outras "oportunidades" de trabalho. Até ele, que tinha o jeito terrivelmente animado de quem conseguia empregos para os candidatos mais improváveis, estava começando a parecer um pouco preocupado.

— Hum... já pensou em trabalhar na indústria de entretenimento?

— Em que função? Assistente de mágico?

— Não. Mas há uma vaga para dançarina de *pole dance*. Várias, aliás.

Ergui uma sobrancelha.

— Por favor, diga que está brincando.

— São trinta horas por semana sem carteira assinada. Acredito que as gorjetas sejam boas.

— Por favor, por favor, diga que você não acabou de sugerir que eu aceite um emprego que envolva desfilar de calcinha na frente de estranhos.

— Você disse que tem muita facilidade para lidar com pessoas. E parece gostar de... roupas... teatrais. — Ele lançou um olhar para minha meia-calça, que era verde e brilhante. Pensei que aquela meia pudesse me animar. Thomas tinha cantarolado a música-tema de *A Pequena Sereia* durante todo o café da manhã.

Syed deu um tapinha em algo no teclado.

— O que acha de "supervisora de conversas telefônicas adultas"?

Olhei bem para ele.

Ele encolheu os ombros.

— Você disse que gostava de conversar com pessoas.

— Não. Também não quero ser garçonete seminua. Nem massagista. Ou operadora de webcam. Qual é, Syed. Deve ter alguma coisa que eu possa fazer sem necessariamente causar um ataque cardíaco no meu pai.

Ele pareceu intrigado.

— Não sobra muita coisa mais, a não ser vagas no comércio de varejo, com horário flexível.

— Arrumar prateleiras à noite? — Já estive aqui tantas vezes que sou capaz de falar a língua deles.

— Tem lista de espera para essa vaga. Quem tem filhos costuma gostar, porque combina com os horários escolares — disse Syed, desculpando-se. Ele estudou novamente a tela. — Então, só nos resta o serviço de cuidadora.

— Limpar traseiro de velho.

— Receio, Louisa, que você não tenha qualificação para muito mais que isso. Se quisesse aprender outra ocupação, eu teria prazer em lhe mostrar o caminho certo. Há vários cursos para adultos no centro de educação.

— Mas já falamos sobre isso, Syed. Se eu fizer o curso, perco o seguro-desemprego, certo?

— Se você não estiver disponível para trabalhar, sim.

Ficamos em silêncio por um instante. Olhei para as portas, onde estavam dois seguranças corpulentos e me perguntei se teriam arrumado o emprego pelo Centro de Trabalho.

— Não sou boa em lidar com idosos, Syed. Meu avô mora conosco desde que sofreu os derrames e não consigo lidar com ele.

— Ah. Então você tem alguma experiência como cuidadora.

— Não é bem assim. Minha mãe faz tudo para ele.

— Sua mãe estaria interessada em trabalhar?

— Engraçadinho.

— Não estou fazendo graça.

— Então quer que eu fique cuidando do meu avô? Não, obrigada. Aliás, agradeço por ele e por mim também. Não tem nada em algum café?

— Acho que não há cafés em quantidade suficiente para que sobre um emprego para você, Louisa. Podemos tentar o KFC. Você pode conseguir alguma coisa por lá.

— Acha que eu seria muito mais convincente ao oferecer um Balde KFC do que um Chicken McNugget? Acho que não.

— Bom, então temos de procurar algo ainda mais longe.

— Nossa cidade tem apenas quatro linhas de ônibus. Você sabe disso. E você disse que eu devia procurar o ônibus de turismo, mas liguei para a estação e ele para de circular às cinco da tarde. Além disso, é duas vezes mais caro que o ônibus normal.

Syed recostou-se na cadeira.

— A essa altura, Louisa, eu realmente preciso dizer que, sendo apta e capaz, para continuar a receber seu auxílio, você precisa...

— ...mostrar que estou tentando conseguir um emprego. Eu sei.

Como explicar para aquele homem o quanto eu queria trabalhar? Ele tinha alguma ideia do quanto eu sentia falta do meu antigo emprego? O desemprego era um conceito, algo vagamente citado nos noticiários, que referia-se a estaleiros ou fábricas de automóveis. Nunca pensei que se pudesse sentir falta de um emprego como se sente de um braço ou de uma perna, algo que está sempre ali, que faz parte de você. Não imaginei que, além dos medos óbvios sobre dinheiro e futuro, perder o emprego fizesse a pessoa se sentir inadequada e um pouco inútil. Que pode ser mais difícil levantar de manhã do que quando se é brutalmente trazido à consciência pelo toque do despertador. Que você pode sentir falta dos colegas de trabalho, não importando quão pouco você se identificava com eles. Ou até mesmo que você pode ficar procurando rostos conhecidos ao andar pela rua. A primeira vez que vi a Sra. Dente-de-leão vagando na frente das lojas, parecendo estar tão sem rumo quanto eu, tive de lutar contra o ímpeto de ir até lá e dar um abraço nela.

A voz de Syed interrompeu meu devaneio.

— Ah, isto aqui pode dar certo.

Tentei dar uma olhada na tela.

— Acabou de aparecer. Neste minuto. Uma oferta de emprego como cuidadora assistente.

— Eu lhe disse que não sou boa com…

— Não é com idosos. É uma… vaga confidencial. Para ajudar na casa de alguém, e o endereço fica a menos de três quilômetros de onde você mora. "Cuidados e companhia para deficiente físico." Você sabe dirigir?

— Sei. Mas eu teria de limpar o…

— Não é necessário limpar traseiros, pelo que entendi. — Ele examinou a tela. — Ele é… tetraplégico. Precisa de alguém de dia para ajudá-lo a se alimentar e para assisti-lo. Geralmente, nesse tipo de emprego é preciso acompanhar a pessoa quando ela quer ir a algum lugar, ajudar com coisas simples que ela não possa fazer. Ah. Paga muito bem. Muito mais do que o piso.

— Provavelmente porque deve envolver limpeza de traseiro.

— Vou ligar para confirmar isso. Se não precisar, você aceita fazer uma entrevista?

Ele perguntou como se houvesse dúvida.

Mas nós dois já sabíamos a resposta.

Suspirei e peguei minha bolsa, pronta para voltar para casa.

— Jesus Cristo — exclamou meu pai. — Dá para imaginar? Como se já não fosse castigo suficiente ficar numa cadeira de rodas enferrujada, você ainda tem como acompanhante a nossa Lou.

— Bernard! — minha mãe o repreendeu.

Atrás de mim, vovô ria com a caneca de chá encostada na boca.

2

Não sou burra. Quero já deixar isso fora de cogitação. Mas é difícil não se sentir um pouco deficiente no quesito "Células Cerebrais" quando se cresce com uma irmã mais jovem que não só passou para a minha turma na escola, mas que depois foi aprovada em uma série acima da minha.

Tudo o que é ajuizado ou inteligente Katrina foi a primeira a fazer, apesar de ser dezoito meses mais nova que eu. Cada livro que eu lia ela já tinha lido antes, tudo o que eu contava à mesa do jantar ela já sabia. É a única pessoa que conheço que gosta de fazer provas. Às vezes acho que me visto desse jeito porque a única coisa que Treena não consegue é combinar roupa. Ela é o tipo de garota que se veste de jeans e pulôver. Sua ideia de elegância é usar uma calça passada a ferro.

Meu pai me chama de "figura" porque costumo falar a primeira coisa que me vem à cabeça. Ele diz que sou como a tia Lily, que eu nunca conheci. É meio estranho ser sempre comparada a alguém que você nunca viu. Se eu descesse a escada de botas roxas, papai acenaria com a cabeça para mamãe e diria "Você se lembra da tia Lily com aquelas botas roxas, hein?", e mamãe daria uma risadinha e depois riria abertamente, como se ela e papai partilhassem uma piada secreta. Minha mãe me chama de "singular", que é uma maneira educada de não entender muito bem como me visto.

Mas, exceto por um curto período durante minha adolescência, eu jamais quis ser como Treena, nem como qualquer outra menina da escola. Até uns quatorze anos, eu preferia roupas de menino e atualmente prefiro o que me agrada, conforme o humor do dia. Não há por que querer parecer convencional. Sou pequena, de cabelos escuros e, segundo meu pai, tenho o rosto de um elfo. Não é a mesma coisa que ter uma "beleza élfica". Não sou feia, mas acho que ninguém vai me chamar de bonita. Não tenho aquela coisa graciosa. Patrick diz que sou linda quando quer transar, mas nem sempre ele é tão transparente assim. Nós nos conhecíamos há quase sete anos.

Eu tinha vinte e seis anos e não sabia muito bem quem era. Até perder o emprego, não tinha sequer pensado nisso. Achava que provavelmente iria me casar com Patrick, teria filhos e moraria a algumas ruas de onde sempre morei. Exceto pelo gosto por roupas exóticas e pelo fato de ser um pouco baixa, não sou muito diferente de qualquer pessoa com que se possa cruzar na rua. Provavelmente, ninguém olharia para mim duas vezes. Uma garota comum, levando uma vida comum. Para mim, estava ótimo desse jeito.

— Numa entrevista de trabalho, você precisa ir de *tailleur* — insistira mamãe. — Hoje, as pessoas são informais demais.

— Porque usar risca de giz será fundamental se eu estiver dando comida na boca de um velho.

— Não seja espirituosa.

— Não posso comprar um terninho. E se eu não conseguir o emprego?

— Pode usar um meu, eu passo a ferro uma linda blusa e, uma vez na vida, não use o cabelo para cima naquelas... — e apontou para meu cabelo, que eu costumava deixar preso num nó preto de cada lado da cabeça — ...coisas que parecem da Princesa Leia. Apenas tente parecer uma pessoa normal.

Era melhor não discutir com mamãe. E eu tinha certeza de que papai recebera a recomendação de não comentar meus trajes quando saí de casa, nem meu andar esquisito naquela saia justa demais.

— Tchau, querida — disse ele, com os cantos da boca se repuxando. — Boa sorte. Você está muito... profissional.

O constrangedor não era eu usar um *tailleur* da minha mãe, ou que aquele fosse um modelo que esteve na moda no final dos anos oitenta, mas sim que a roupa estava um pouquinho pequena para mim. Eu podia sentir o cós cortando minha barriga e o paletó com duas fileiras de botões repuxando para um lado. Como papai diz a respeito de mamãe, um grampo de cabelo é mais gordo que ela.

Fiz a curta viagem de ônibus me sentindo levemente enjoada. Nunca tive uma entrevista de trabalho de verdade. Comecei a trabalhar no The Buttered Bun depois que Treena apostou que eu não conseguiria um emprego em apenas um dia. Entrei lá e simplesmente perguntei a Frank se ele precisava de um par extra de mãos. Aquele era o primeiro dia de funcionamento e ele pareceu quase cego de gratidão.

Agora, olhando para trás, não consigo nem me lembrar de ter falado com ele sobre dinheiro. Ele sugeriu um pagamento semanal, concordei, e uma vez por ano me dava um pequeno aumento, geralmente um pouco mais do que eu teria pedido.

O que, afinal, se pergunta numa entrevista de emprego? E se fizessem um teste prático com o tal idoso, como lhe dar comida, ou um banho, ou algo assim? Syed tinha dito que havia um cuidador do sexo masculino, que era responsável pelas "necessidades íntimas" (estremeci ao ouvir a expressão). As funções do segundo cuidador não estavam, segundo ele, "muito claras". Imaginei-me limpando a baba da boca do idoso, e talvez perguntando aos gritos QUER UMA XÍCARA DE CHÁ?

Quando vovô estava se recuperando dos derrames, não conseguia fazer nada sozinho. Mamãe fazia tudo. "Sua mãe é uma santa", dizia papai, o que entendi significar que ela limpava a bunda dele sem, no entanto, sair aos berros de casa por isso. Tenho certeza de que ninguém jamais me descreveu assim. Eu cortava a comida para vovô e lhe preparava chá, mas, quanto ao resto, não estava muito segura de ter os elementos necessários.

A Granta House, o endereço do emprego, ficava do outro lado do castelo Stortfold, perto das muralhas medievais, numa comprida trilha sem pavimentação que continha apenas quatro casas e a loja do National Trust, bem no meio da região turística. Passei por aquela casa milhares de vezes na vida sem jamais ter prestado atenção nela. Agora, ao passar pelo estacionamento do castelo e pela ferrovia em miniatura, que estavam vazios e desolados como só uma atração de verão pode estar em fevereiro, notei que a casa era maior do que eu imaginara, de tijolos vermelhos e fachada dupla, o tipo de casa que a gente só vê em exemplares antigos da revista *Country Life* enquanto espera ser atendida no médico.

Percorri a longa entrada para carros tentando não pensar que alguém me olhava da janela. Cruzar uma longa entrada para carros deixa você em desvantagem; isso a faz se sentir automaticamente inferior. Eu estava exatamente ponderando se deveria abaixar o topete do meu cabelo quando a porta se abriu e dei um pulo.

Uma mulher pouco mais velha que eu saiu para o vestíbulo. Ela usava calça branca, uma túnica que parecia ser de médico e carregava um casaco e uma pasta embaixo do braço. Ao passar por mim, deu um sorriso educado.

— E muito obrigada por ter vindo — disse uma voz lá de dentro. — A gente se fala. Ah. — Um rosto surgiu, de uma linda mulher de meia-idade, com cabelos num corte que parecia caro. Usava um terninho que, suponho, custava mais do que meu pai ganhava por mês.

— Você deve ser a Srta. Clark.

— Louisa. — Estendi a mão, como minha mãe insistiu que eu fizesse.

Meus pais tinham dito que hoje em dia os jovens nunca estendem a mão. Antigamente, você sequer sonhava com um "oie" ou, pior, em jogar um beijo no ar como forma de cumprimento. Aquela mulher não parecia alguém que recebesse bem um beijo no ar.

— Certo, pois não. Entre, por favor.

Ela retirou a mão da minha tão rápido quanto era humanamente possível, mas senti seus olhos sobre mim, como se ela já estivesse me avaliando.

— Vamos entrar? Conversaremos na sala. Meu nome é Camilla Traynor. — Ela parecia exausta, como se já tivesse dito as mesmas palavras várias vezes naquele dia.

Segui-a até uma sala enorme com janelas francesas que iam do chão ao teto. Pesadas cortinas drapejavam elegantemente de grossos varões de mogno e o piso era coberto de tapetes persas com motivos intrincados. Tudo cheirava a lustra-móveis e mobília antiga. Havia elegantes mesinhas laterais por todo canto, seus lustrosos tampos cobertos de caixas decorativas. Pensei por um instante onde é que, raios, os Traynor pousavam suas xícaras de chá.

— Então você veio porque viu o anúncio do Centro de Trabalho, certo? Sente-se, por favor.

Enquanto ela folheava os papéis em sua pasta, examinei disfarçadamente a sala. Pensei que a casa talvez devesse ser parecida com uma casa de repouso, tudo colocado no alto e com as superfícies muito limpas. Mas era como um daqueles hotéis assustadoramente caros, imerso numa riqueza antiga, cheio de coisas de alto valor sentimental e que já pareciam valiosas independentemente disso. Havia fotos em porta-retratos de prata em uma mesinha lateral, mas estavam longe demais para eu ver os rostos. Enquanto ela vasculhava seus papéis, eu me ajeitei na cadeira para tentar enxergar melhor.

E foi então que ouvi aquilo — o som inconfundível de pano se rasgando. Olhei para baixo e vi as duas partes de tecido que se juntavam na lateral da minha perna direita separadas violentamente, lançando para o alto fiapos de linha de seda que formavam uma franja deselegante. Senti meu rosto se inundar de cor.

— Então... Srta. Clark... tem alguma experiência no cuidado de pessoas tetraplégicas?

Virei-me para olhar a Sra. Traynor e me retorci de modo que o paletó cobrisse o máximo possível da saia.

— Não.

— Trabalha há muito tempo como cuidadora?

— Hum... na verdade, nunca trabalhei — disse eu, acrescentando, como se ouvisse a voz de Syed no meu ouvido: — Mas tenho certeza de que posso aprender.

— Sabe em que consiste a tetraplegia?

Vacilei.

— É quando... a pessoa fica presa a uma cadeira de rodas?

— Acredito que essa é uma forma de descrever. Há diversos graus, mas neste caso estamos falando da perda completa do uso das pernas e uso bastante limitado das mãos e dos braços. Isso incomoda a você?

— Bom, não tanto quanto incomoda a ele, é claro. — Esbocei um sorriso, mas o rosto da Sra. Traynor estava inexpressivo. — Desculpe... não quis...

— Sabe dirigir, Srta. Clark?

— Sim.

— Tem carteira de motorista sem infrações?

Anuí.

Camilla Traynor ticou algo em sua lista.

O rasgo estava aumentando. Eu podia vê-lo subir lenta e inexoravelmente pela minha coxa. Nessa altura, no momento em que eu me levantasse iria parecer uma dançarina de cassino de Las Vegas.

— Você está se sentindo bem? — A Sra. Traynor olhava para mim.

— Só estou com um pouco de calor. Posso tirar o paletó? — Antes que ela pudesse dizer qualquer coisa, arranquei o paletó num movimento gracioso e amarrei-o na cintura, tapando o rasgo na saia. — Bem quente — disse eu, sorrindo para ela. — O calor vindo lá de fora. A senhora sabe, não é?

Houve uma breve pausa e então a Sra. Traynor olhou de novo em sua pasta.

— Qual a sua idade?

— Vinte e seis.

— E ficou seis anos no emprego anterior.

— Sim. A senhora deve ter uma cópia da minha carta de recomendação.

— Hum... — A Sra. Traynor segurou a carta e deu uma olhadela. — Seu ex-empregador diz que você "é uma pessoa calorosa, falante e cheia de vida."

— É, eu paguei para ele escrever isso.

De novo, aquela cara de paisagem.

Ai, droga, pensei.

Era como se eu estivesse sendo avaliada. Não necessariamente de um jeito bom. De repente, a saia da minha mãe se tornou barata, a trama sintética brilhava na luz fraca. Eu deveria ter usado minha calça mais simples e uma camiseta. Qualquer coisa, menos esse *tailleur*.

— Então, por que está saindo desse emprego onde é, claramente, tão valorizada?

— Frank, o proprietário, vendeu o café. É aquele que fica no final do castelo. The Buttered Bun. Ficava — corrigi. — Eu ficaria feliz em continuar lá.

A Sra. Traynor fez que sim com a cabeça, tanto porque achou desnecessário dizer mais alguma coisa quanto porque ela também adoraria que eu tivesse continuado por lá.

— O que exatamente pretende fazer da sua vida?

— Desculpe?

— Pretende ter uma carreira? Isso é um primeiro passo para algo mais? Tem algum sonho profissional que deseja realizar?

Olhei para ela, confusa.

Seria essa uma pergunta do tipo armadilha?

— Eu... realmente ainda não pensei muito sobre isso. Desde que perdi o emprego, eu apenas... — engoli em seco — Eu só quero voltar a trabalhar.

Pareceu uma resposta fraca. Que tipo de pessoa vai para uma entrevista de emprego sem sequer saber o que quer fazer? A expressão da Sra. Traynor sugeria que ela também pensava assim.

Ela pousou a caneta.

— Então, Srta. Clark, por que acha que devo selecioná-la em vez de, por exemplo, o candidato anterior, que tem vários anos de experiência com pacientes tetraplégicos?

Olhei para ela.

— Hum... honestamente? Não sei. — Tal comentário encontrou o silêncio, então acrescentei: — Acho que isso compete à senhora.

— Você não pode me dar uma única razão para contratá-la?

De repente, o rosto da minha mãe surgiu à minha frente. A ideia de voltar para casa com um *tailleur* destruído e outra entrevista fracassada era demais para mim. E aquele emprego pagava mais de nove libras a hora.

Sentei-me ereta por um instante.

— Bom... aprendo rápido, nunca fico doente, moro logo do outro lado do castelo e sou mais forte do que pareço... provavelmente forte o bastante para ajudar seu marido a se locomover...

— Meu marido? Não é com o meu marido que você trabalharia. É com meu filho.

— Seu filho? — Pisquei. — Hum... não tenho medo de trabalho duro. Tenho facilidade para lidar com todo tipo de gente e... faço um ótimo chá. — Comecei a tagarelar para preencher o silêncio. A ideia de que o tetraplégico era filho dela me derrubou. — Quer dizer, meu pai não acharia que essa é a melhor das referências. Mas minha experiência diz que não existe nada que não possa ser resolvido com uma boa xícara de chá...

Tinha algo um pouco estranho no jeito como a Sra. Traynor me olhava.

— Desculpe-me — gaguejei, ao perceber o que tinha dito. — Não estou querendo dizer que a coisa... a paraplegia... tetraplegia... do seu filho... possa ser resolvida com uma xícara de chá.

— Devo dizer, Srta. Clark, que o contrato é provisório. Deve durar, no máximo, seis meses. Por isso o salário é... proporcional. Queríamos atrair a pessoa certa.

— Acredite em mim, quando você trabalhou em turnos numa processadora de frangos, trabalhar na baía de Guantánamo fica interessante. — *Ah, cale a boca, Louisa*. Mordi o lábio.

Mas a Sra. Traynor pareceu não se alterar. Fechou a agenda.

— Meu filho, Will, sofreu um acidente de trânsito há quase dois anos. Ele precisa de cuidados intensivos, que são, em grande parte, realizados por um enfermeiro treinado. Há pouco tempo voltei a trabalhar e o cuidador precisaria estar aqui durante o dia para fazer companhia a ele, ajudá-lo a comer e beber, e geralmente é sensato ter um par extra de mãos, para garantir que ele não vá se machucar. — Camilla Traynor olhou para o colo. — É de extrema importância que Will tenha alguém aqui que compreenda essa responsabilidade.

Tudo o que ela disse, inclusive a maneira como destacou as palavras, parecia sugerir algum nível de idiotice da minha parte.

— Sei. — Fui pegando minha bolsa.

— Então, você gostaria do emprego?

Foi tão inesperado que pensei ter ouvido errado.

— O que a senhora disse?

— Precisamos que comece o mais rápido possível. O pagamento será semanal.

Fiquei um instante sem saber o que dizer.

— Prefere ficar comigo em vez... — comecei.

— O horário é puxado, das oito da manhã às cinco da tarde, às vezes mais. Não há exatamente um horário de almoço, mas quando Nathan, o enfermeiro do turno do dia, vier ajudá-lo com a refeição, você deverá ter meia hora livre.

— A senhora não precisaria de alguém... da área médica?

— Will recebe todo o cuidado médico que podemos oferecer. Queremos uma pessoa forte... e animada. Ele tem uma vida... complicada, e é importante que seja incentivado a... — Ela se interrompeu, de olhos fixos em alguma coisa do outro lado das janelas francesas. Por fim, voltou-se novamente para mim. — Bom, digamos que o bem-estar físico dele é tão importante quanto o mental. Entende?

— Acho que sim. Vou precisar... usar uniforme?

— Não. Definitivamente nada de uniforme. — Ela olhou minhas pernas. — Embora seja bom que use algo... menos revelador.

Olhei para onde meu paletó tinha escorregado, revelando uma generosa extensão de perna nua. — Isso... desculpe. Rasgou. Na verdade, a saia não é minha.

Mas a Sra. Traynor parecia não estar mais ouvindo.

— Quando você começar, explico o que precisa fazer. No momento, Will não é a pessoa mais fácil de se lidar no mundo, Srta. Clark. O trabalho vai exigir tanto de sua atitude mental quanto das... habilidades profissionais que possa ter. Então, nós nos vemos amanhã?

— Amanhã? Você não quer... não quer que eu o conheça?

— Will não está num bom dia. Acho melhor fazermos isso depois.

Levantei-me, percebendo que a Sra. Traynor já esperava que eu saísse.

— Sim — concordei, puxando o paletó de mamãe por cima de mim. — Hum. Obrigada. Chego às oito amanhã.

Mamãe estava servindo batatas no prato de papai. Serviu duas, ele desviou o prato, pegando uma terceira e uma quarta batata da tigela. Ela o impediu de pegar mais, colocou as duas batatas extras de volta na tigela e deu uma batidinha nos nós dos dedos dele com a colher, quando fez menção de se servir outra vez. Sentados à pequena mesa estavam meus pais, minha irmã, Thomas, vovô e Patrick, que sempre vinha jantar às quartas-feiras.

— Papai — disse mamãe para vovô. — Quer que alguém corte as batatas para você? Treena, você pode cortar para ele?

Treena debruçou-se e começou a cortar a comida no prato de vovô com golpes hábeis. No outro extremo, ela já tinha feito a mesma coisa no prato de Thomas.

— Então, quão ruim está esse homem, Lou?

— Não deve ser muito grave, se eles o deixam solto com nossa filha — observou papai. Atrás de mim, a TV estava ligada, então ele e Patrick podiam assistir ao jogo de futebol. De vez em quando, eles paravam, suas bocas interrompendo a mastigação enquanto acompanhavam um passe ou uma falta.

— Acho que é uma grande oportunidade. Ela vai trabalhar numa das mansões. Para uma boa família. Eles são bacanas, querida?

Na nossa rua, ser "bacana" significa qualquer pessoa sem um parente que tenha sido criminalmente acusado de perturbação da ordem pública.

— Acho que sim.

— Espero que você tenha agido de maneira educada. — Papai sorriu com malícia.

— Você chegou a conhecê-lo? — Treena se debruçou para impedir que Thomas derrubasse, com o cotovelo, seu suco no chão. — O aleijado? Como ele é?

— Vou conhecê-lo amanhã.

— Estranho. Você vai ficar o dia inteiro com ele. Nove horas. Vai vê-lo mais do que vê Patrick.

— O que não é difícil — falei.

Do outro lado da mesa, Patrick fingiu não ter escutado.

— Apesar disso, não vai ter de se preocupar com aquela velha história de assédio sexual, certo? — insinuou papai.

— Bernard! — exclamou minha mãe, ríspida.

— Eu apenas disse o que todo mundo está pensando. Esse é provavelmente o melhor patrão que você poderia arrumar para a sua namorada, hein, Patrick?

Do outro lado da mesa, Patrick sorriu. Estava ocupado em recusar batatas, apesar dos melhores esforços de mamãe. Ele estava no mês carboidrato zero, preparando-se para participar de uma maratona no começo de março.

— Sabe, eu estava pensando: você vai ter de aprender a linguagem dos sinais? Quer dizer, se ele não fala, como você vai saber o que ele quer?

— Ela não disse que ele não fala, mamãe.

Na verdade, eu não conseguia me lembrar *do que* a Sra. Traynor tinha dito. Ainda estava um pouco chocada por ter conseguido um emprego.

— Talvez ele fale por um daqueles aparelhos. Como aquele cientista. O dos *Simpsons*.

— Veado — disse Thomas.

— Não — disse papai.

— Stephen Hawking — disse Patrick.

— É você, é culpa sua— respondeu mamãe, olhando acusadoramente de Thomas para papai. Um olhar tão afiado que dava para cortar um bife. — Fica ensinando Thomas a falar coisas feias.

— Não sou, não. Não sei de onde ele está tirando isso.

— Veado — repetiu Thomas, olhando diretamente para seu avô.

Treena fez uma careta.

— Acho que eu ficaria louca se o homem falasse comigo por aqueles aparelhos sintetizadores de voz. Imagina só! Me-dá-um-copo-de-água — ela imitou.

Brilhante. Mas não o suficiente para impedi-la de embarrigar, como resmungava papai de vez em quando. Ela tinha sido a primeira integrante da nossa família a ir para a universidade, até que o nascimento de Thomas obrigou-a a largar o curso no último ano. Papai e mamãe ainda têm esperança de que um dia ela traga fortuna para nossa família. Ou talvez trabalhe num lugar com mesa de recepção que não tenha uma tela de segurança feita de aço galvanizado ao redor. Qualquer um dos dois serviria.

— Por que andar de cadeira de rodas significa que ele tenha de falar como um Dalek? — perguntei.

— Mas você terá de se tornar próxima e íntima dele. No mínimo, limpar sua boca e dar de beber a ele, essas coisas.

— E daí? Não se trata de Engenharia Espacial.

— Falou a mulher que colocava a fralda de Thomas pelo avesso.

— Aconteceu só uma vez.

— Duas. E você só trocou a fralda dele três vezes.

Servi-me de ervilhas fingindo que estava mais confiante do que estava.

Mas, já no ônibus de volta para casa, os mesmos pensamentos começaram a zunir em minha cabeça. Sobre o que iríamos conversar? E se ele ficasse olhando para mim, a cabeça pendendo, o dia inteiro? Eu ficaria apavorada? E se eu não conseguisse entender o que ele queria? Eu era famosa por não cuidar das coisas, não tínhamos mais plantas em casa, nem bichos de estimação, depois das tragédias que foram o hamster, os bichos-paus e Randolph, o peixinho dourado. E quantas vezes aquela mãe empertigada ficaria por perto? Não gostava da ideia de ser vigiada o tempo todo. A Sra. Traynor parecia o tipo de mulher cujo olhar transformava mãos hábeis em um emaranhado de dedos.

— Então, Patrick, o que você acha disso tudo?

Patrick tomou um longo gole de água e deu de ombros.

Lá fora, a chuva batia nas vidraças e se fazia ouvir suavemente por cima do tinir de pratos e talheres.

— É um bom salário, Bernard. Melhor do que trabalhar à noite na fábrica de frangos, de qualquer jeito.

Houve um murmúrio geral de concordância na mesa.

— Bom, tem algum significado quando o melhor que se pode dizer da minha nova carreira é que é um trabalho melhor do que ficar levando carcaças de frango de um lado para outro dentro de um galpão — falei.

— Bom, enquanto isso, sempre dá para você entrar em forma e fazer algumas coisas de *personal training* com o Patrick aqui.

— Entrar em forma. Obrigada, papai. — Eu estava prestes a pegar mais uma batata e mudei de ideia.

— Ué, por que não? — Mamãe deu a impressão de que ia se sentar, todo mundo parou, mas não, ela se levantou de novo e foi ajudar vovô com o molho da carne. — Pode ser bom, tendo em vista seu futuro. Você sem dúvida tem o dom do papo.

— Ela tem o dom da papada. — Papai riu.

— Eu *consegui* um emprego — argumentei. — Que paga mais que o anterior, se me permitem lembrar.

— Mas é apenas temporário — interrompeu Patrick. — Seu pai tem razão. Você deveria pensar em ficar em forma enquanto isso. Você deveria ser uma boa *personal trainer*, se se empenhasse um pouco.

— Eu não *quero* ser *personal trainer*. Não gosto... de toda aquela... pulação. — Movi os lábios em um xingamento mudo para Patrick, que riu com deboche.

— O que Lou quer é um emprego onde possa ficar de pés para cima e assistir à TV enquanto um velho paralítico se alimenta com um canudinho — disse Treena.

— É. Porque arrumar dálias murchas em jarros com água exige muito esforço mental e físico, não é, Treen?

— Estamos brincando com você, querida. — Papai levantou sua xícara de chá. — É ótimo que tenha conseguido um trabalho. Já estamos orgulhosos de você. E aposto que quando puser seus pezinhos naquela mansão, aqueles viados não vão mais querer largar de você.

— Viados — repetiu Thomas.

— Não fui eu — disse papai, mastigando, antes que mamãe pudesse abrir a boca.

3

— Aqui é o anexo. Eram as estrebarias, mas percebemos que serviria um pouco melhor ao Will do que a casa, já que fica tudo em apenas um andar. Este é o quarto de hóspedes, pois assim Nathan pode passar a noite aqui caso seja necessário. No começo, precisávamos sempre de alguém.

A Sra. Traynor andava rápido pelo corredor, gesticulando de uma porta a outra, sem olhar para trás, os saltos estalando no piso de pedras. Parecia haver uma expectativa de que eu fosse parar.

— As chaves do carro ficam aqui. Incluí você no nosso seguro. Estou confiando que as informações que você me deu estejam corretas. Nathan pode lhe mostrar como funciona a rampa de acesso. Basta ajudar Will a ficar na posição correta que o carro faz o restante. Mas... no momento ele não está desesperadamente ávido para ir a lugar nenhum.

— Está um pouco frio — falei.

A Sra. Traynor pareceu não ouvir.

— Você pode preparar seu chá e seu café na cozinha. Mantenho o armário abastecido. O banheiro é por aqui...

Ela abriu a porta e olhei para o guincho de metal e plástico brancos que estava em cima da banheira. Havia uma área molhada sob o chuveiro, com uma cadeira de rodas dobrada ao lado. No canto, um armário com porta de vidro mostrava pilhas arrumadas de fardos de papel devidamente embalados. Não sabia para o que serviam, mas tudo ali exalava um leve cheiro de desinfetante.

A Sra. Traynor fechou a porta e virou-se brevemente para me olhar.

— Devo reiterar que é muito importante que Will esteja sempre acompanhado. A cuidadora anterior sumiu por várias horas para consertar o próprio carro e Will... se machucou durante a ausência. — Ela engoliu em seco, como se ainda estivesse traumatizada pela lembrança.

— Não vou a lugar algum.

— É lógico que você precisa de... intervalos. Só quero deixar claro que ele não pode ficar sozinho por mais de, digamos, dez ou quinze minutos. Se houver uma emergência, use o interfone, já que meu marido Steven deve estar em casa, ou ligue para o meu celular. Se você precisar sair, gostaria que avisasse com a maior antecedência possível. É difícil arrumar alguém para cobrir ausências.

— Não é fácil mesmo.

A Sra. Traynor abriu o armário do corredor. Ela falou como alguém que recita um discurso bem ensaiado.

Pensei brevemente em quantos cuidadores já tinham tido antes de mim.

— Se Will estiver ocupado, seria bom que você fizesse o básico para manter o anexo limpo e organizado. Lavar a roupa de cama, passar um aspirador por aí, essas coisas. O material de limpeza fica embaixo da pia. Talvez ele não queira você por perto o tempo todo. Você e ele têm de encontrar sua própria forma de se relacionarem.

A Sra. Traynor olhou as minhas roupas como se as visse pela primeira vez. Eu estava com o colete peludo que papai diz que me deixa parecida com um avestruz. Tentei sorrir. Pareceu um esforço.

— Obviamente, espero que vocês consigam... se entender bem. Seria ótimo se ele pudesse pensar em você como uma amiga em vez de uma profissional paga para isso.

— Certo. O que ele... hum... gosta de fazer?

— Ele assiste a filmes. Às vezes, ouve rádio ou música. Tem uma daquelas coisas digitais. Se você colocar perto da mão dele, ele consegue, geralmente, operar sozinho. Tem um pouco de movimento nos dedos, embora sinta dificuldade de segurar.

Fui me alegrando. Se ele gostava de música e cinema, claro que poderíamos encontrar algo em comum, não? Imaginei de repente eu e aquele homem rindo de alguma comédia hollywoodiana, eu passando o aspirador pelo quarto enquanto ele ouvia música. Talvez fosse dar certo. Talvez acabássemos amigos. Nunca tive um amigo deficiente físico, exceto por David, amigo de Treen, que era surdo, mas que ficava furioso se alguém sugerisse que isso era uma deficiência.

— Tem alguma pergunta?

— Não.

— Então vamos entrar e apresentar vocês. — Ela olhou para o relógio de pulso. — Nathan deve ter terminado de vesti-lo.

Hesitamos do lado de fora da porta e a Sra. Traynor bateu.

— Oi, estão aí? Will, trouxe a Srta. Clark para conhecer você.

Não houve resposta.

— Will? Nathan?

Um forte sotaque neozelandês.

— Ele está arrumado, Sra. T.

Ela abriu a porta. A sala do anexo era ilusoriamente enorme, pois uma das paredes era feita totalmente de portas de vidro que se abriam para o campo. Uma lareira crepitava baixinho no canto e um sofá bege com almofadas cobertas por uma manta de lã ficava de frente para uma grande TV de tela plana. O clima do ambiente era elegante e tranquilo: como o apartamento de um escandinavo solteiro.

No meio da sala havia uma cadeira de rodas preta, com assento e encosto forrados por pele de carneiro. Um homem solidamente forte, de jaleco sem gola, estava abaixado, arrumando os pés de outro no apoio da cadeira de rodas. Assim que entramos no quarto, o homem na cadeira olhou por baixo de uma cabeleira despenteada. Seus olhos encontraram os meus e, após uma pausa, ele soltou um gemido horripilante. Então, sua boca se retorceu e ele deixou sair outro grito fantasmagórico.

Senti sua mãe se empertigar.

— Will, pare com isso!

Ele nem olhou para ela. Outro som pré-histórico emergiu de algum lugar próximo a seu peito. Era um som terrível, agonizante. Tentei não vacilar. O homem fez uma careta, sua cabeça balançou e afundou em seus ombros enquanto ele começou a me encarar através de feições distorcidas. Parecia grotesco e vagamente irritado. Percebi que na mão em que eu segurava minha bolsa os nós dos meus dedos ficaram brancos.

— Will! Por favor. — Havia um leve tom de histeria na voz de sua mãe. — Por favor, não faça isso.

Meu Deus, pensei. *Não estou pronta para isso*. Engoli em seco, com esforço. O homem continuava a me encarar. Ele parecia esperar que eu fizesse alguma coisa.

— Eu... eu sou Lou. — Minha voz, incomumente trêmula, quebrou o silêncio. Pensei por um breve momento se estendia a mão, então, me lembrando de que ele não poderia segurá-la, dei um leve aceno. — Diminutivo de Louisa.

Então, para meu espanto, suas feições se desanuviaram e sua cabeça se endireitou sobre o pescoço.

Will Traynor me olhou firmemente, com o mais leve dos sorrisos tremulando em seu rosto.

— Bom dia, Srta. Clark — disse ele. — Soube que é minha nova guarda-costas.

Nathan tinha terminado de arrumar o descanso dos pés na cadeira de rodas. Balançou a cabeça ao se levantar.

— Você é um homem perverso, Sr. T. Muito perverso. — Ele sorriu com deboche e esticou uma manzorra, que eu apertei flacidamente. Nathan transpirava um ar de imperturbabilidade. — Acredito que você tenha acabado de assistir à melhor imitação de Christy Brown, de *Meu pé esquerdo*. Você vai se acostumar com ele. Ele late mais do que morde.

A Sra. Traynor segurava com os delicados dedos brancos o crucifixo em seu pescoço. Puxava-o de um lado para outro na fina corrente dourada, um tique nervoso. Sua expressão estava dura.

— Vou deixar vocês se entenderem. Podem usar o interfone se precisarem de ajuda. Nathan vai contar sobre a rotina de Will e o equipamento que ele usa.

— Estou aqui, mãe. Você não precisa falar como se eu não estivesse. Meu cérebro não está paralisado. Ainda.

— Sim, bom, se você vai se portar de maneira desagradável, Will, acho que é melhor a Srta. Clark falar direto com Nathan. — Percebi que a mãe não olhava para ele quando falava. Manteve seu olhar no chão, a uns três metros além de onde ele estava. — Vou trabalhar de casa hoje. Apareço na hora do almoço, Srta. Clark.

— Certo. — Minha voz saiu como um grasnado.

A Sra. Traynor sumiu. Ficamos calados enquanto ouvíamos seus passos ligeiros sumirem pelo corredor em direção à casa principal.

Nathan então rompeu o silêncio.

— Will, você se importa se eu falar de seus remédios com a Srta. Clark? Quer assistir à TV? Ouvir música?

— Rádio, estação quatro, por favor.

— Claro.

Fomos para a cozinha.

— A Sra. T. disse que você não tem muita experiência com tetraplégicos, certo?

— É.

— Certo. Vamos começar com as coisas razoavelmente simples hoje. Aqui tem uma pasta com praticamente tudo o que você precisa saber a respeito das rotinas de Will e com todos os telefones de emergência. Sugiro que você leia quando tiver um tempo livre. Imagino que vá ter algum.

Nathan pegou uma chave de seu cinto e abriu um armário cheio de caixas e frasquinhos plásticos de remédios.

— Certo. Isso é mais a minha parte, mas você precisa saber onde está tudo, para o caso de emergências. Há um quadro de horários na parede, então você pode verificar quando e o que ele toma por dia. Qualquer remédio a mais que você der, marque aqui — ele mostrou —, mas é melhor checar tudo com a Sra. T., pelo menos por enquanto.

— Não sabia que eu teria de lidar com remédios.

— Não é difícil. Ele sabe quase tudo o que toma. Mas pode precisar de uma pequena ajuda para engolir. Costumamos usar esse copo especial. Você pode amassar com este pilão de mármore e colocar em algum líquido.

Peguei uma das embalagens. Acho que nunca tinha visto tantos remédios fora de uma farmácia.

— Certo. Ele toma dois remédios para pressão: este, para baixar na hora de dormir; este, para subir quando acorda. Estes, ele usa quase sempre para controlar os espasmos musculares: você precisa dar um no meio da manhã e outro no meio da tarde. Ele não acha esses difíceis de engolir, porque são pequenos e revestidos. Estes são para espasmos da bexiga, e estes são para refluxo ácido. Às vezes, ele precisa tomar após a refeição, se sentir desconforto. Este é o anti-histamínico da manhã, e estes são os sprays nasais, mas costumo ministrá-los antes de ir embora, então você não precisa se preocupar. Ele pode tomar paracetamol se estiver com dor, e também tem essa pílula para dormir, que ele toma de vez em quando, mas que costuma deixá-lo mais irritado durante o dia, por isso procuramos restringir.

"Estes", Nathan continuou, mostrando outro frasco, "são os antibióticos que toma a cada duas semanas para a troca do cateter. Eu mesmo dou, a menos que não esteja aqui, nesse caso, deixarei instruções claras. São muito fortes. Temos caixas com luvas de borracha, se você precisar limpá-lo por algum motivo. Tem também essa pomada, para o caso de ele ter escaras, mas ele está muito bem desde que chegou o colchão de ar.

Enquanto eu estava ali parada, Nathan tirou do bolso uma chave e me entregou.

— Esta é a chave reserva — disse. — Não deve ser dada a ninguém. Nem mesmo a Will, certo? Proteja-a como se fosse sua vida.

— É muita coisa para lembrar. — Engoli em seco.

— Está tudo escrito. Por hoje, você só precisa lembrar dos antiespasmódicos. Aqueles ali. O número do meu celular está aqui, se precisar falar comigo. Quando não estou aqui, fico estudando, então queria pedir para não me ligar muito, mas fique à vontade até se sentir segura.

Olhei bem para a pasta na minha frente. Era como se eu fosse fazer uma prova para a qual não estudei.

— E se ele precisar... ir ao banheiro? — Pensei no aparelho de içar. — Não sei se consigo, você sabe, erguê-lo. — Tentei fazer com que meu rosto não transparecesse pânico.

Nathan balançou a cabeça.

— Não precisa fazer nada disso. O cateter cuida do assunto. Na hora do almoço estou aqui para trocar tudo. Sua função não envolve nenhum esforço físico.

— Qual é a minha função?

Nathan estudou o chão antes de me encarar.

— Tentar animá-lo um pouco? Ele é... ele é meio mal-humorado. O que é compreensível, dadas... as circunstâncias. Mas você vai precisar ser um pouco casca-grossa. Aquela pequena cena cômica da manhã é o jeito que ele tem de desestabilizá-la.

— Por isso o salário é tão bom?

— Ah, sim. Não existe almoço grátis, não é? — Nathan me deu um tapinha no ombro. Senti meu corpo reverberar com o gesto. — Ah, ele é legal. Não precisa pisar em ovos com Will. — Ele hesitou. — Gosto dele.

Ele disse isso como se fosse a única pessoa que gostava de Will.

Fui atrás dele até a sala. A cadeira de Will Traynor tinha se movido até a janela e ele estava de costas para nós, olhando para fora, ouvindo algo no rádio.

— Acabei, Will. Quer alguma coisa antes que eu saia?

— Não. Obrigado, Nathan.

— Deixo você sob os eficientes cuidados da Srta. Clark, então. A gente se vê no almoço, companheiro.

Com uma crescente sensação de pânico, vi o simpático cuidador vestir seu casaco.

— Divirtam-se, pessoal. — Nathan piscou para mim e então se foi.

Fiquei no meio da sala, mãos enfiadas nos bolsos, incerta sobre o que fazer. Will Traynor continuava a olhar pela janela, como se eu não estivesse ali.

— Quer que eu lhe prepare uma xícara de chá? — perguntei, enfim, quando o silêncio ficou insuportável.

— Ah. Sim. A garota que faz chá para viver. Estava pensando quanto tempo ia demorar para você mostrar suas habilidades. Não. Não, obrigado.

— Café, então?

— Nada de bebidas quentes para mim agora, Srta. Clark.

— Pode me chamar de Lou.

— Isso vai ajudar?

Pisquei, minha boca ligeiramente aberta. Fechei-a. Papai sempre dizia que aquilo me fazia parecer mais boba do que eu realmente era.

— Bom... posso lhe preparar alguma coisa?

Ele virou-se para mim. Seu rosto estava coberto por uma barba por fazer de várias semanas e os olhos eram indecifráveis. Ele virou-se para o outro lado.

— Vou... — dei uma olhada no cômodo. — Vou ver se tem alguma coisa para lavar, então.

Saí da sala, o coração batendo forte. Na segurança da cozinha, saquei meu celular e digitei uma mensagem de texto para minha irmã.

> É horrível. Ele me odeia.

A resposta veio em segundos.

> Você só está aí há uma hora,
> sua covarde! Mãe e pai muito preocupados com
> dinheiro. Segura a onda e pense
> em quanto ganha por hora. Bj

Fechei o celular com um estrépito e suspirei. Fui até o cesto de roupa suja no banheiro, tentando calcular meio quilo de roupa, e fiquei alguns minutos verificando as instruções da máquina de lavar. Não queria desprogramar nem fazer qualquer coisa para Will ou a Sra. Traynor me olharem de novo como se eu fosse idiota. Liguei a máquina e fiquei lá, pensando o que mais poderia legitimamente fazer. Tirei o aspirador de pó do armário e limpei todo o corredor, mais os dois quartos, pensando que, se meus pais pudessem me ver, insistiriam para tirar uma foto comemorativa. O quarto extra estava quase vazio, como um quarto de hotel. Desconfiei de que Nathan não costumava dormir lá. Pensei que eu provavelmente não poderia culpá-lo.

Hesitei do lado de fora do quarto de Will Traynor, e enfim concluí que o local precisava ser aspirado como qualquer outro lugar da casa. Uma das paredes era coberta por uma estante embutida com uns vinte porta-retratos.

Enquanto aspirava ao redor da cama, eu me permiti dar uma olhada neles. Havia um homem saltando de *bungee jump* de um abismo, os braços abertos como uma estátua do Cristo. Uma foto de um homem que poderia ser Will numa espécie de selva, e outra dele em meio a um grupo de amigos bêbados. Os homens estavam de smoking, uns com as mãos nos ombros dos outros.

Lá estava ele numa rampa de esqui, ao lado de uma garota de óculos escuros e longos cabelos louros. Parei para vê-lo melhor de óculos de esqui. Estava com o rosto barbeado e, mesmo na luz intensa, exibia aquela luminosidade cara que os endinheirados conseguem ter ao saírem de férias três vezes ao ano. Tinha ombros largos e fortes, o que dava para ver mesmo sob o casaco de neve. Coloquei a foto com cuidado na mesa e continuei a aspirar ao redor da cabeceira da cama. Finalmente, desliguei o aspirador e comecei a enrolar o fio. Quando me abaixei para tirar o plugue da tomada da parede, notei um movimento pelo canto do olho e pulei, dando um gritinho. Will Traynor me olhava da porta.

— Estação de esqui de Courchevel. Há dois anos e meio.

Corei.

— Desculpe. Eu estava só…

— Você estava só olhando as minhas fotos. Pensando como deve ser horrível ter tido uma vida assim e depois virar um aleijado.

— Não. — Corei ainda mais intensamente.

— O restante das minhas fotos estão na gaveta de baixo, caso você fique de novo muito curiosa — disse ele.

Então, com um leve zunido, a cadeira de rodas virou à direita e sumiu.

A manhã resolveu durar anos. Eu não me lembrava da última vez em que as horas e os minutos tinham se esticado tão interminavelmente. Tentei encontrar o máximo de ocupações e entrei na sala tão raramente quanto possível, sabendo que estava sendo covarde, mas não me importando com isso.

Às onze, levei água num copo especial, parecido com um copo de treinamento para crianças, e o medicamento antiespasmódico, como Nathan tinha recomendado. Coloquei o comprimido na língua dele e mostrei o copo, como Nathan me ensinara. O copo era descorado, de plástico opaco, o tipo da coisa que Thomas tinha usado, só que sem a estampa de Bob, o Construtor. Will engoliu com certo esforço e fez sinal para que eu o deixasse sozinho.

Tirei o pó de algumas prateleiras que não precisavam realmente ser espanadas e pensei em limpar umas janelas. O anexo estava silencioso, exceto pelo zunido baixo da TV na sala onde Will estava. Não me senti segura o suficiente para ligar o rádio na cozinha. Tinha a impressão de que ele ia fazer alguma crítica ríspida sobre a minha escolha.

Ao meio-dia e meia, Nathan chegou, trazendo consigo o ar frio da rua, e levantou uma sobrancelha.

— Tudo bem? — perguntou.

Poucas vezes na vida fiquei tão contente de ver alguém.

— Sim.

— Certo. Você pode parar meia hora, agora. O Sr. T. e eu precisamos fazer algumas coisas nesse horário.

Praticamente corri para pegar meu casaco. Não tinha planejado sair para almoçar, mas quase desmaiei de alívio por deixar aquela casa. Levantei a gola do casaco, pendurei a bolsa no ombro e caminhei a passos ligeiros pelo caminho para carros, como se realmente tivesse algum lugar para onde ir. Na verdade, apenas andei pelas ruas ao redor durante meia hora, a respiração formando nuvens quentes no meu cachecol bem enrolado.

Depois que o The Buttered Bun fechou, não existiam mais cafés naquele ponto da cidade. O castelo estava abandonado. O lugar mais próximo em que se podia comer era um pub elegante, o tipo de lugar onde eu provavelmente não conseguiria pagar uma bebida, muito menos um almoço rápido. Todos os carros no estacionamento eram enormes e caros, com placas novas.

Parei no estacionamento do castelo, certificando-me de que não seria vista da Granta House, e liguei para minha irmã.

— Oi.

— Você sabe que não posso falar no trabalho. Você não largou o emprego, largou?

— Não. Só precisava ouvir uma voz amigável.

— O homem é tão ruim assim?

— Treen, ele me *odeia*. Ele me olha como se eu fosse uma coisa que o gato trouxe na boca. E ele nem toma chá. Estou fugindo dele.

— Não acredito que eu esteja ouvindo isso.

— O quê?

— Fale com ele, pelo amor de Deus. Claro que ele se sente infeliz. Está preso a uma maldita cadeira de rodas. E você certamente está sendo inútil. Apenas fale com ele. Conheça-o. Qual a pior coisa que pode acontecer?

— Não sei... não sei nem se aguento.

— Não vou contar para mamãe que você desistiu do emprego depois de apenas metade do expediente. Não vão lhe pagar nada, Lou. Você não pode fazer isso. Não podemos deixar que você faça isso.

Ela estava certa. Percebi que odiava minha irmã.

Houve um breve silêncio. A voz de Treen ficou estranhamente conciliatória. Aquilo era mesmo preocupante. Significava que ela sabia que eu estava mesmo no pior emprego do mundo.

— Olhe, são só seis meses — disse ela. — Fique os seis meses, tenha algo útil no seu currículo e pode conseguir um emprego de que realmente goste. E, ei... veja as coisas por esse lado, pelo menos você não está trabalhando no turno da noite na fábrica de frango, certo?

— Noites na fábrica de frango parecem férias se comparadas com...

— Estou indo, Lou. Nos vemos depois.

— Gostaria de ir a algum lugar esta tarde? Podíamos ir de carro, se você quiser.

Nathan tinha saído fazia quase meia hora. Eu tinha prolongado a lavagem das xícaras de chá pelo tempo máximo humanamente possível e achava que, se passasse mais uma hora naquela casa silenciosa, minha cabeça explodiria.

Ele virou-se para mim.

— O que você tem em mente?

— Não sei. Dar uma volta pelo campo?

Eu estava fazendo uma coisa que costumo fazer às vezes: fingir que sou Treena. Ela é uma pessoa totalmente calma e competente, por isso ninguém jamais se irrita com ela. Aos meus ouvidos, eu soava profissional e animada.

— O campo — ele disse, como se considerasse a ideia. — Para vermos o quê? Árvores? Céu?

— Não sei. O que você costuma fazer?

— Eu não faço *nada*, Srta. Clark. Não posso mais fazer nada. Eu fico sentado. Apenas existo.

— Bom — falei. — Disseram que você tem um carro adaptado para cadeira de rodas, não?

— E você acha que vai parar de funcionar se não for usado todos os dias?

— Não, mas eu...

— Está dizendo que eu devia sair?

— Eu só pensei...

— Que uma voltinha de carro me faria bem? Um pouco de ar fresco?

— Estou apenas tentando...

— Srta. Clark, minha vida não vai melhorar muito se eu der uma volta pelos campos de Stortfold. — Ele virou-se para o outro lado.

A cabeça estava enfiada nos ombros e me perguntei se ele estava se sentindo bem. Não era hora de perguntar. Fiquei calada.

— Quer que eu traga o seu computador?

— Acha que eu podia participar de um bom grupo virtual de tetraplégicos? Tetra-Nós? O Clube das Rodas de Metal?

Respirei fundo e tentei fazer com que minha voz soasse confiante.

— Certo...bom... já que vamos ficar o tempo todo juntos, talvez pudéssemos saber um pouco um do outro...

Alguma coisa no rosto dele me fez vacilar. Olhava firme para a parede, com um tremor no maxilar.

— É que... é muito tempo para ficar com alguém. O dia inteiro — prosseguí. — Talvez, se você puder me contar um pouco o que quer fazer, do que gosta, então eu poderia... garantir que as coisas sejam como você gosta?

Desta vez, o silêncio foi doloroso. Ouvi minha voz ser lentamente engolida pela ausência de sons, e não sabia o que fazer com as mãos. Treena e seu jeito competente sumiram.

Finalmente, a cadeira de rodas zuniu e ele virou-se lentamente para mim.

— Eis o que sei a seu respeito, Srta. Clark. Minha mãe disse que você é falante. — Ele disse isso como se fosse um incômodo. — Vamos combinar uma coisa? Daqui por diante, pode ser desfalante?

Engoli em seco, sentindo o rosto em chamas.

— Claro — respondi, quando consegui falar. — Estou na cozinha. Se quiser alguma coisa, chame.

— Você não pode desistir.

Eu estava atravessada na cama, com as pernas esticadas na parede, como eu fazia quando adolescente. Estava assim desde o jantar, o que não era comum para mim. Desde que Thomas nasceu, ele e Treena passaram para o quarto maior e eu fiquei no quartinho, que era tão pequeno que dava claustrofobia se alguém ficasse lá mais de meia hora.

Mas eu não queria ficar no andar de baixo com mamãe e vovô porque ela ficava me olhando preocupada e dizendo coisas como "vai melhorar, querida" e "no primeiro dia, nenhum emprego é maravilhoso" como se ela tivesse tido um único emprego nos últimos vinte anos. Eu me sentia culpada. E não tinha feito nada para isso.

— Eu não disse que ia desistir.

Treena entrou no quartinho sem bater, como fazia todos os dias, embora eu sempre tivesse de bater de leve no quarto dela, para o caso de Thomas estar dormindo.

— Eu podia estar nua. Você podia pelo menos avisar antes de entrar.

— Já vi coisas piores. Mamãe acha que você vai pedir demissão.

Escorreguei as pernas pela parede e me sentei na cama.

— Céus, Treen. Aquele trabalho é pior do que pensei. Ele é péssimo.

— É paralítico. Claro que se sente péssimo.

— Não, ele é sarcástico e mesquinho comigo. Toda vez que digo ou sugiro alguma coisa, ele me olha como se eu fosse idiota, ou diz algo que me faz sentir com dois anos de idade.

— Provavelmente, você disse algo idiota. Vocês precisam apenas se acostumar um com o outro.

— Não disse nada idiota. Eu tomo muito cuidado. Quase só digo "quer dar uma volta de carro?" ou "quer uma xícara de chá?"

— Bom, vai ver que no começo ele é assim com todo mundo para ver até onde a pessoa aguenta. Aposto que ele já teve dezenas de cuidadoras.

— Ele não quer nem que eu fique no mesmo cômodo que ele. Não sei se aguento, Katrina. Não sei mesmo. Sinceramente... só indo lá para você entender.

Treena não disse nada, ficou me olhando. Levantou-se e olhou a porta, como se quisesse conferir se tinha alguém no andar.

— Estou pensando em voltar à faculdade — ela disse, por fim.

Meu cérebro levou alguns segundos para registrar a mudança de assunto.

— Ah, meu Deus. Mas... — falei.

— Vou pedir um empréstimo para pagar a anuidade. E posso conseguir algum benefício especial porque tenho Thomas e a faculdade oferece preços menores porque eles... — Ela deu de ombros, um pouco constrangida. — Eles dizem que posso me destacar. Alguém largou o curso de administração, então eles me aceitam no começo do próximo semestre letivo.

— E Thomas?

— O campus tem uma creche. Passaremos a semana nos apartamentos subsidiados e voltaremos para cá nos fins de semana.

— Ah.

Notei que ela me observava. Eu não sabia o que fazer com a minha cara.

— Estou louca para usar a cabeça de novo. Fazer arranjos de flores está acabando comigo. Quero estudar. Quero melhorar de vida. E não aguento minhas mãos sempre geladas por causa da água.

Olhamos as duas para as mãos dela, que estavam rosadas mesmo no calor tropical do interior da casa.

— Mas...

— Sim. Não vou trabalhar, Lou. Não vou dar nada para mamãe. Pode... pode ser até que eu precise da ajuda deles. — Nesse ponto, ela pareceu bastante desconfortável. A expressão, quando olhou para mim, era quase de desculpas.

No andar de baixo, mamãe ria de alguma coisa na TV. Falou com o vovô. Ela costumava explicar a história para ele, mesmo que sempre disséssemos que não precisava. Não consegui falar. As palavras de minha irmã foram ganhando sentido de forma lenta, mas inexorável. Eu me sentia como uma vítima da máfia vendo o concreto endurecer em torno de seus tornozelos.

— Tenho de fazer isso, Lou. Quero mais para Thomas, mais para nós dois. O único jeito de conseguir alguma coisa é voltando a estudar. Não tenho um Patrick. Nem sei se um dia terei, já que ninguém tem o menor interesse por mim depois que tive Thomas. Preciso fazer o melhor sozinha.

Como eu não disse nada, ela acrescentou:

— Para mim e para Thomas.

Concordei com a cabeça.

— Lou? Por favor?

Nunca vi minha irmã assim. Fiquei muito sem jeito. Levantei a caneca e dei um sorriso. Quando minha voz surgiu, não parecia minha.

— Bom, é como você diz. É só questão de se acostumar com ele. É sempre difícil nos primeiros dias, não é?

4

Passaram-se duas semanas, e com elas surgiu uma espécie de rotina. Todos os dias eu chegava na Granta House às oito da manhã, avisava que estava lá e, quando Nathan terminava de ajudar Will a se vestir, eu ouvia cuidadosamente ele me dizer o que eu precisava saber a respeito dos medicamentos de Will e, o mais importante, como estava o humor dele.

Depois que Nathan saía, eu sintonizava o rádio ou a TV para Will, dava seus comprimidos, às vezes amassando-os no pequeno pilão de mármore. Geralmente, depois de mais ou menos dez minutos ele deixava claro que estava cansado da minha presença. Eu então realizava com dificuldade as pequenas tarefas domésticas do anexo, lavando panos de prato que não estavam sujos ou usando partes aleatórias do aspirador para limpar os menores cantinhos de cortinas ou peitoris de janelas, enfiando minha cabeça pela porta religiosamente a cada quinze minutos, conforme a Sra. Traynor me pedira. E, quando eu fazia isso, Will continuava sentado em sua cadeira, olhando para fora na direção do jardim.

Mais tarde, eu levava um copo d'água, ou uma daquelas bebidas calóricas que serviam supostamente para manter seu peso e que pareciam cola para papel de parede num tom pastel, ou lhe dava comida. Ele podia mexer um pouco as mãos, mas não os braços, por isso precisava ser alimentado garfada a garfada. Essa era a pior parte do dia; parecia errado que, de algum modo, um adulto recebesse comida na boca e meu embaraço me fazia parecer desajeitada e inábil. Will odiava tanto isso que não conseguia nem me olhar enquanto eu o alimentava.

E então, pouco antes da uma da tarde, Nathan chegava e eu pegava o meu casaco e sumia para andar pelas ruas. Às vezes comia meu almoço no ponto de ônibus que ficava do lado de fora do castelo. Fazia frio e provavelmente eu parecia patética empoleirada ali, comendo sanduíches, mas eu não ligava. Não conseguia passar o dia inteiro dentro daquela casa.

À tarde, eu colocava um filme — Will era sócio de uma locadora de DVDs e chegavam filmes novos pelo correio todos os dias —, mas ele nunca me convidou para assistir a nenhum com ele, então eu costumava ficar na cozinha ou no quarto extra. Passei a levar um livro ou uma revista, mas me sentia estranhamente culpada por não estar trabalhando de verdade, e não conseguia me concentrar nem um pouco nas palavras. De vez em quando, no final do dia, a Sra. Traynor aparecia — embora nunca falasse muita coisa comigo além do "Está tudo bem?", cuja única resposta aceitável parecia ser "Sim".

Ela perguntava a Will se ele queria alguma coisa, às vezes sugeria algo que ele poderia gostar de fazer no dia seguinte — sair ao ar livre, ou visitar algum amigo que havia perguntado por ele —, e ele quase sempre respondia com desprezo, quando não diretamente com uma grosseria. Ela parecia magoada, corria os dedos por sua correntinha dourada e sumia de novo.

O pai de Will, um homem gorducho de aparência gentil, costumava chegar quando eu estava saindo. Era o tipo do sujeito que pode ser visto assistindo a um jogo de críquete usando um chapéu panamá e que, aparentemente, desde que se aposentara de seu emprego bem-remunerado na cidade, supervisionava a administração do castelo. Eu desconfiava de que era como um daqueles ricos fazendeiros que de vez em quando planta alguma coisa ele mesmo, só para "manter a mão na massa". Ele encerrava o expediente todos os dias às cinco em ponto e vinha ver TV com Will. Às vezes, ao sair eu o escutava fazer uma observação sobre alguma coisa do noticiário.

Precisei prestar muita atenção em Will Traynor naquelas primeiras semanas. Reparei que ele parecia determinado a não lembrar em nada com o homem que tinha sido; deixara seu cabelo castanho-claro crescer em uma bagunça disforme e a barba por fazer se espalhava sobre o rosto. Seus olhos cinzentos tinham marcas de cansaço, ou do desconforto que ele sentia quase o tempo todo (Nathan me disse que ele raramente se sentia bem). Eles levavam o olhar vazio de alguém que está sempre alguns passos afastado do mundo a seu redor. Às vezes, eu me perguntava se aquilo não era um mecanismo de defesa de Will, já que a única maneira que encontrou de lidar com sua vida foi fingir que não era com ele que aquelas coisas estavam acontecendo.

Eu gostaria de sentir pena dele. Eu realmente queria. Quando o pegava olhando para fora através da janela, pensava que ele era a pessoa mais triste que eu já conhecera. E, à medida que os dias se passavam e eu notava que sua condição não tinha relação somente com o fato de estar preso naquela cadeira ou com a perda de sua liberdade física, mas por uma série infinita de problemas de saúde, riscos e desconfortos, concluí que, se eu fosse Will, provavelmente também me sentiria infeliz.

Mas, meu Deus, ele era horrível comigo. Tinha uma resposta mordaz para tudo o que eu dizia. Se eu queria saber se ele estava bem aquecido, ele retrucava que era suficientemente capaz de me avisar se precisasse de outro cobertor. Se eu perguntava se o aspirador fazia muito barulho — eu não queria atrapalhar seu filme —, Will questionava o porquê daquela pergunta, por acaso eu conseguia fazer o aparelho funcionar em silêncio? Quando eu lhe dava as refeições, ele reclamava que a comida estava quente demais ou fria demais, ou que eu tinha levado a próxima garfada antes de ele ter acabado de mastigar. Ele possuía a habilidade de distorcer quase todas as minhas palavras ou ações, me fazendo parecer uma idiota.

Nessas duas primeiras semanas, fiquei bastante boa em manter uma expressão totalmente neutra, em dar as costas e me retirar para outro cômodo e em falar com ele o mínimo necessário. Comecei a odiá-lo, e tenho certeza de que ele sabia disso.

Eu não imaginava que fosse possível sentir ainda mais falta do meu antigo emprego. Sentia saudades de Frank e de como ele realmente parecia satisfeito ao me ver quando eu chegava pela manhã. Sentia falta dos clientes, da companhia deles, das conversas fáceis, dos suaves sons de engolir e de coisas sendo mergulhadas em líquidos que pareciam um mar calmo. Aquela casa linda e elegante era vazia e silenciosa como um necrotério. *Seis meses*, eu repetia mentalmente quando tudo parecia insuportável. *Seis meses.*

Então, numa quinta-feira, quando eu estava preparando a bebida hipercalórica que Will tomava no meio da manhã, ouvi a voz da Sra. Traynor no corredor. Só que, dessa vez, havia outras vozes também. Parei, ainda com o garfo na mão. Identifiquei apenas uma voz feminina, jovem e clara, e outra, masculina.

A Sra. Traynor surgiu na porta da cozinha e tentei parecer ocupada, batendo rápido o suco no copo especial de Will.

— Misturou na proporção de seis partes de água para quatro de leite? — ela perguntou, observando atentamente a bebida.

— Sim. É o de morango.

— Os amigos de Will vieram visitá-lo. Seria melhor se você...

— Tenho várias coisas para fazer aqui — falei.

Na verdade, estava um tanto aliviada por ter sido dispensada de sua companhia durante mais ou menos uma hora. Rosqueei a tampa do copo.

— As visitas gostariam de um chá ou café?

Ela ficou quase surpresa.

— Sim, seria muito simpático. Café. Acho que vou...

Ela parecia ainda mais tensa que o normal, seu olhar disparando em direção ao corredor, de onde podíamos escutar o murmúrio de vozes. Supus que Will não recebia muitas visitas.

— Eu acho... vou deixá-los conversar. — Deu uma olhadela para o corredor, seus pensamentos pareciam estar longe. — Rupert. É Rupert, um velho amigo do trabalho — disse ela, virando-se de súbito para mim.

Tive o pressentimento de que aquele era de certa forma um momento significativo e que ela queria dividir a notícia com alguém, mesmo que fosse comigo.

— E Alicia. Will e ela foram... muitos próximos... por algum tempo. Café seria adorável. Obrigada, Srta. Clark.

Hesitei por um instante antes de abrir a porta, empurrando-a com o quadril de modo a conseguir equilibrar a bandeja que estava em minhas mãos.

— A Sra. Traynor disse que gostariam de um café — falei ao entrar, colocando a bandeja na mesa de centro. Quando pus o copo especial de Will no suporte de sua cadeira, virando o canudinho de modo que ele apenas precisasse ajustar a cabeça para alcançá-lo, olhei furtivamente para as visitas.

Vi primeiro a mulher. Tinha pernas longas e cabelos louros, com a pele num tom levemente dourado. O tipo de mulher que me faz duvidar de que todos os humanos pertençam à mesma espécie. Parecia um puro-sangue. Eu já tinha visto mulheres como aquela algumas vezes, costumavam subir a colina do castelo carregando crianças pequenas que pareciam ter saído de um catálogo de moda e, quando entravam no café, suas vozes eram claras como cristal e despretensiosas ao perguntarem: "Harry, querido, você quer um café? Quer que eu pergunte se fazem *macchiato*?" Aquela era, sem dúvida, uma mulher *macchiato*. Tudo nela exalava dinheiro, privilégios e uma vida que parecia sair das páginas de uma revista chique.

Então olhei a moça mais de perto e concluí que ela a) era a mulher na fotografia de esqui de Will e b) parecia muito, muito desconfortável.

Ela beijou Will no rosto e depois recuou, sorrindo desajeitadamente. Usava um colete marrom de pele de carneiro, o tipo de coisa que faria com que eu parecesse o Abominável Homem das Neves, e, em volta do pescoço, uma echarpe de cashmere cinza-clara, na qual começou a mexer nervosamente, como se não conseguisse decidir se tiraria ou não.

— Você parece bem — disse a mulher para ele. — Realmente. Você... deixou o cabelo crescer um pouco.

Will não falou nada. Ficou só olhando para ela, sua expressão mais indecifrável do que nunca. Senti-me ligeiramente grata por não ser eu a pessoa que era olhada daquele jeito.

— Cadeira nova, hein? — O homem deu um tapinha nas costas da cadeira de Will, o queixo contraído e a boca voltada para baixo, em sinal de aprovação, como se admirasse um carro esporte de última linha. — É... bem bacana. Muito... *high tech*.

Fiquei sem saber o que fazer. Permaneci ali por um momento, trocando o peso do corpo de um pé para outro, até a voz de Will romper o silêncio.

— Louisa, pode colocar um pouco mais de lenha na lareira? Acho que é preciso aumentar um pouco o fogo.

Foi a primeira vez que ele pronunciou meu nome de batismo.

— Claro — concordei.

Ocupei-me em atiçar o fogo e vasculhei o cesto em busca de toras do tamanho certo.

— Meu Deus, lá fora está muito frio — disse a mulher. — É ótimo ter uma boa lareira acesa.

Abri a porta do queimador, cutucando as toras incandescentes com o atiçador.

— Aqui está uns bons graus mais frio do que em Londres.

— É, com certeza — concordou o homem.

— Estou querendo comprar um queimador desse tipo para a minha casa. Parece que é mais eficiente do que uma lareira comum. — Alicia inclinou-se um pouco para examinar o queimador, como se nunca tivesse visto um antes.

— É, ouvi dizer — disse o homem.

— Preciso ver isso. É uma dessas coisas que você quer fazer e depois... — calou-se. — O café está delicioso — acrescentou ela, após uma pausa.

— Então... o que tem feito, Will? — A voz do homem tinha uma espécie de alegria forçada.

— Pouca coisa, por incrível que pareça.

— Mas a fisioterapia e tal. Está indo bem? Alguma... melhora?

— Rupert, não acredito que eu volte a esquiar tão cedo — disse Will, com a voz transbordando de sarcasmo.

Quase sorri para mim mesma. Esse era o Will que eu conhecia. Comecei a passar a escova para retirar as cinzas do meio do aquecedor. Tive a impressão de que todos me olhavam. O silêncio pareceu carregado. Ponderei por um instante se a etiqueta de minha blusa de tricô estava para fora e lutei contra a urgência de conferir.

— Então... — disse Will, enfim. — A que devo o prazer desta visita? Depois de... oito meses?

— Ah, eu sei. Desculpe. Andei... andei terrivelmente ocupada. Tenho um novo emprego em Chelsea. Sou gerente da loja de Sasha Goldstein. Lembra-se dela? Tenho trabalhado muito nos fins de semana também. A loja fica lotada aos sábados. É muito difícil arrumar tempo livre. — A voz de Alicia tinha ficado frágil. — Liguei umas vezes. Sua mãe lhe disse?

— As coisas têm estado um pouco complicadas nos Lewins. Você... você sabe como é, Will. Temos um novo sócio. Um camarada de Nova York. Bains. Dan Bains. Chegou a conhecê-lo?

— Não.

— O maldito homem parece trabalhar vinte e quatro horas por dia e espera que todo mundo faça o mesmo. — Dava para escutar o alívio do homem por achar um assunto a respeito do qual ele estava confortável. — Você conhece a velha ética de trabalho ianque: nada mais de almoços demorados, nada de piadas sujas... Will, vou lhe contar. Até a atmosfera do lugar mudou.

— É mesmo?

— Oh, céus, é. Presenteísmo em larga escala. Às vezes, eu sinto que nem posso me levantar da cadeira.

Todo o ar da sala pareceu ter sido sugado de repente. Alguém tossiu.

Levantei-me e limpei as mãos na calça jeans.

— Eu vou... estou indo pegar mais lenha — murmurei, na direção de Will.

Peguei o cesto e escapuli.

O ar estava enregelante, mas me demorei do lado de fora, matando tempo enquanto escolhia pedaços de madeira. Achava que era melhor perder um dedo para o congelamento do que voltar para aquela sala. Mas estava frio demais e o meu indicador, que uso para costurar, começou a ficar azulado e enfim precisei admitir a derrota. Arrastei a lenha o mais lentamente possível, entrando no anexo, e voltei devagar pelo corredor. Ao me aproximar da sala, ouvi a voz da mulher escapando pela porta levemente aberta.

— Na verdade, Will, há outro motivo para virmos aqui — dizia ela. — Nós... temos uma novidade.

Vacilei do lado de fora da porta, abraçada ao cesto de lenha.

— Achei... quer dizer, *nós* achamos... que... você tinha o direito de saber... mas é o seguinte. Rupert e eu vamos nos casar.

Fiquei totalmente imóvel, calculando se podia dar meia-volta sem ser ouvida.

A mulher continuou de maneira pouco convincente:

— Olha, sei que deve ser um pouco chocante para você. Na verdade, foi um choque também para mim. Nós... isso... bem, as coisas só começaram muito depois que...

Meus braços começaram a doer. Olhei para baixo, em direção ao cesto, tentando decidir o que fazer.

— Bom, você sabe que você e eu... nós...

Outro silêncio pesado.

— Will, por favor, diga alguma coisa.

— Parabéns — disse ele, por fim.

— Sei o que você está pensando. Mas nenhum de nós esperava que isso fosse acontecer. De verdade. Durante um tempo enorme fomos apenas amigos. Amigos que estavam preocupados com você. É que Rupert me deu o apoio mais incrível do mundo depois do seu acidente...

— Que generoso.

— Por favor, não fique assim. Isso é tão esquisito. Eu estava completamente apavorada só de pensar em contar para você. Nós dois estávamos.

— Evidentemente — disse Will, sem inflexão na voz.

A voz de Rupert os interrompeu.

— Olha, só estamos contando porque nós dois nos importamos com você. Não queríamos que você soubesse por outra pessoa. Mas a vida continua. Você sabe. Faz dois anos, afinal de contas.

Fez-se silêncio. Percebi que eu não queria ouvir mais nada e fui me afastando devagar da porta, grunhindo baixo com o esforço. Porém, quando a voz de Rupert voltou, veio em um volume tão maior que eu ainda podia ouvi-lo.

— Vamos lá, cara. Eu sei que deve ser muitíssimo difícil... tudo isso. Mas, se você se importa com Lissa, deve querer que ela tenha uma vida bacana.

— Diga alguma coisa, Will. Por favor.

Eu podia imaginar a cara dele. Eu podia ver aquele olhar que ele fazia, ao mesmo tempo inescrutável e carregado de certo desdém frio.

— Parabéns — disse Will, finalmente. — Tenho certeza de que serão muito felizes.

Alicia começou a dizer alguma coisa (algo que não entendi) e foi interrompida por Rupert.

— Vamos, Lissa. Acho que devemos ir. Will, não viemos aqui esperando a sua bênção. Foi uma gentileza. Lissa pensou... bem, quer dizer, nós dois apenas pensamos... que você devia saber. Desculpe, meu velho. Eu... eu espero que as coisas melhorem para você e que você mantenha contato quando... você sabe... quando a poeira baixar um pouco.

Ouvi passos e inclinei-me sobre o cesto de lenha, como se tivesse acabado de voltar. Ouvi-os no corredor e então Alicia apareceu na minha frente. Seus olhos estavam vermelhos, como se ela estivesse prestes a chorar.

— Posso usar o banheiro? — perguntou, com a voz embargada e emocionada.

Levantei o dedo devagar e apontei, muda, a direção.

Então, ela me olhou de maneira dura e percebi que o que eu sentia devia estar estampado em minha cara. Nunca fui muito boa em esconder meus sentimentos.

— Sei o que você está pensando — disse ela, após uma pausa. — Mas eu tentei. Tentei mesmo. Durante meses. E ele apenas me afastava. — O maxilar dela estava rígido, a expressão estranhamente furiosa. — Ele realmente não me queria aqui. Deixou isso bem claro.

Parecia esperar que eu dissesse alguma coisa.

— Não é realmente da minha conta — falei, por fim.

Nós duas ficamos nos encarando.

— Sabe, você só pode ajudar alguém que aceita ajuda — disse ela.

E então ela se foi.

Esperei alguns minutos, ouvi o barulho do carro deles saindo pela passagem de veículos e então entrei na cozinha. Fiquei por lá e esquentei água na chaleira, ainda que não quisesse tomar chá. Folheei uma revista que já tinha lido. Finalmente, entrei de volta no corredor e, com um grunhido, peguei o cesto de lenha, arrastando-o para a sala de estar, batendo com o objeto delicadamente na porta antes de entrar, para que Will soubesse que eu estava chegando.

— Estava pensando se você gostaria que eu... — comecei.

Não havia ninguém lá.

A sala estava vazia.

Foi aí que ouvi o estrépito. Lancei-me em direção ao corredor bem a tempo de ouvir outro barulho, seguido pelo som de vidro se estilhaçando. Estava vindo do quarto de Will. *Oh, Deus, permita que ele não tenha se machucado*. Entrei em pânico, a recomendação da Sra. Traynor girando em minha cabeça. Deixei-o sozinho por mais de quinze minutos.

Apressei-me pelo corredor, deslizei até parar na porta, onde fiquei, as duas mãos segurando o batente. Will estava no meio do quarto, aprumado em sua cadeira de rodas, com uma bengala equilibrada sobre os braços da cadeira, de modo que o bastão se projetava uns vinte centímetros à esquerda: uma lança de justa. Não havia mais um único porta-retratos nas compridas prateleiras, as molduras caras jaziam despedaçadas por todo o chão, o tapete cravejado de reluzentes cacos de vidro. Seu colo estava pulverizado com pedaços de vidro e molduras de madeira quebradas. Absorvi aquela cena de destruição, sentindo meu coração vagarosamente reduzir devagar o ritmo à medida que eu compreendia que ele não estava ferido. Will respirava pesadamente, como se aquilo que acabara de fazer tivesse sido um grande esforço para ele.

A cadeira voltou-se em minha direção, triturando de leve os vidros no chão. Seus olhos encontraram os meus. Eles estavam infinitamente cansados. E me desafiavam a oferecer compaixão.

Olhei para baixo, em direção ao colo de Will, depois para o chão a seu redor. Eu conseguia apenas distinguir a foto dele com Alicia, cujo rosto agora estava oculto por uma moldura de prata dobrada, em meio a outras vítimas.

Engoli em seco examinando a cena, e, aos poucos, levantei os olhos para os dele. Foram os segundos mais longos que já tive.

— O pneu dessa coisa fura? — perguntei, por fim, apontando com a cabeça para a cadeira de rodas. — Porque não tenho a menor ideia de onde posso colocar um macaco para levantá-la.

Ele arregalou os olhos. Por um instante, pensei que eu realmente tivesse estragado tudo. Mas um mínimo lampejo de sorriso passou pelo rosto dele.

— Olha, não se mexa. Vou buscar o aspirador — falei.

Escutei a bengala cair no chão. Quando saí da sala, acho que ouvi um pedido de desculpas.

O Kings Head ficava sempre cheio nas tardes de quinta e naquele canto da pequena sala ele estava mais agitado ainda. Sentei-me espremida entre Patrick e um homem — cujo nome acho que era Rutter, e que olhava de vez em quando para a decoração composta por arreios e selas de cavalo pendurados nas vigas de carvalho acima da minha cabeça e para as fotos do castelo que as pontuavam — e tentei aparentar estar vagamente interessada na conversa ao redor, que parecia versar principalmente sobre taxas de gordura corporal e quantidade de carboidratos.

Sempre achei que as reuniões quinzenais dos Tratores do Triatlo de Hailsbury deviam ser o pesadelo de um dono de pub. Só eu estava consumindo bebida alcoólica e meu solitário pacote de salgadinhos estava amassado e vazio na mesa. Todos bebericavam água mineral ou conferiam a quantidade de adoçante de suas Diet Cokes. Quando finalmente pediam comida, não se permitiam o luxo de um molho de salada que não fosse light sobre a folha de alface, ou um pedaço de frango que ainda ostentasse a pele. Eu costumava pedir batata frita só para poder ver todos fingindo que não queriam uma.

— Phil perdeu o fôlego aos sessenta quilômetros. Disse que realmente ouviu vozes. Os pés pesavam como chumbo. Ficou com aquela cara de fantasma, sabe?

— Comprei aqueles tênis japoneses com balanceamento sob medida. Com eles, reduzi em quinze minutos meu tempo nas 10 milhas.

— Não viaje com uma capa de bicicleta flexível. A bicicleta de Nigel chegou ao campo de Triatlo parecendo um cabide enferrujado.

Eu não podia dizer que gostava dos encontros dos Tratores do Triatlo mas, com minhas horas a mais de trabalho e os horários dos treinos de Patrick, aquela era uma das raras oportunidades em que conseguíamos nos ver. Ele sentou-se ao meu lado, vestindo short sobre as coxas musculosas apesar do frio intenso lá fora. Era uma questão de honra que os sócios do clube usassem o mínimo possível de roupa. Os homens eram magros e sarados, ostentavam camadas sobrepostas de roupas esportivas obscuras e caras, que garantiam propriedades extras de "palitice" ou de peso corporal mais leve que o ar. Eles tinham nomes como Scud e Trig e alongavam uns aos outros, mostrando machucados ou alegando crescimento muscular. As garotas não usavam maquiagem e tinham a bendita aparência de quem não pensa em mais nada que não seja praticar *jogging* por quilômetros em condições glaciais. Olhavam para mim com uma leve repugnância (ou talvez até mesmo com incompreensão), certamente tentando calcular minha massa gorda e minha massa magra e considerando que a proporção estava abaixo das expectativas.

— Foi horrível — comecei a contar para Patrick, me perguntando se poderia pedir cheesecake sem que todos me lançassem um Olhar Mortal. — A namorada com o melhor amigo dele.

— Você não pode culpá-la — disse ele. — Ou vai me dizer que ia continuar comigo se eu ficasse paralisado do pescoço para baixo?

— Claro que ia.

— Não, não ia. E nem eu esperaria isso de você.

— Pois eu ia.

— Mas eu não ia querer. Não ia querer que uma pessoa ficasse comigo por pena.

— Mas quem disse que seria por pena? Por dentro, você seria a mesma pessoa.

— Não, não seria. Não seria a mesma pessoa de maneira alguma. — Ele franziu o nariz. — Eu não ia querer viver. Depender dos outros para qualquer coisa. Ter estranhos limpando o meu traseiro...

Um homem de cabeça raspada se enfiou entre nós dois.

— Pat, você experimentou aquela nova bebida em gel? — perguntou. — Na semana passada, uma delas explodiu na minha mochila. Nunca vi nada igual.

— Não sei se experimentei, Trig. Para mim basta uma banana e um Lucozade todos os dias.

— Dazzer tomou uma Diet Coke quando participou do Norseman Xtreme. Passou mal a novecentos metros de altura. Meu Deus, como nós rimos.

Abri um leve sorriso.

O homem de cabeça raspada sumiu e Patrick voltou a falar comigo, aparentemente ainda ponderando sobre o destino de Will.

— Meu Deus. Pense em tudo que não poderia mais fazer... — Balançou a cabeça. — Nada mais de corrida, nada mais de andar de bicicleta. — Olhou para mim como se tivesse acabado de lhe ocorrer. — Nada de *sexo*.

— Claro que dá para fazer sexo. Só que a mulher tem de ficar por cima.

— Ficaríamos fodidos, então.

— Engraçadinho.

— Além do mais, se você fica paralítico do pescoço para baixo, imagino que... hum... o equipamento não deve funcionar direito.

Pensei em Alicia. *Eu tentei*, ela disse. *Tentei mesmo. Durante meses.*

— Tenho certeza de que funciona com algumas pessoas. De todo modo, deve ter um jeito para isso, se você... usar a imaginação.

— Ah. — Patrick deu um golinho na água. — Você precisa perguntar para ele amanhã. Olha, você disse que ele é horrível. Talvez ele já fosse assim antes do acidente. Talvez esse seja o verdadeiro motivo para ela ter terminado o relacionamento. Já pensou nisso?

— Não sei… — Pensei na foto. — Eles pareciam tão felizes juntos.

Mas o que prova uma foto? Eu tinha uma num porta-retratos em casa, na qual eu estava sorrindo para Patrick de maneira radiante, como se ele tivesse acabado de me salvar de um prédio em chamas, quando na verdade eu tinha acabado de dizer que ele era um "completo idiota" e ele tinha reagido com um enérgico "ah, não enche!".

Patrick perdeu o interesse pelo tema.

— Ei, Jim… Jim, já viu a nova bicicleta superleve? É boa?

Deixei que ele mudasse de assunto, e fiquei pensando no que Alicia tinha dito. Eu podia imaginar muito bem Will afastando-a. Mas, certamente, se você ama alguém, é sua função ficar com ele? Para ajudar na depressão? Na doença e na saúde e tal?

— Mais uma bebida?

— Uma vodca com tônica. Tônica *light* — acrescentei, quando ele franziu o cenho.

Patrick deu de ombros e foi em direção ao bar.

Comecei a me sentir meio culpada pela maneira como estávamos falando do meu patrão. Ainda mais quando percebi que ele provavelmente suportava aquela situação o tempo todo. Era quase impossível não especular sobre os aspectos mais íntimos de sua vida. Eu me desliguei do assunto. Havia uma conversa sobre um fim de semana de treino na Espanha. Eu ouvia meio distraída, até que Patrick reapareceu do meu lado e me cutucou.

— Já pensou?

— No quê?

— Fim de semana na Espanha. Em vez das férias na Grécia. Você pode ficar de pernas para o ar na piscina se não gostar do passeio de sessenta quilômetros de bicicleta. Podemos conseguir voos baratos. Seis semanas. Agora que você está nadando em dinheiro…

Pensei na Sra. Traynor.

— Não sei… não sei se eles vão gostar que eu tire férias tão cedo.

— Você se incomoda se eu for, então? Adoro a ideia de treinar na altitude. Pretendo participar do maior.

— Do maior o quê?

— Triatlo. O Norseman Xtreme. Cem quilômetros de bicicleta, cinquenta a pé, depois um maravilhoso e longo nado nos mares nórdicos com temperaturas abaixo de zero.

O Norseman era citado com respeito: os que tinham participado exibiam seus machucados como se fossem veteranos de uma guerra distante e especialmente brutal. Patrick estava quase estalando os lábios com a expectativa. Olhei para meu namorado e me perguntei se ele era um alienígena. Pensei por um instante que eu gostava mais dele na época em que trabalhava em televendas e não conseguia passar por um posto de gasolina sem fazer um estoque de barras de chocolates Mars.

— Você vai participar?

— Por que não? Nunca estive tão em forma.

Pensei em todos aqueles treinos extra, as infindáveis conversas sobre peso e distância, preparo físico e resistência. Era difícil conseguir a atenção de Patrick durante a maior parte do tempo naqueles dias.

— Você podia ir comigo — disse ele, embora nós dois soubéssemos que ele não acreditava no que dizia.

— É melhor você ir sozinho — respondi. — Claro. Vá em frente — insisti.

E pedi o cheesecake.

Se eu achava que os acontecimentos do dia anterior poderiam quebrar o gelo na Granta House, estava enganada.

Cumprimentei Will com um largo sorriso e um animado "oi", e ele nem sequer se incomodou em tirar os olhos da janela.

— Não está num bom dia — murmurou Nathan, vestindo o casaco para sair.

Era uma manhã de tempo muito ruim, com nuvens baixas e uma chuva batendo sem piedade nas janelas, e estava difícil de imaginar que o sol voltaria a brilhar em algum momento. Até mesmo eu ficava carrancuda num dia como aquele. Portanto, não era surpresa que Will estivesse pior. Comecei a me ocupar das tarefas matinais, repetindo para mim mesma o tempo todo que nada daquilo importava. Você não precisa gostar do seu patrão, não é? Um monte de gente não gosta. Pensei no chefe de Treena, um sujeito de cara fechada, divorciado várias vezes, que controlava a quantidade de vezes que ela ia ao banheiro e era conhecido por perguntar de maneira áspera se Trena não achava que tinha excesso de atividade renal. Além do mais, eu já completara duas semanas de trabalho. O que significava que me faltavam apenas cinco meses e treze dias para sair.

As fotos estavam cuidadosamente empilhadas na prateleira debaixo da estante, onde eu as havia colocado no dia anterior, e então, agachada, comecei a retirá-las dos porta-retratos, separando-as, determinando quais molduras eu seria capaz de consertar. Sou muito boa em consertar coisas. Além disso, pensava que poderia ser uma forma bastante produtiva de passar o tempo.

Estava fazendo isso havia uns dez minutos quando o zumbido discreto da cadeira de rodas motorizada me alertou da chegada de Will.

Ele ficou à porta, olhando para mim. Havia manchas escuras sob seus olhos. Nathan me dissera que, às vezes, Will não conseguia dormir. Eu não quis pensar em como deveria ser isso, ficar preso numa cama, tendo por companhia só pensamentos ruins pela madrugada a fora.

— Acho que posso ver se consigo consertar algumas dessas molduras — falei, segurando uma. Era a foto dele fazendo *bungee jump*. Tentei parecer animada. *Ele precisa de alguém feliz, alguém para cima.*

— Por quê?

Pestanejei.

— Bom... acho que algumas dessas podem ser salvas. Trouxe um pouco de cola de madeira, se estiver tudo bem para você que eu mexa nelas. Se quiser substituí-las, posso ir ao centro da cidade no horário do almoço e ver se encontro outros porta-retratos. Ou podíamos ir os dois, se você quiser dar uma volta...

— Quem mandou você começar a consertar?

Ele me encarava firmemente.

Oh-oh, pensei.

— Eu... eu só estava querendo ajudar.

— Você queria consertar o que eu fiz ontem.

— Eu...

— Sabe de uma coisa, Louisa? Seria ótimo se alguém, por uma vez, prestasse atenção ao que eu quero. Destruir essas fotos não foi um acidente. Não foi uma tentativa de decoração radical de interiores. Eu fiz isso porque realmente não quero vê-las.

Levantei-me.

— Desculpe. Não pensei que...

— Você achou que sabia. Todo mundo acha que sabe do que eu preciso. *Vamos colocar as malditas fotos juntas de novo. Vamos dar ao pobre aleijado alguma coisa para olhar*. Não quero ter as porcarias dessas fotos me encarando toda vez que estiver na cama até alguém chegar e me tirar de lá. Certo? Você acha que é capaz de entender isso?

Engoli em seco.

— Eu não ia consertar aquela com Alicia... não sou tão idiota assim... só pensei que daqui a pouco você poderia...

— Oh, Céus... — Ele virou as costas se afastando, a voz sarcástica. — Por favor, me poupe de psicoterapia. Continue lendo suas revistas de fofoca ou seja lá o que você faça quando não está preparando chá.

Minhas bochechas ficaram em chamas. Observei-o manobrar a cadeira no corredor estreito e minha voz saiu antes mesmo de eu saber o que estava fazendo.

— Você não precisa se comportar como um babaca.

As palavras pairaram no ar.

A cadeira de rodas parou. Houve uma longa pausa, e então ele deu marcha a ré e fez a volta devagar, até poder me encarar, sua mão no pequeno joystick.

— O quê?

Olhei para ele, o coração batendo acelerado.

— Seus amigos receberam um tratamento de merda. Ótimo. Eles provavelmente mereciam. Mas eu estou aqui todos os dias apenas tentando fazer meu trabalho melhor que posso. Por isso, eu ficaria muito satisfeita se você não fizesse da minha vida algo tão desagradável, ao contrário do que você faz com a vida de todo mundo.

Will arregalou um pouco os olhos. Passou-se um instante até ele falar de novo.

— E se eu disser que não quero mais você aqui?

— Não fui contratada por você. Fui contratada pela sua mãe. E, a não ser que ela não me queira mais aqui, vou continuar. Não porque eu me importe particularmente com você, ou com este trabalho idiota, ou por querer mudar a sua vida de alguma maneira, mas porque preciso do dinheiro. Certo? Eu realmente preciso desse dinheiro.

Aparentemente, a expressão de Will Traynor não se alterou muito, mas acho que vi espanto ali, como se não estivesse acostumado a ter alguém discordando dele.

Ai, droga, pensei, como se a verdade do que eu tinha acabado de fazer começasse a emergir. *Eu realmente estraguei tudo dessa vez.*

Mas Will apenas ficou me olhando por um tempo e, como eu não desviei o olhar, deu um pequeno suspiro, como se quisesse dizer algo desagradável.

— Muito bem — disse ele, e virou-se na cadeira de rodas. — Apenas coloque as fotos na gaveta de baixo, sim? Todas.

E, com um zunido baixo, foi embora.

5

Ser atirada para dentro de uma vida totalmente diferente — ou, pelo menos, jogada com tanta força na vida de outra pessoa a ponto de parecer bater com a cara na janela dela — obriga a repensar sua ideia a respeito de quem você é. Ou sobre como os outros o veem.

Para meus pais, em quatro curtas semanas eu fiquei um pouco mais interessante. Passei a ser o canal para um mundo diferente. Minha mãe, particularmente, todo dia me fazia perguntas sobre a Granta House e os hábitos domésticos de seus moradores, como se fosse uma zoóloga forense observando alguma estranha criatura nova e seu habitat.

— A Sra. Traynor usa guardanapos de linho em todas as refeições? — ela poderia perguntar, ou: — Eles passam aspirador na casa todos os dias, como nós? — Ou ainda: — Como eles preparam as batatas?

Mamãe se despedia de mim de manhã com recomendações estritas para que eu descobrisse que marca de papel higiênico eles usavam, ou se os lençóis eram de algodão misto. Isso era fonte de grande decepção, já que na maioria das vezes eu não conseguia me lembrar de investigar nada. Minha mãe estava secretamente convencida de que os bacanas viviam como porcos — isso desde que eu contei, aos seis anos, sobre uma colega bem-nascida cuja mãe não nos deixava brincar na sala "porque íamos levantar a poeira".

Quando eu chegava em casa e contava que, sim, o cachorro definitivamente podia comer na cozinha ou que, não, os Traynor não varriam a escada da frente todos os dias como minha mãe fazia, ela contraía os lábios, olhava de soslaio para meu pai e acenava com a cabeça em muda satisfação, como se tivesse acabado de confirmar tudo de que suspeitava sobre os modos desleixados da classe alta.

O fato de minha família depender do meu salário, ou de saber que eu não gostava mesmo do meu trabalho, significou receber um pouco mais de respeito em casa. Isso, na verdade, não mudava muito as coisas: no caso de meu pai, ele parou de me chamar de "gordota" e, quanto a mamãe, passei a ter uma caneca de chá à minha espera quando chegava em casa.

Para Patrick e minha irmã, eu era a mesma: ainda alvo de piadas, e a recebedora de abraços, beijos e maus humores. Eu não me sentia diferente. Parecia a mesma pessoa, ainda vestida, segundo Treen, como se tivesse enfrentado uma luta greco-romana num brechó de caridade.

Eu não fazia ideia do que os moradores da Granta House achavam de mim. Will era indecifrável. Para Nathan, eu devia ser apenas mais uma em uma longa lista de cuidadoras contratadas. Ele era bastante simpático, mas um pouco distante. Suspeitava de que ele não estava convencido de que eu fosse durar muito. O Sr. Traynor me cumprimentava, afável, quando nos cruzávamos no hall, ocasionalmente me perguntava como estava o trânsito ou se tudo ia bem. Mas não sei se me reconheceria se nos víssemos em um outro cenário.

Mas para a Sra. Traynor — ó, céus! —, para ela eu era aparentemente a pessoa mais idiota e mais irresponsável do mundo.

Tudo começou com os porta-retratos. Nada naquela casa escapava à observação da Sra. Traynor, e eu deveria saber que a destruição dos porta-retratos seria considerada um evento sísmico. Ela me interrogou para saber por quanto tempo exatamente eu tinha deixado Will sozinho; o que havia motivado aquilo; quão rápido eu havia arrumado tudo. Não chegou a me criticar — era muito discreta até mesmo para aumentar a voz —, mas o jeito de piscar os olhos devagar a cada resposta que eu dava, os breves *hum-hums* conforme eu falava, disseram tudo o que eu precisava saber. Não fiquei surpresa quando Nathan me contou que ela era magistrada.

Ela achava que seria uma boa ideia se eu não deixasse Will sozinho da próxima vez, não importando quão desagradável fosse a situação, *hum*? E que, na próxima vez que eu tirasse o pó dos móveis, eu poderia me certificar de que os objetos não estivessem tão na beirada de modo a evitar que caíssem acidentalmente no chão, *hum*? (Ela parecia preferir crer que aquilo fora um acidente). A Sra. Traynor fazia com que eu me sentisse uma idiota de primeira categoria e, consequentemente, foi isso que me tornei quando estava perto dela. Ela sempre chegava quando eu tinha acabado de deixar alguma coisa cair no chão, ou estava lutando com os botões do fogão, ou então ela estava de pé na entrada, aparentando um pouco de irritação quando eu pisava de volta na casa depois de buscar lenha lá fora, como se eu tivesse ido muito mais longe do que de fato eu tinha ido.

Estranhamente, o comportamento da Sra. Traynor me atingia mais do que a agressividade de Will. Em algumas ocasiões, tive vontade de perguntar abertamente se havia algo errado. *Você disse que estava me contratando mais pela minha postura do que por minhas habilidades profissionais*, eu quis dizer. *Bem, aqui estou eu, sendo animada a cada dia duro. Sendo forte, como você queria. Então, qual é o seu problema?*

Mas Camilla Traynor não era o tipo de mulher para quem se podia dizer isso. Além do mais, eu achava que ninguém naquela casa falava qualquer coisa diretamente para outra pessoa.

— Lily, a nossa última garota, tinha o inteligente hábito de usar uma mesma panela para cozinhar dois legumes de uma vez. — O que significava: *Você está fazendo muita bagunça.*

"Talvez você queira uma xícara de chá, Will" significava *Não faço a menor ideia do que falar para você, Will.*

"Acho que tenho alguns papéis para organizar" significava *Você está sendo grosseiro, vou sair do quarto.*

Tudo isso dito com aquela expressão levemente sofrida e os dedos delgados movendo de um lado para o outro o crucifixo na corrente. Ela era contida demais, reprimida demais. Fazia minha mãe se parecer com a Amy Winehouse. Eu sorria educadamente, fingindo que não havia reparado, e fazia o que era paga para fazer.

Ou, pelo menos, tentava.

— Por que, raios, você está tentando esconder cenouras no meu garfo?

Dei uma olhada para o prato. Eu estava assistindo a apresentadora na TV e pensando como meu cabelo ficaria tingido na cor do dela.

— Hein? Não tentei.

— Tentou. Você amassou as cenouras e tentou escondê-las no molho da carne. Eu vi.

Enrubesci. Ele tinha razão. Eu estava dando comida a Will enquanto assistíamos, meio distraídos, ao noticiário da hora do almoço. A refeição era rosbife com purê de batatas. A mãe de Will tinha dito para colocar três tipos de legumes no prato, embora ele tivesse deixado bem claro que não queria legumes naquele dia. Acho que não existia uma única refeição que eu fosse instruída a preparar que não fosse milimetricamente balanceada em termos nutricionais.

— Por que você está querendo me contrabandear cenouras?

— Não quero.

— Quer dizer que não tem cenoura aí?

Olhei para os pedacinhos cor de laranja.

— Bom... está certo...

Ele estava esperando, sobrancelhas erguidas.

— Hum... acho que pensei que legumes poderiam fazer bem a você.

Fiz isso em parte em obediência à Sra. Traynor e em parte por hábito. Eu costumava dar comida para Thomas, cujos legumes precisavam ser amassados e escondidos em montes de batata, ou ocultados em bocados de macarrão. Cada pedacinho que passava por ele era como uma pequena vitória.

— Deixe-me ver se entendi. Você acha que uma colher de chá de cenoura vai melhorar minha qualidade de vida?

De fato, era muito idiota quando ele colocava a coisa daquele jeito. Mas eu tinha aprendido que era importante não parecer intimidada por nada que Will dissesse ou fizesse.

— Entendi seu ponto — falei, calma —, não farei de novo.

E então, do nada, Will Traynor riu. Explodiu de dentro dele num arquejar, como se tivesse sido totalmente inesperado.

— Pelo amor de Deus. — Ele balançou a cabeça.

Encarei-o.

— O que mais você tem escondido na minha comida? Daqui a pouco vai dizer para eu abrir o túnel e o Sr. Trem vai levar um pouco de brotos de couve-de-bruxelas até a próxima estação.

Pensei naquilo por um minuto.

— Não — disse eu, séria —, eu só lido com o Sr. Garfo, e ele não se parece com um trem.

Alguns meses antes, Thomas tinha me dito isso, bem firme.

— Minha mãe mandou você fazer isso?

— Não. Olhe, Will, desculpe. Eu… não estava raciocinando.

— Como se isso alguma vez acontecesse.

— Tudo bem, tudo bem. Vou tirar as benditas cenouras, se incomodam tanto a você.

— Não são as benditas cenouras que me incomodam, mas sim tê-las escondidas em minha comida por uma mulher maluca que chama os talheres de Sr. e Sra. Garfo.

— Era uma brincadeira. Olhe, deixe eu tirar as cenouras e…

Ele virou a cara.

— Não quero mais nada. Só faça uma xícara de chá para mim. — Saí da sala e ele berrou: — E não tente colocar uma porcaria de uma abobrinha no chá.

Nathan entrou quando eu estava terminando com os pratos.

— Ele está de bom humor — disse, quando lhe entreguei uma caneca de chá.

— Está? — Eu estava comendo meus sanduíches na cozinha. Estava muito frio lá fora e de algum modo a casa não parecia tão hostil nos últimos tempos.

— Ele disse que você está querendo envenená-lo. Mas disse… você sabe… de um jeito legal.

Fiquei estranhamente satisfeita com a notícia.

— É… bom… — disse eu, tentando esconder o que eu sentia — preciso de tempo.

— Ele também tem falado um pouco mais. Havia semanas em que mal dizia uma palavra, mas nos últimos dias ele anda definitivamente mais a fim de conversar.

Pensei em Will dizendo que, se eu não parasse com aquela porcaria de assovio, ele teria de me despedir.

— Acho que a noção de conversa dele é pouco diferente da minha.

— Bom, nós conversamos um pouco sobre críquete. E vou lhe dizer…. — Nathan baixou a voz — Há mais ou menos uma semana, a Sra. T. perguntou se eu achava que você estava indo bem. Eu disse que achava você muito profissional, mas eu sabia que não era isso que ela queria saber. Então, ontem ela me disse que tinha ouvido vocês dois rindo.

Lembrei da tarde anterior.

— Ele estava rindo *de mim* — expliquei.

Will tinha achado muito engraçado que eu não soubesse o que era *pesto*. Eu disse que o jantar seria "macarrão com molho verde".

— Ah, ela não se importa com isso. É que há muito tempo ele não ri de alguma coisa.

Era verdade. Parecia que Will e eu tínhamos encontrado um jeito mais simples de conviver. O que girava em torno, principalmente, de ele ser rude comigo e de eu, de vez em quando, devolver a grosseria. Will dizia que eu tinha feito algo errado e eu perguntava se aquilo era da conta dele, então ele falava de maneira educada. Ele me xingava, ou dizia que eu era um pé no saco, e eu respondia que ele poderia tentar ficar sem aquele pé no saco específico. Era meio exagerado, mas parecia funcionar para ambos os lados. Às vezes, parecia até um alívio para ele que houvesse alguém preparado para tratá-lo mal, contradizê-lo ou alertá-lo para o fato de que estava sendo desagradável. Eu tinha a sensação de que, desde o acidente, todo mundo andava na ponta dos pés ao redor dele, exceto talvez Nathan, a quem Will parecia tratar com um respeito maquinal e que provavelmente não se incomodaria de todo modo com nenhum dos comentários afiados de Will. Nathan era um veículo blindado em forma de homem.

— Você deve procurar continuar sendo o alvo das piadas dele, certo?

Coloquei minha caneca na pia.

— Acho que isso não será um problema.

A outra grande mudança, além das condições atmosféricas no interior da casa, era que Will não pedia para ficar sozinho tanto quanto antes, e em algumas tardes até me perguntava se eu queria ficar e assistir a um filme com ele. Não me incomodei muito quando foi a vez de *O exterminador do futuro* — embora eu já tivesse assistido a todos os filmes da série —, mas quando ele me mostrou o filme francês legendado, dei uma rápida olhada na capa e disse que achava que eu preferia deixar passar aquele.

— Por quê?

Dei de ombros.

— Não gosto de filme legendado.

— É o mesmo que não gostar de filmes com atores. Não seja ridícula. Do que você não gosta? De precisar ler ao mesmo tempo que vê alguma coisa?

— Eu só não gosto mesmo de filme estrangeiro.

— Qualquer filme que não se enquadre no festival de cinema local é estrangeiro. Você acha que Hollywood é um subúrbio de Birmingham?

— Muito engraçado.

Ele não acreditou quando eu admiti que nunca tinha visto um filme legendado. Mas meus pais costumavam monopolizar o controle remoto à noite e era tão plausível que Patrick assistisse a um filme estrangeiro quanto seria sugerir que nós nos matricularíamos em aulas noturnas de crochê. O multiplex na cidade mais próxima da nossa só passava os últimos filmes de tiroteio ou comédias românticas e ficava tão lotado de crianças encapuzadas perturbando durante a sessão que a maioria das pessoas que moravam perto da cidade nem se dava o trabalho de ir ao cinema.

— Você precisa assistir a esse filme, Louisa. Na verdade, isso é uma ordem. — Will moveu sua cadeira de rodas para trás e fez sinal com a cabeça em direção à poltrona. — Ali. Sente-se ali. Não se mexa até que termine. Nunca assistiu a um filme estrangeiro! Pelo amor de Deus — resmungou ele.

Era um filme antigo sobre um corcunda que herda uma casa no interior da França e Will disse que era baseado num livro famoso, mas posso dizer que eu nunca ouvi falar nele. Passei os primeiros vinte minutos me sentindo meio irrequieta, irritada com as legendas e pensando se Will ia ficar ofendido se eu dissesse que precisava ir ao banheiro.

E então, aconteceu uma coisa. Parei de pensar em como era difícil ouvir e ler ao mesmo tempo, esqueci os horários dos remédios de Will e mesmo se a Sra. Traynor poderia pensar que eu estava sendo indolente, e comecei a ficar nervosa pelo pobre homem e sua família, que estavam sendo enganados por vizinhos inescrupulosos. Quando o Corcunda morreu, eu soluçava baixinho, limpando a coriza que se espalhava com a manga da minha blusa.

— Então — disse Will, surgindo ao meu lado. Deu uma olhadela furtiva na minha direção —, você não gostou mesmo.

Olhei para ele e descobri, para minha surpresa, que lá fora estava escuro.

— Você agora vai tripudiar, não é? — resmunguei, pegando a caixa de lenços de papel.

— Um pouco. Estou pasmo que você tenha alcançado a madura idade de... quanto mesmo?

— Vinte e seis.

— Vinte e seis anos sem nunca ter visto um filme legendado. — Ele me observou enxugar os olhos.

Vi o lenço de papel e percebi que não tinha restado rímel em meus olhos.

— Não pensei que fosse obrigatório — rosnei.

— Certo. Então o que você faz, Louisa Clark, se não assiste a filmes?

Amassei o papel.

— Você quer saber o que eu faço quando não estou aqui?

— Foi você que quis que nos conhecêssemos. Então, vamos lá, fale sobre você.

Ele tinha aquele jeito de falar que não nos deixava saber se estava zombando ou não. Eu esperava o troco.

— Por que, de repente, ficou interessado?

— Ah, pelo amor de Deus. Sua vida social não é segredo de Estado, é? — Ele começou a parecer irritado.

— Sei lá o que faço... — respondi. — Saio para beber em um pub. Assisto um pouco de TV. Vou ver meu namorado correr. Nada demais.

— Vai ver seu namorado correr.

— É.

— Mas você mesma não corre.

— Não. Na verdade, eu não... — Olhei para o meu tórax. — ...não levo jeito.

Isso fez com que ele sorrisse.

— E o que mais?

— Como assim, o que mais?

— Tem hobbies? Viaja? Lugares onde gosta de ir?

Ele estava começando a soar como o meu velho orientador vocacional.

Tentei pensar.

— Não tenho hobbies. Leio um pouco. Gosto de roupas.

— Conveniente — disse ele, seco.

— Você perguntou. Não sou uma pessoa de hobbies. — Minha voz ficou estranhamente defensiva. — Não faço muita coisa, certo? Trabalho e vou para casa.

— Onde você mora?

— Do outro lado do castelo. Na Renfrew Road.

Ele pareceu pasmo. Claro. Havia pouca gente transitando entre os dois lados do castelo.

— É depois da rodovia com pista dupla. Perto do McDonald's.

Ele balançou a cabeça, embora eu não estivesse certa de que ele realmente conhecia o lugar de que eu estava falando.

— Férias?

— Fui à Espanha com Patrick. Meu namorado — acrescentei. — Quando eu era pequena, só íamos a Dorset. Ou Tenby. Minha tia mora lá.

— E o que você quer?

— O que eu quero do quê?

— Da vida?

Pisquei.

— Isso é um pouco íntimo, não?

— O que você quer no geral. Não estou pedindo para se autoanalisar. Só estou perguntando o que você quer. Casar? Ter alguns pestinhas? Sonha com alguma profissão? Gostaria de viajar pelo mundo?

Fez-se uma longa pausa.

Acho que eu sabia que minha resposta o desapontaria mesmo antes de eu dizer aquelas palavras.

— Não sei. Nunca pensei nisso.

Na sexta-feira, fomos ao hospital. Fiquei feliz por só ter sido avisada da consulta quando cheguei para trabalhar de manhã, pois teria ficado acordada a noite inteira preocupada se soubesse que ia levá-lo de carro até lá. Claro que sei dirigir. Mas posso dizer que dirijo do mesmo jeito que falo francês. Sim, fiz o exame de habilitação e passei. Mas, desde então, não usei essa habilidade específica mais que uma vez por ano. A ideia de colocar Will e sua cadeira de rodas na minivan adaptada, levá-lo e trazê-lo da cidade vizinha me enchia de terror.

Durante semanas, desejei que meu dia de trabalho envolvesse algum tipo de fuga daquela casa. Mas, naquele momento, eu teria feito qualquer coisa para ficar ali dentro. Encontrei um cartão do hospital no meio da pasta com seus documentos, que tinha grossas divisórias intituladas Transporte, Seguro, Viver com Deficiência e Compromissos. Peguei o cartão e verifiquei que a data que estava nele era a de hoje. Uma parte de mim esperava que Will estivesse errado.

— Sua mãe vai conosco?

— Não. Ela não acompanha as consultas.

Não consegui esconder minha surpresa. Eu havia pensado que ela quisesse supervisionar cada aspecto do tratamento dele.

— Ela costumava ir — disse Will. — Agora temos um acordo.

— Nathan vai?

Eu estava ajoelhada na frente dele. Fiquei tão nervosa que deixei cair um pouco do almoço em sua calça, e tentava inutilmente esfregar aquilo, de modo que uma boa parte de sua roupa estava ensopada. Will não disse nada, apenas mandou eu parar de me desculpar, o que não ajudou muito com meu estado geral de nervosismo.

— Por quê?

— Por nada. — Eu não queria que ele soubesse quão amedrontada eu estava. Passei a maior parte daquela manhã (tempo que em geral usava para limpar as coisas) lendo e relendo o manual de instruções do dispositivo para içar a cadeira no carro, mas eu ainda estava apavorada com o momento em que seria a única responsável por levantá-lo na cadeira a meio metro do chão.

— Ora, Clark. Qual é o problema?

— Está bem. Eu só... eu só achei que seria mais fácil se, na primeira vez, alguém que estivesse a par das coisas fosse também.

— Ao contrário de mim — disse ele.

— Não foi o que eu quis dizer.

— Acha que não sei me cuidar?

— Você opera o içador de cadeira? — perguntei, grosseiramente. — É capaz de me dizer exatamente o que eu preciso fazer?

Ele ficou me olhando no mesmo nível. Se estivera procurando briga, parecia que tinha mudado de ideia.

— Você venceu. Sim, Nathan vai. Ele é um par extra de mãos bastante útil. Além disso, achei que você ficaria menos nervosa se ele fosse também.

— Não estou nervosa — protestei.

— É evidente que não. — Ele olhou para o próprio colo, que eu ainda esfregava com um pano. Eu conseguira tirar o molho de macarrão, mas Will estava encharcado. — Então, eu vou sair na rua parecendo sofrer de incontinência urinária?

— Não terminei. — Liguei o secador de cabelos e direcionei o bocal para o meio das pernas dele.

No momento em que o ar quente atingiu suas calças, suas sobrancelhas se ergueram.

— Sim, bem... — falei. — Também não era o que eu planejava fazer numa tarde de sexta-feira.

— Você está mesmo tensa, não é?

Eu podia sentir que ele me observava.

— Ah, anime-se, Clark. Sou eu que estou recebendo ar escaldante nos genitais.

Não respondi. Ouvi a voz dele por cima do barulho do secador.

— Vamos lá, qual é a pior coisa que poderia me acontecer: acabar numa cadeira de rodas?

Pode parecer idiota, mas não consegui não rir. Era o mais perto que Will chegara de realmente tentar fazer algo para me animar.

Do lado de fora, o carro parecia um veículo comum, mas quando se abria a porta traseira, uma rampa descia pela lateral e se nivelava com o chão. Com Nathan acompanhando, guiei a cadeira de uso externo (Will tinha uma só para viagens) precisamente até em cima da rampa, conferi o freio elétrico e programei para que Will fosse içado devagar para dentro do carro. Nathan deslizou para o banco do passageiro, colocou o cinto em Will e verificou as rodas. Tentando fazer com que minhas mãos parassem de tremer, soltei o freio de mão do carro e dirigi devagar pelo caminho até o hospital.

Longe de casa, Will pareceu encolher um pouco. Fazia frio e Nathan e eu o enrolamos num cachecol e num casaco grosso, mas ele continuou calado, o maxilar endurecido, de certa forma oprimido pela vastidão ao seu redor. Toda vez que eu olhava no espelho retrovisor (o que acontecia com frequência — mesmo com

Nathan lá, eu estava morrendo de medo de que a cadeira se soltasse da amarração), ele estava espiando para fora da janela com uma expressão insondável. Mesmo quando eu parava ou freava forte, o que ocorreu várias vezes, ele apenas estremecia um pouco e esperava que eu prosseguisse.

Quando chegamos ao hospital, uma fina camada de suor cobria meu corpo. Percorri o estacionamento do hospital três vezes, apavorada demais para dar marcha a ré mesmo na maior das vagas, até que eu percebi que Nathan e Will estavam começando a perder a paciência. Então, finalmente, desci a rampa da cadeira de rodas e Nathan ajudou Will a sair.

— Bom trabalho — disse Nathan, dando um tapinha nas minhas costas ao sair do carro, mas achei difícil acreditar que fora mesmo um bom trabalho.

Há coisas que você não percebe até acompanhar uma pessoa numa cadeira de rodas. Uma delas é como a maioria dos calçamentos é malconservada, com buracos mal remendados ou desnivelada. Andando devagar ao lado de Will enquanto ele mesmo dirigia a cadeira, notei que cada laje em desnível causava nele uma dolorosa chacoalhada, ou como ele frequentemente precisava se desviar com cuidado de algum obstáculo em potencial. Nathan fingia não notar, mas eu vi que ele também observava. Will estava apenas sério e decidido.

A outra coisa é como a maioria dos motoristas é desatenta. Param em cima da calçada ou tão perto de outro carro que é impossível para alguém em uma cadeira de rodas atravessar a rua. Fiquei pasma, algumas vezes até pensei em deixar um bilhete grosseiro espetado no limpador de para-brisa, mas Nathan e Will pareciam estar acostumados. Nathan mostrou um lugar onde dava para atravessar e enfim conseguimos, cada um de nós flanqueando Will.

Ele não disse uma única palavra desde que saímos de casa.

O hospital era um prédio baixo e reluzente, cuja recepção imaculada parecia com um desses hotéis modernosos, talvez para provar que se tratava de um hospital particular. Recuei enquanto Will dizia seu nome para a recepcionista, e então segui Nathan e ele por um longo corredor. Nathan carregava uma enorme mochila com tudo o que Will podia precisar durante aquela rápida visita, desde copos especiais até roupas extras. Ele havia feito a mochila na minha frente durante a manhã, detalhando cada possível eventualidade.

— Acho bom que não precisemos fazer isso sempre — disse ele, surpreendendo minha expressão assustada.

Não acompanhei a consulta. Nathan e eu nos recostamos nas confortáveis cadeiras do lado de fora da sala do médico. O lugar não tinha aquele cheiro de hospital e havia um jarro com flores frescas no peitoril da janela. E não eram flores comuns. Eram enormes coisas exóticas cujo nome eu desconhecia, artisticamente arrumadas em buquês minimalistas.

— O que eles estão fazendo lá dentro? — perguntei, depois que estávamos lá havia meia hora.

Nathan levantou os olhos do livro.

— É apenas o check-up semestral.

— Para ver se ele está melhorando?

Nathan pousou o livro.

— Não vai melhorar. Ele tem uma lesão na coluna.

— Mas você faz fisioterapia e outras coisas com ele.

— Para manter as condições físicas, para os músculos não atrofiarem, os ossos não desmineralizarem, evitar trombose nas pernas, essas coisas.

Quando voltou a falar, sua voz era suave, como se achasse que podia me desapontar.

— Ele não vai mais andar, Louisa. Isso só acontece nos filmes de Hollywood. Tudo o que fazemos é tentar evitar que sinta dor e manter os movimentos que ele tem.

— Ele faz essas coisas com você? As coisas de fisioterapia? Parece que ele não quer fazer nada do que eu sugiro.

Nathan franziu o nariz.

— Sim, ele faz as coisas, mas acho que sem emoção. Quando comecei, ele estava muito determinado. Mergulhou fundo na reabilitação, mas, depois de um ano sem melhoras, acho que concluiu que era muito difícil continuar acreditando que isso funcionaria.

— Acha que ele deve continuar?

Nathan olhou para o chão.

— Sinceramente? Ele é um tetraplégico com lesão em C5 e C6. Isso significa que nada funciona abaixo daqui, mais ou menos... — Nathan colocou a mão na parte superior do tórax. — Os médicos ainda não conseguiram descobrir como consertar a medula espinhal.

Olhei para a porta, pensando na expressão de Will no percurso ensolarado de inverno, e no rosto alegre do homem esquiando naquelas férias.

— No entanto, ainda há muitos tipos de avanços médicos, não? Quer dizer... em algum lugar como este aqui... devem estar trabalhando nessas coisas o tempo todo.

— É um hospital muito bom — disse ele, calmamente.

— Onde há vida, há esperança, não é assim?

Nathan olhou para mim e depois voltou-se para seu livro.

— Sem dúvida — concordou.

Às quinze para as três, fui pegar um café a pedido de Nathan. Ele disse que aquelas consultas podiam demorar e que montaria guarda no forte até que eu voltasse.

Circulei um pouco pela recepção, folheei umas revistas na banca de jornais, me demorando nas barras de chocolate.

E, como era de se esperar, me perdi na volta e tive de perguntar a várias enfermeiras para onde eu deveria ir. Duas delas não tinham ideia. Quando consegui chegar, com o café esfriando em minhas mãos, o corredor estava vazio. Ao me aproximar, pude ver que a porta do consultório estava escancarada. Hesitei do lado de fora, mas agora eu escutava a voz da Sra. Traynor em minhas orelhas o tempo todo, criticando-me por não ficar com ele. Eu tinha feito de novo.

— Então, nos veremos daqui a três meses, Sr. Traynor — dizia uma voz masculina. — Dosei os remédios antiespasmódicos e vou garantir que alguém telefone para o senhor com o resultado dos exames. Provavelmente na segunda-feira.

Ouvi a voz de Will.

— Posso comprar esses remédios na farmácia lá de baixo?

— Sim. Aqui mesmo. Eles também devem ter um pouco mais desses.

Uma voz de mulher.

— Posso pegar a pasta?

Percebi que eles deviam estar prestes a sair. Bati na porta e alguém disse para eu entrar. Dois pares de olhos giraram em minha direção.

— Sinto muito — disse o médico, levantando-se —, pensei que fosse o fisioterapeuta.

— Sou a... ajudante de Will — falei, segurando na porta. Will estava inclinado na cadeira de rodas enquanto Nathan vestia a camisa nele. — Desculpe... pensei que estivesse pronto.

— Um minuto, pode ser, Louisa? — A voz de Will cortou a sala.

Murmurando desculpas, saí com o rosto queimando.

O que me chocou não foi ver o corpo de Will descoberto, magro e cheio de escaras. Não foi o olhar vagamente irritado do médico, do mesmo gênero que a Sra. Traynor me lançava todos os dias — um olhar que me convencia de que eu continuava a ser a abominável mulher das neves, mesmo ganhando mais por hora.

Não, o que me chocou foram as marcas vermelhas arroxeadas nos pulsos dele, as compridas e denteadas cicatrizes que não podiam ser disfarçadas, por mais rápido que Nathan puxasse as mangas da camisa.

6

A neve caiu tão de repente que saí de casa sob um céu azul-claro e menos de meia hora depois passei por um castelo que mais parecia um bolo decorado, coberto por uma grossa camada de neve branca.

Caminhei com dificuldade pela entrada da garagem, os passos abafados pela neve e os dedos já dormentes por causa do frio, tremendo no meu casaco de seda chinês, fino demais. Um redemoinho de flocos brancos surgiu de um infinito céu cinza-aço e quase escondeu a Granta House, encobrindo os sons e desacelerando o ritmo do mundo de forma nada natural. Atrás das cercas vivas bem-aparadas, os carros passavam com cautela redobrada, os pedestres nas calçadas escorregavam e soltavam gritinhos. Puxei o cachecol sobre o nariz e desejei estar vestindo algo mais adequado para aquele clima do que sapatilhas e um minivestido de veludo.

Para minha surpresa, não foi Nathan quem abriu a porta, mas o pai de Will.

— Ele está de cama — disse, olhando do vestíbulo. — Não está muito bem. Não sei se devo chamar o médico.

— Onde está Nathan?

— É sua manhã de folga. Claro que tinha de ser hoje. A maldita agência de enfermagem veio e foi embora em seis segundos. Se continuar nevando assim, não sei o que faremos mais tarde. — Ele deu de ombros, como se essas coisas não tivessem jeito mesmo, e sumiu pelo corredor, parecendo aliviado por não ser mais o responsável. — Você sabe do que ele precisa, não? — falou, por cima do ombro.

Tirei meu casaco e as sapatilhas, pois sabia que a Sra. Traynor estava no tribunal (ela anotava as datas em um calendário na cozinha do anexo). Coloquei as meias molhadas em cima de um aquecedor para secar. Um par de meias de Will estava no cesto de roupas lavadas, então calcei-o. As meias dele pareciam ridiculamente grandes em mim, mas era uma maravilha sentir os pés aquecidos e secos. Will não respondeu quando o chamei, então fiz um suco, bati baixinho na porta do quarto e enfiei a cabeça. Na meia-luz, só pude distinguir uma forma embaixo do edredom. Estava dormindo.

Dei um passo para trás, fechei a porta e iniciei as tarefas matinais.

Minha mãe parecia ter um prazer quase físico em arrumar a casa. Já fazia um mês que eu aspirava e limpava diariamente o anexo da Granta House e continuava sem saber qual era a graça. Eu desconfiava que em nenhum momento da minha vida deixaria de desejar que outra pessoa fizesse aquilo no meu lugar.

Mas num dia como aquele, com Will confinado na cama e o mundo parecendo estagnado lá fora, percebi que havia uma espécie de prazer meditativo em ir de um lado ao outro do anexo. Enquanto tirava o pó e lustrava os móveis, levei o rádio comigo por todos os cômodos, em volume baixo para não incomodar Will. De vez em quando, enfiava a cabeça na porta para conferir se estava respirando e só à uma da tarde comecei a ficar preocupada.

Enchi o cesto de lenha e reparei que vários centímetros de neve haviam se acumulado no chão. Fiz outro suco fresco para Will e bati na porta do quarto. Bati de novo, dessa vez mais alto.

— Sim? — Sua voz estava rouca, como se eu o tivesse acordado.

— Sou eu. — Como ele não respondeu, acrescentei: — Louisa. Posso entrar?

— Pode, não estou fazendo a dança dos sete véus.

O quarto estava escuro, tinha as cortinas fechadas. Entrei e esperei meus olhos se adaptarem à escuridão. Will estava deitado de lado, com um braço dobrado à frente como se tentasse se levantar, na mesma posição de quando olhei antes. Às vezes, era fácil esquecer que ele não conseguia se virar sozinho. O cabelo estava grudado de um lado da cabeça e ele estava bem enrolado no edredom. O cheiro morno de homem sem banho enchia o quarto; não era desagradável, mas era algo um pouco assustador para fazer parte de um dia de trabalho.

— O que posso fazer por você? Quer um suco?

— Preciso mudar de posição.

Coloquei o suco sobre a cômoda e me aproximei da cama.

— O que... o que quer que eu faça?

Ele engoliu com cuidado, como se sentisse dor.

— Quero que me levante e me vire, depois erga o encosto da cama. Aqui... — Fez sinal para eu me aproximar. — Ponha os braços embaixo de mim, entrelace as mãos nas minhas costas e me levante. Fique encostada na cama para não distender sua coluna.

Não dava para fingir que aquilo não era um pouco estranho. Coloquei os braços em volta dele, seu cheiro preenchendo minhas narinas, sua pele quente encostando na minha. Só podia ficar mais perto se mordiscasse a orelha dele. Essa ideia me deixou histérica e precisei me esforçar para me conter.

— O que foi?

— Nada. — Respirei fundo, entrelacei as mãos e ajustei-me até sentir que ele estava firme. Ele era mais largo do que eu pensava e mais pesado também. Então, contei até três e o levantei.

— Meu Deus — exclamou ele, próximo ao meu ombro.

— O que foi? — Quase o deixei cair.

— Suas mãos estão geladas.

— É. Bom, se for sair da cama, saiba que lá fora está nevando.

Eu estava brincando, mas então notei que seu corpo estava quente sob a camiseta, o calor parecia vir de dentro. Ele resmungou um pouco quando o ajeitei no travesseiro e tentei me mexer o mais lenta e delicadamente possível. Ele apontou para o controle remoto que levantava a cama à altura da cabeça e dos ombros dele.

— Não levante muito — murmurou. — Estou um pouco tonto.

Acendi a luz da cabeceira, ignorando sua vaga reclamação, para poder ver seu rosto.

— Will... você está bem? — Precisei repetir a pergunta para ele responder.

— Já estive melhor.

— Precisa de analgésicos?

— Sim... bem fortes.

— Talvez paracetamol?

Ele suspirou no travesseiro frio.

Entreguei o copo de água para ele e esperei que engolisse.

— Obrigado — disse ele e, de repente, fiquei sem jeito.

Will jamais agradecia nada.

Ele fechou os olhos e durante um tempo fiquei na porta, observando seu peito subir e descer sob a camiseta, a boca entreaberta. Sua respiração estava curta e talvez um pouco mais difícil do que nos outros dias. Mas até então eu nunca o tinha visto fora da cadeira de rodas e não sabia se isso era devido à pressão de estar deitado.

— Pode ir — resmungou ele.

Saí.

Li minha revista e só levantei a cabeça para ver a neve se acumular, densa, em volta da casa, subindo pelo peitoril das janelas, formando uma paisagem granulada. Mamãe me mandou uma mensagem de texto ao meio-dia e meia, dizendo que papai não conseguiu sair de carro. "Não venha para casa sem antes ligar para nós", recomendou. Eu não sabia ao certo o que ela ia fazer: mandar papai me buscar com um trenó e um cachorro São Bernardo?

Ouvi o noticiário pela rádio: os engarrafamentos nas estradas, os trens parados, as aulas suspensas devido à nevasca inesperada. Voltei ao quarto de Will e dei uma olhada nele outra vez. Não gostei de sua cor. Estava pálido, com pontos vermelhos nas bochechas.

— Will? — chamei, baixinho.

Ele não se mexeu.

— Will?

Senti leves pontadas de pânico. Chamei seu nome mais duas vezes, bem alto. Não tive resposta. Finalmente, debrucei-me sobre ele. Não havia nenhum movimento em seu rosto, nem em seu peito. Sua respiração. Eu devia sentir sua respiração. Encostei o rosto no dele, tentando detectar o ar saindo de suas narinas. Como não consegui, estendi a mão e toquei seu rosto de leve.

Ele se mexeu e abriu os olhos, que estavam a centímetros dos meus.

— Desculpe — falei, pulando para trás.

Ele piscou, olhou ao redor do quarto como se tivesse estado em algum lugar distante.

— Sou eu, Lou — expliquei, sem saber se ele havia me reconhecido.

Sua expressão era meio exasperada.

— Eu sei.

— Quer uma sopa?

— Não, obrigado. — Fechou os olhos.

— Mais analgésicos?

Havia um brilho de transpiração em seu rosto. Toquei o edredom, que estava um pouco quente e suado. Isso me deixou nervosa.

— Tem alguma coisa que eu deva fazer? Quer dizer, se Nathan não conseguir chegar aqui?

— Não... estou ótimo — ele murmurou e fechou os olhos de novo.

Conferi na agenda se eu tinha esquecido alguma coisa. Abri o armário de remédios, encontrei as caixas com luvas de borracha e curativos de gaze e concluí que não tinha a menor ideia de como se usava nada daquilo. Peguei o interfone e liguei para o pai de Will, mas o toque do telefone parecia desaparecer pela casa vazia. Dava para ouvir o som do outro lado do anexo.

Já estava quase ligando para a Sra. Traynor quando a porta dos fundos se abriu e Nathan entrou, envolto em volumosas camadas de roupas, um cachecol de lã e um chapéu que quase escondia sua cabeça inteira. Junto com ele, veio uma rajada de frio e uma lufada de neve.

— Olá — cumprimentou, sacudindo a neve das botas e batendo a porta.

Parecia que a casa tinha de repente acordado de um devaneio.

— Ah, graças a Deus você chegou — falei. — Ele não está bem. Dormiu praticamente a manhã inteira e quase não bebeu nada. Eu não sabia o que fazer.

Nathan tirou o casaco.

— Tive de vir a pé. Os ônibus pararam de circular.

Fui preparar um chá enquanto ele examinava Will.

Nathan apareceu na cozinha antes que a chaleira fervesse.

— Ele está ardendo de febre. Há quanto tempo está assim? — perguntou.

— A manhã toda. Achei que estava quente, mas ele disse que só queria dormir.

— Meu Deus. A manhã toda? Não sabe que o corpo dele não consegue controlar a própria temperatura? — Nathan passou por mim e foi mexer no armário de remédios. — Antibióticos. Fortes. — Mostrou-me um vidro, pegou um comprimido e triturou-o no pilão, furiosamente.

Olhei por trás dele.

— Dei um paracetamol.

— Também podia ter dado uma balinha.

— Eu não sabia. Ninguém disse nada. Eu o enrolei nas cobertas.

— A instrução está naquela maldita pasta. Olhe, Will não transpira como nós. Na verdade, não transpira a partir do ponto atingido pelo acidente. Isso significa que, se tem um leve resfriado, a temperatura sobe demais. Vá buscar o ventilador. Vamos deixá-lo ligado até a febre abaixar. E traga uma toalha úmida para colocar envolta da nuca dele. Só conseguiremos um médico quando a neve parar. Maldita agência de enfermagem. Deviam ter feito isso de manhã.

Nathan estava irritado de uma forma que eu nunca tinha visto. Não estava nem falando comigo.

Corri para buscar o ventilador.

Demorou quase quarenta minutos para a temperatura do corpo de Will alcançar um nível normal novamente. Enquanto esperávamos o remédio superforte para febre fazer efeito, coloquei uma toalha na testa dele e outra na nuca, como Nathan recomendou. Tiramos a roupa dele, cobrimos seu peito com um lençol de algodão fino e colocamos o ventilador na direção dele. Sem a camisa, as cicatrizes de seus braços ficaram bem evidentes. Fingimos não reparar nelas.

Will suportou tudo isso apenas respondendo sim ou não às perguntas de Nathan, muitas vezes num tom tão indistinto que eu não tinha certeza se ele sabia o que estava dizendo. Agora que o via na claridade, me dava conta de que ele estava doente mesmo e me senti péssima por não ter percebido antes. Pedi mil desculpas até Nathan dizer que isso já estava ficando irritante.

— Certo. Preste atenção no que estou fazendo. Pode ser que precise repetir sozinha mais tarde — disse ele.

Não me senti no direito de reclamar. Mas foi difícil não me sentir mal quando Nathan tirou a calça do pijama de Will, revelando um estômago fundo, e, com cuidado, retirou o curativo de gaze em volta do tubinho na barriga, limpou devagar e fez outro curativo. Mostrou-me como trocar o coletor descartável de urina na cama, explicou por que o coletor precisava ficar sempre abaixo do corpo dele e me surpreendi por não ter me importado de sair do quarto com o saco de líquido morno. Fiquei feliz que Will não estivesse vendo isso, não só porque faria algum comentário ácido, mas porque o fato de estar participando de sua rotina íntima também o deixaria constrangido de alguma forma.

— Pronto — disse Nathan. Finalmente, uma hora depois Will dormia com a roupa de cama limpa e, se não parecia totalmente bem, também não parecia terrivelmente mal.

— Deixe-o dormir. Mas acorde-o daqui a umas duas horas e faça-o ingerir líquidos. Dê mais remédios para febre às cinco, certo? A temperatura deve subir de novo, mas não antes das cinco.

Anotei tudo num bloquinho. Estava com medo de fazer algo errado.

— Hoje à noite você terá de repetir tudo o que acabamos de fazer. Tudo bem? — Nathan se encheu de roupa como um esquimó e saiu na neve. — Leia as minhas instruções. E não fique nervosa. Qualquer problema, pode me ligar que eu explico tudo. Posso voltar, se for necessário.

Depois que Nathan foi embora, fiquei no quarto de Will. Estava com medo de sair de lá. No canto, havia uma velha poltrona de couro com uma luminária que talvez fosse remanescente de sua antiga vida e enrosquei-me na poltrona com um livro de contos que peguei na estante.

O quarto estava estranhamente calmo. Pelo vão entre as cortinas dava para ver o mundo lá fora, coberto de branco, calmo e lindo. Ali dentro estava quente e silencioso e só o zunido e o assobio do aquecimento central interrompiam meus pensamentos. Fiquei lendo e, de vez em quando, olhava Will dormir tranquilamente. Concluí que nunca houve uma época na minha vida em que pude ficar em silêncio, sem fazer nada. Numa casa como a minha, é impossível crescer acostumado ao silêncio: o aspirador estava sempre ligado, a TV berrando, as pessoas falando. Nos raros momentos em que a TV ficava desligada, papai colocava seus velhos LPs do Elvis para tocar a todo volume. Um café também tem um barulho constante, com todo o falatório e tilintar de talheres.

Ali, eu podia ouvir meus pensamentos. E quase escutava meu coração batendo. Percebi, para minha surpresa, que gostava disso.

Às cinco, meu celular recebeu uma mensagem de texto. Will se mexeu e levantei da poltrona, preocupada em não incomodá-lo com o telefone.

Trens fora de circulação. Você por acaso poderia ficar esta noite?
Nathan não pode voltar. Camilla Traynor.

Só pensei direito ao digitar a resposta.

Sem problema.

Liguei para meus pais e avisei que ia passar a noite nos Traynor. Minha mãe pareceu aliviada. Quando contei que receberia a mais por isso, ela se encheu de alegria.

— Ouviu essa, Bernard? — perguntou, sua mão tapando parte do bocal do telefone. — Vão pagar a ela por dormir lá.

Ouvi a exclamação de surpresa de meu pai.

— Graças a Deus. Ela encontrou a profissão dos sonhos.

Mandei uma mensagem de texto para Patrick dizendo que tinham me pedido para passar a noite lá e que mais tarde eu ligaria. Sua resposta chegou segundos depois.

Vou fazer cross-country na neve esta noite.
É um bom treino para a Noruega! Te amo. P.

Pensei em como alguém poderia ficar tão animado com a perspectiva de correr a uma temperatura abaixo de zero, só de calça e camiseta.

Will dormia. Preparei um jantar para mim e descongelei uma sopa, caso ele quisesse mais tarde. Acendi a lareira, pois talvez ele acordasse mais disposto e quisesse ficar na sala. Li mais um conto e pensei em quanto tempo fazia que eu não comprava um livro. Quando era criança, eu adorava ler, mas desde então só me lembrava de ter lido revistas. Treen era a leitora. Era quase como se, ao pegar um livro, eu estivesse invadindo o seu espaço. Pensei nela e em Thomas indo embora para a universidade e percebi que ainda não sabia ao certo se aquilo me deixava triste ou alegre — ou se era algo mais complicado, um meio-termo.

Nathan ligou às sete. Pareceu aliviado porque eu ia passar a noite lá.

— Não consegui falar com o Sr. Traynor. Liguei para o telefone fixo da casa, mas caía direto na secretária eletrônica.

— É. Bom. Ele vai sair.

— Sair?

Senti um súbito pânico ao pensar que só ficaríamos Will e eu na casa a noite inteira. Estava com medo de cometer algum erro importante de novo, de colocar em risco a saúde de Will.

— Devo ligar para a Sra. Traynor, então?

Fez-se um curto silêncio do outro lado da linha.

— Não, melhor não.

— Mas...

— Escute, Lou, ele costuma... costuma sair quando a Sra. Traynor está na cidade.

Levei alguns minutos para entender o que ele estava dizendo.

— Ah.

— É bom que você esteja aí. Se tem certeza de que Will melhorou, então voltarei de manhã cedo.

* * *

Existem horas normais e horas inúteis, nas quais o tempo para e escorre e a vida — a vida real — parece distante. Vi um pouco de TV, jantei, arrumei a cozinha e andei pelo anexo em silêncio. Por fim, voltei ao quarto de Will.

Ele se mexeu quando fechei a porta e levantou um pouco a cabeça.

— Que horas são, Clark? — Sua voz estava meio abafada pelo travesseiro.

— Oito e quinze.

Ele deixou a cabeça cair no travesseiro e pensou a respeito.

— Posso beber alguma coisa?

Sua voz não estava agressiva ou ríspida. Foi como se, ao adoecer, ele finalmente se tornasse vulnerável. Dei um suco a ele e acendi a luz da cabeceira. Inclinei-me ao lado da cama e toquei sua testa como minha mãe fazia quando eu era criança. Ainda estava um pouco quente, mas não como antes.

— Mãos frias.

— Você já reclamou delas mais cedo.

— Foi? — Ele parecia realmente surpreso.

— Quer uma sopa?

— Não.

— Está confortável?

Eu nunca sabia o quanto ele estava desconfortável, mas suspeitava que devia ser mais do que demonstrava.

— Seria bom virar para o outro lado. Basta rolar meu corpo. Não precisa me fazer sentar.

Subi na cama e rolei-o, o mais delicadamente possível. Ele não irradiava mais um calor sinistro, só o calor usual de um corpo que ficou muito tempo embaixo do edredom.

— Posso fazer mais alguma coisa?

— Você não devia ir para casa?

— Não se preocupe, vou passar a noite aqui.

Lá fora, a última luz do dia já tinha sumido há algum tempo. Ainda nevava. A luz que entrava pela janela do vestíbulo era de um dourado suave, melancólico. Ficamos sentados ali num silêncio pacífico, olhando hipnotizados a neve cair.

— Posso perguntar uma coisa? — falei, por fim.

Vi as mãos dele sobre o lençol. Era estranho que parecessem tão normais e tão fortes, mas não servissem para nada.

— Imagino que vá perguntar de qualquer jeito.

— O que houve? — Eu não parava de pensar nas cicatrizes nos pulsos dele. Essa era a única pergunta que eu não podia fazer diretamente.

Ele abriu um olho.

— Quer saber como fiquei assim?

Concordei com a cabeça e ele fechou os olhos outra vez.

— Acidente de moto. Não por culpa minha, eu era um inocente pedestre.

— Pensei que tivesse sido esquiando, ou fazendo *bungee jumping*, ou algo assim.

— Todo mundo pensa. Foi uma piadinha de Deus. Eu estava atravessando a rua em frente à minha casa. Não aqui, em frente à minha casa em Londres.

Olhei os livros na estante. Entre os livros de bolso bastante manuseados da Penguin, havia títulos da área de negócios: Direito Corporativo, Administração, anuários sobre assuntos que eu ignorava.

— E você não podia continuar no trabalho?

— Não. Nem com o apartamento, as férias, a vida... acho que você conheceu minha ex-namorada. — A mudança na voz não disfarçou a amargura. — Mas aparentemente eu devia ser grato, pois chegaram a pensar que eu fosse morrer.

— Você detesta isso? Morar aqui, quero dizer?

— Detesto.

— Não tem como voltar a morar em Londres?

— Desse jeito, não.

— Mas você pode melhorar. Nathan disse que há muitos avanços no tratamento desse tipo de lesão.

Will fechou os olhos de novo.

Aguardei, e então arrumei o travesseiro atrás da sua cabeça e estiquei o edredom sobre ele.

— Desculpe se faço muitas perguntas — pedi, sentando reta na cama. — Quer que eu saia?

— Não, fique um pouco. Converse comigo. — Engoliu em seco. Seus olhos se abriram outra vez e seu olhar encontrou o meu. Parecia insuportavelmente cansado. — Conte uma coisa boa.

Hesitei por um instante, depois recostei-me nos travesseiros ao lado dele. Ficamos ali no lusco-fusco, olhando os flocos de neve mal-iluminados desaparecerem na escuridão da noite.

— Sabe... eu costumava pedir isso ao meu pai — disse, por fim. — Mas se eu lhe contar a resposta que ele me dava, você vai achar que sou louca.

— Mais louca do que já acho?

— Quando eu tinha um pesadelo, estava triste ou assustada por algum motivo, ele cantava para mim ... — Comecei a rir. — Ah... não posso contar.

— Continue.

— Ele cantava para mim a *Canção Molahonkey*.

— Canção o quê?

— *Canção Molahonkey*. Eu achava que todo mundo conhecia.

— Garanto a você, Clark, que sou virgem em matéria de Molahonkey. — murmurou Will.

Respirei fundo, fechei os olhos e comecei a cantar.

Gostaria de ir a Molahooooonkey
A teeeeerra oooooonde naaaaaasci
Para então tocaaaaar meu veeeeelho baaaanjo
Meu velho banjo que estragooou.

— Meu Deus.

Respirei fundo outra vez.

Eu fui à looooooja de consertoooos
Ver o que eles poderiiiiiiam fazeeeeer
Eles disseeeeeeram que as cooooordas estragaaaram
Não daaaaava mais para consertaaaar.

Fez-se um curto silêncio.

— Você é louca. A sua família inteira é.

— Mas a canção fazia efeito.

— E você canta mal à beça. Espero que seu pai fosse melhor.

— Acho que o que você quis dizer foi "obrigado, Srta. Clark, por tentar me distrair."

— Acho que isso funcionou tanto quanto quase todo o apoio psicológico que tive. Certo, Clark. Faça outra coisa. Que não seja cantar.

Pensei um pouco.

— Hum... certo... Bom, outro dia, você reparou nos meus sapatos, não foi?

— Difícil não reparar.

— Pois minha mãe diz que gosto de sapatos diferentes desde os três anos. Ela comprou para mim galochas com purpurina azul-turquesa, o que na época era bem diferente, as crianças tinham apenas galochas verdes ou, no máximo, vermelhas. Ela diz que desde esse dia, não as tirei mais do pé. Usava para dormir, tomar banho e para ir à creche até no verão. Meu visual preferido eram essas galochas com purpurina e meia-calça de abelhinha.

— Meia-calça de abelhinha?

— Tinham listras pretas e amarelas.

— Que coisa linda.

— Eram meio cafonas.

— Bom, é verdade. Parece um pouco rebelde.

— Você pode achar que não mas, por incrível que pareça, Will Traynor, nem todas as garotas se vestem só para agradar os rapazes.

— Bobagem.

— Não, não é.

— As mulheres fazem tudo pensando nos homens. Todo mundo faz as coisas pensando em sexo. Não leu *A Rainha Vermelha*? — perguntou Will.

— Nunca ouvi falar. Mas garanto a você que não sentei na sua cama para cantar a *Canção Molahonkey* com segundas intenções. E aos três anos eu simplesmente adorava usar meias listradas.

Percebi que a preocupação que senti o dia todo aos poucos ia sumindo junto com os comentários de Will. Eu não era mais a única responsável por um pobre tetraplégico. Estava apenas sentada com um sujeito particularmente irônico, batendo um papo.

— Mas, e aí, o que aconteceu com as belas galochas de purpurina?

— Mamãe teve de jogar fora. Tive pé de atleta.

— Que ótimo.

— As meias também foram para o lixo.

— Por quê?

— Nunca soube. Mas fiquei arrasada. Nunca mais tive meias das quais gostasse tanto. Como aquelas não existem mais. Ou, se existem, não fazem para adultos.

— Que estranho.

— Ah, pode zombar. Você nunca gostou tanto assim de alguma coisa?

Eu mal o enxergava, o quarto estava praticamente no escuro. Podia ter acendido a luz, mas algo me impediu. E assim que percebi o que tinha dito, me arrependi.

— Sim — disse ele, baixinho. — Já gostei.

Conversamos mais um pouco até que Will acabou adormecendo. Fiquei ali observando sua respiração, e algumas vezes imaginava o que ele diria caso acordasse e me visse ali encarando-o, olhando para o seu cabelo comprido demais, os olhos fundos e a barba por fazer. Mas não conseguia me mexer. As horas tinham se tornado irreais, uma ilha fora do tempo. Eu era a única pessoa na casa e tinha medo de deixá-lo.

Pouco depois das onze horas, percebi que ele começou a transpirar de novo, sua respiração ficou mais curta. Acordei-o e dei um remédio para febre. Ele não falou nada, só murmurou um obrigado. Troquei o lençol que o cobria e as fronhas e quando ele finalmente adormeceu de novo, deitei perto dele e, bem depois, também peguei no sono.

Acordei com alguém me chamando. Estava dormindo na carteira da sala de aula e o professor batia no quadro-negro, repetindo meu nome sem parar. Eu sabia que tinha de prestar atenção, sabia que o professor ia considerar aquele cochilo uma falta de respeito, mas não conseguia levantar a cabeça da carteira.

— Louisa.

— Hummmm.

— Louisa.

A carteira era terrivelmente macia. Abri os olhos. As palavras ecoavam acima da minha cabeça, sussurradas, mas com muita ênfase. *Louisa.*

Eu estava na cama. Pisquei, consegui focar a vista e vi Camilla Traynor me olhando de cima. Ela usava um pesado casaco de lã e uma bolsa pendurada no ombro.

— Louisa.

Levantei-me, assustada. Ao meu lado, Will dormia sob as cobertas, a boca entreaberta, os braços dobrados na frente do corpo. A luz entrava pela janela, mostrando uma manhã clara e fria.

— Hum.

— O que você está fazendo?

Senti como se tivesse sido surpreendida fazendo algo horrível. Esfreguei o rosto, tentando entender o que se passava. Por que eu estava ali? O que devia dizer a ela?

— O que está fazendo na cama de Will?

— Will... — repeti, baixinho. — Will não estava bem... achei que devia ficar de olho...

— O que significa não estava bem? Venha, vamos para o corredor. — Ela saiu do quarto, esperando que eu a seguisse, claro.

Fui atrás dela tentando ajeitar minhas roupas. Tinha a horrível impressão de que minha maquiagem estava toda borrada.

Ela fechou a porta do quarto de Will.

Fiquei de frente para ela, tentando arrumar o cabelo enquanto concatenava as ideias.

— Will estava com febre. Nathan conseguiu abaixar a temperatura quando chegou, mas eu não sabia daquele negócio de equilíbrio da temperatura corporal e queria ficar de olho nele... Nathan disse para eu ficar... — Minha voz estava grossa, esquisita, e eu não tinha certeza se o que falava tinha alguma coerência.

— Por que não me ligou? Se ele estava doente, você devia ter me ligado na mesma hora. Ou para o Sr. Traynor.

Meus neurônios pareceram se conectar de repente. *O Sr. Traynor. Ai, meu Deus*. Olhei o relógio. Eram quinze para as oito.

— Eu não... Nathan parecia...

— Escute, Louisa. Realmente não se trata de ciência interplanetária. Se Will estava doente a ponto de você precisar dormir no quarto dele, devia ter me avisado.

— Sim.

Pisquei, encarando o chão.

— Não entendo por que não me ligou. Tentou ao menos ligar para o Sr. Traynor?

Nathan disse para eu não contar nada.

— Eu...

Nesse instante, a porta do anexo se abriu e o Sr. Traynor apareceu com um jornal dobrado embaixo do braço.

— Você voltou! — disse ele para a esposa, tirando os flocos de neve dos ombros. — Fiz um esforço para conseguir sair e comprar jornal e leite. As estradas estão muito perigosas. Tive que ir até Hansford Corner para evitar as placas de gelo.

Ela o encarou e por um momento me perguntei se havia percebido que o marido usava a mesma camisa e o mesmo suéter do dia anterior.

— Sabia que Will passou a noite doente?

Ele olhou diretamente para mim. Olhei para meus pés. Acho que nunca fiquei tão sem jeito.

— Você me ligou, Louisa? Desculpe... não ouvi. Acho que o interfone de casa está com defeito. Ele já não funcionou outras vezes. E eu também não estava me sentindo muito bem na noite passada.

Eu ainda estava usando as meias de Will. Olhei para elas, imaginando o que a Sra. Traynor ia achar daquilo também.

Mas ela parecia distraída.

— Foi uma longa viagem até em casa. Acho que... vamos deixar isso para lá. Mas, se acontecer algo parecido de novo, você deve me ligar imediatamente. Entendeu?

Não queria olhar para o Sr. Traynor.

— Sim — respondi, e sumi dali ao entrar na cozinha.

7

A primavera chegou durante a noite, como se o inverno fosse um hóspede indesejado que de repente resolveu vestir seu casaco e desaparecer sem se despedir. Tudo ficou mais verde, as ruas foram banhadas por um sol fraco, o ar agora perfumado. O dia tinha sinais florais e acolhedores, com trinados primaveris como fundo musical.

Não notei nada disso. Tinha passado a noite na casa de Patrick. Era a primeira vez que nos víamos em uma semana devido a seu rigoroso programa de treinamento mas, após quarenta minutos imersos numa banheira com meio pacote de sais de banho, Patrick se mostrou tão cansado que mal conseguia conversar comigo. Massageei suas costas numa rara tentativa de seduzi-lo, mas ele resmungou que estava mesmo cansado demais e fez um gesto com as mãos como se me quisesse longe. Quatro horas depois, eu continuava acordada encarando o teto.

Patrick e eu nos conhecemos quando eu ainda estava no meu primeiro emprego, como estagiária no The Cutting Edge, o único salão de beleza unissex de Hailsbury. Ele entrou quando Samantha, a dona do salão, estava ocupada, e disse que queria passar máquina quatro no cabelo. Fiz o corte que ele depois descreveu como não só o pior de sua vida mas o pior de toda a História. Três meses depois, cheguei à conclusão de que gostar de mexer no meu próprio cabelo não significava necessariamente saber cortar o dos outros. Saí do salão e comecei a trabalhar com Frank.

Quando começamos a namorar, Patrick trabalhava com vendas e suas coisas preferidas eram: cerveja, chocolate artesanal, falar de esportes e sexo (fazer, não falar), nessa ordem. Uma boa noite para nós deveria incluir essas quatro coisas. Ele tinha uma aparência comum, não chegava a ser bonito; seu traseiro era maior que o meu, mas eu gostava disso. Gostava da solidez do seu corpo e de me enroscar nele. Era órfão de pai e eu admirava o jeito como ele tratava a mãe, como era protetor e solícito. E seus quatro irmãos e irmãs lembravam a série de TV "Os Waltons". Pareciam se gostar de verdade. Na primeira vez que saímos juntos, uma vozinha na minha cabeça disse: *Este homem jamais a magoará*, e nada do que tenha feito nos sete anos seguintes me fez duvidar disso.

E então, ele virou maratonista.

A barriga de Patrick não afundava mais quando eu me aninhava nele, era dura, impenetrável como uma tábua, e ele gostava de levantar a camiseta e bater com alguns objetos nela para mostrar o quão dura era. O rosto dele estava seco e desgastado devido ao tempo que passava ao ar livre. Suas coxas tinham músculos sólidos. Isso seria bem sexy caso ele quisesse fazer sexo. Mas só fazíamos umas duas vezes por mês e eu não era do tipo que pedia.

Parecia que quanto mais ele ficava em forma, mais obcecado ficava pelo próprio corpo e menos interessado em mim. Perguntei a ele algumas vezes se não gostava mais de mim e ele pareceu bem enfático.

— Você é maravilhosa — disse. — Eu só estou exausto. Mas não quero que você emagreça. Mesmo se eu juntasse os peitos de todas as garotas da academia, não daria para fazer um peito decente.

Tive vontade de perguntar de onde exatamente ele havia tirado uma equação tão complexa mas, no fundo, era uma coisa bonita de se dizer, então deixei por isso mesmo.

Eu queria me interessar pelo que ele fazia, queria mesmo. Ia às reuniões do clube de triatlo e puxava papo com as outras garotas. Mas logo percebi que eu era uma anomalia, não havia outra namorada como eu: todo mundo era solteiro ou se relacionava com alguém que também tinha um físico impressionante. Os casais incentivavam-se a malhar, passavam os fins de semana usando shorts com elásticos e carregavam nas carteiras fotos dos dois de mãos dadas completando mais uma prova de triatlo, ou exibindo medalhas, orgulhosos. Era indescritível.

— Não sei do que você está reclamando — disse minha irmã, quando lhe contei. — Depois que o Thomas nasceu, só transei uma vez.

— É? Com quem?

— Ah, um cara que entrou na floricultura querendo um Buquê de Cores Vibrantes — contou ela. — Eu só queria confirmar que ainda sabia transar.

Quando fiquei boquiaberta, ela acrescentou:

— Ah, não faça essa cara. Não foi durante o horário de trabalho. E o buquê era para um funeral. Se fosse para a esposa, claro que eu não tocaria nele nem com uma pétala.

Não é que eu fosse uma maníaca sexual; afinal, Patrick e eu já estávamos juntos havia bastante tempo. É que algum lado perverso meu começou a questionar minha capacidade de sedução.

Patrick nunca se importou com o fato de eu me vestir "criativamente", como ele dizia. Mas, e se ele não estivesse sendo totalmente sincero sobre isso? O trabalho e toda a vida social dele agora giravam em torno do controle da carne: domá-la, reduzi-la, aprimorá-la. E se, entre todos aqueles traseiros apertados em trajes esportivos, o meu deixasse de ser atraente? E se minhas curvas, que sempre julguei agradavelmente voluptuosas, agora parecessem flácidas para o seu olhar exigente?

Esses eram os pensamentos que passavam pela minha cabeça quando a Sra. Traynor apareceu e mandou que Will e eu saíssemos de casa.

— Encomendei uma limpeza especial para a primavera, então pensei que vocês podiam aproveitar o lindo dia enquanto eles estão aqui.

Nós nos entreolhamos e Will levantou de leve as sobrancelhas.

— Isso não é exatamente uma sugestão, não é, mãe?

— Só achei que seria uma boa ideia você tomar um ar fresco — disse ela. — A rampa está pronta. Talvez, Louisa, você possa levar um pouco de chá?

Não era uma ideia totalmente descabida. O jardim estava lindo. Como se, graças ao leve aumento de temperatura, tudo tivesse de repente decidido ficar um pouco mais verde. As flores dos narcisos surgiram do nada, seus bulbos amarelados pareciam um prenúncio que mais flores viriam. Botões surgiam em galhos marrons, perpétuas abriam caminho na terra escura e lamacenta. Escancarei as portas e saímos. Will conduziu sua cadeira pelo caminho de pedras York. Ele apontou para um banco de ferro com uma almofada e fiquei ali sentada por um tempo, nossos rostos na direção do sol fraco, ouvindo as andorinhas agitarem as cercas vivas.

— O que você tem?

— Como assim?

— Está calada.

— Você disse que queria que eu ficasse quieta.

— Não tanto. Está me assustando.

— Estou bem — eu disse. E acrescentei: — É só um probleminha com meu namorado, se quer saber.

— Ah, o Corredor — disse ele.

Abri os olhos para conferir se ele estava zombando de mim.

— O que aconteceu? Vamos, conte para o tio Will.

— Não.

— Minha mãe vai manter as faxineiras lá enlouquecidas por mais uma hora, no mínimo. Vamos ter de conversar sobre alguma coisa.

Endireitei-me no banco e virei-me para ele. Sua cadeira de rodas tinha um botão de controle que elevava o assento e deixava Will no mesmo nível das outras pessoas. Ele não costumava usar isso, pois o deixava tonto com frequência, mas dessa vez usou. Eu tinha de olhar para ele.

Apertei o casaco em volta de mim e semicerrei os olhos.

— Pois então, o que quer saber?

— Há quanto tempo estão juntos? — perguntou ele.

— Pouco mais de seis anos.

Ele pareceu surpreso.

— Isso é bastante tempo.

— É, pois é — concordei.

Inclinei-me e ajeitei a manta sobre ele. O sol decepcionou, prometeu mais do que cumpriu. Pensei em Patrick, que acordara às seis e meia em ponto para sua corrida matinal. Talvez eu também devesse correr, assim nós viraríamos um daqueles casais que usam os mesmos conjuntos de lycra. Talvez eu devesse comprar uma lingerie sensual e procurar na internet dicas para apimentar o sexo. Sabia que não ia fazer nenhuma das duas coisas.

— O que ele faz?

— É *personal trainer*.

— Por isso ele corre.

— Por isso ele corre.

— Como ele é? Em três palavras, caso você fique constrangida.

Pensei na sua pergunta.

— Positivo. Fiel. Obcecado com quantidade de calorias.

— São sete palavras.

— Você leva quatro de graça. E como ela era?

— Quem?

— Alicia? — Olhei para ele do jeito como ele havia me olhado: direto. Will respirou fundo e encarou um grande plátano. Seu cabelo caiu nos olhos e me contive para não colocá-los atrás da orelha.

— Linda. Sensual. Alto custo de manutenção. Incrivelmente insegura.

— Como ela pode ser insegura? — As palavras saíram da minha boca sem que eu pudesse evitar.

Ele parecia estar achando graça.

— Você não vai acreditar. Garotas como Lissa investem tanto na própria aparência que acham que só têm isso. Estou sendo injusto, na verdade. Ela tem outros dons: bom gosto para roupas e decoração. Consegue fazer qualquer coisa ficar linda.

Segurei-me para não dizer que qualquer um consegue fazer com que as coisas fiquem bonitas se possuem uma carteira tão recheada quanto uma mina de diamantes.

— Ela mudava algumas coisas de lugar em qualquer cômodo e tudo ficava completamente diferente. Nunca entendi como conseguia fazer isso. — Apontou com a cabeça para a casa. — Foi ela quem arrumou o anexo, assim que me mudei para cá.

Pensei naquela sala decorada com perfeição. E percebi que minha admiração pelo local diminuiu um pouco.

— Há quanto tempo estavam juntos?

— Oito, nove meses.

— Não é muito.

— Para mim, era.

— Como se conheceram?

— Num jantar. Num jantar terrível. E vocês?

— No salão de cabeleireiro onde eu trabalhava. Ele era meu cliente.

— Ah. Você era o algo a mais dele no fim de semana.

Acho que deixei transparecer minha expressão confusa, pois ele balançou a cabeça e disse, baixinho:

— Deixa para lá.

Podíamos ouvir o barulho de aspirador de pó vindo de dentro da casa. Eram quatro faxineiras com aventais iguais. Imaginei o que elas tinham para fazer durante duas horas naquele pequeno anexo.

— Sente falta dela?

Dava para ouvir as faxineiras falando entre elas. Alguém tinha aberto uma janela e de vez em quando o ar frio carregava suas risadas até nós.

Will parecia estar observando alguma coisa lá longe.

— Sentia. — Virou-se para mim, com uma voz neutra. — Mas tenho pensado no assunto e cheguei à conclusão de que ela e Rupert formam um belo casal.

Concordei com a cabeça.

— Eles vão dar uma festa de casamento ridícula, ter um ou dois pestinhas, como você diz, comprar uma casa no campo e daqui a cinco anos ele estará transando com a secretária — falei.

— Você deve estar certa.

Eu me entusiasmei.

— E ela vai ficar um pouco cismada com ele, sem saber direito o motivo e vai enchê-lo de críticas durante jantares horríveis, deixando os amigos constrangidos, e ele não vai querer se separar dela por temer a pensão.

Will virou-se para me olhar.

— E eles vão fazer sexo uma vez a cada mês e meio e ele vai adorar os filhos, mas não vai se esforçar o mínimo para cuidar deles. E ela vai ter um cabelo perfeito emoldurando aquela cara comprida — franzi os lábios — que jamais demonstra o que quer dizer, e vai se viciar em Pilates, ou talvez compre um cachorro ou um cavalo e acabe se apaixonando pelo instrutor de equitação. Aos quarenta, ele vai começar a praticar corrida e, talvez, compre uma Harley-Davidson que ela vai detestar; todos os dias, no escritório, ele vai olhar os rapazes mais jovens e ouvir sua conversa nos bares sobre quem eles pegaram no fim de semana ou onde foram para se divertir e, sem nunca entender como, vai se sentir um babaca.

Virei-me.

Will estava olhando fixamente para mim.

— Desculpe — falei, depois de um momento —, não sei bem de onde tirei isso.

— Começo a ter um pouco de pena do Corredor.

— Ah, não foi ele que me deixou assim — exclamei. — Foram todos esses anos de trabalho no café. Lá, a gente ouve e vê todos os tipos de comportamento humano. Você não imagina o que existe.

— Por isso você nunca se casou?

Pisquei.

— Acho que sim.

Não quis dizer que na verdade nunca fui pedida em casamento.

Pode parecer que não fazíamos muita coisa. Mas, na verdade, os dias com Will eram sutilmente diferentes, variando conforme o humor dele e, mais importante, a intensidade das dores. Alguns dias, quando eu chegava, percebia pela rigidez do maxilar dele que não queria falar comigo, nem com ninguém. Assim, eu me ocupava do anexo, tentando prever o que ele ia precisar para não ter que perguntar.

As dores dele tinham causas variadas. Havia a dor pela perda muscular — apesar de toda a fisioterapia feita por Nathan, Will tinha muito menos músculos para sustentar o corpo. Havia a dor de estômago causada por problemas digestivos; a dor no ombro; a dor por infecção urinária — inevitável, apesar dos esforços de todos. Ele também tinha uma úlcera estomacal devido ao excesso de analgésicos que tomara como se fossem balinhas no início da recuperação.

De vez em quando, tinha escaras na pele por ficar sentado na mesma posição durante muito tempo. Por duas vezes, precisou ficar na cama para que as feridas cicatrizassem, mas ele detestava ficar na cama. Ficava deitado ouvindo o rádio, os olhos brilhando de raiva de tal forma que nem conseguia controlar. Will também tinha dores de cabeça. Para mim isso era efeito colateral da raiva e frustração que sentia. Ele tinha muita energia mental mas não podia usá-la para nada. Tinha de desaguar em alguma coisa.

Mas o que mais incomodava era a incessante queimação nas mãos e nos pés que não o deixava pensar em outra coisa. Eu trazia uma tigela de água gelada e mergulhava as mãos dele, ou enrolava os pés em uma flanela fria na esperança de amenizar seu desconforto. Um músculo da sua mandíbula se retesava e ficava pulsando e de vez em quando Will parecia sair do ar, como se a única forma de não sentir dor fosse deixar o próprio corpo. Surpreendentemente, eu havia me acostumado às suas necessidades físicas. Parecia injusto que, além de não poder usar ou sentir as mãos e os pés, eles ainda causassem tanto desconforto.

Apesar de tudo, ele não reclamava. Por isso levei semanas para perceber que estava sofrendo. Agora eu conseguia decifrar o cansaço em seu olhar, os silêncios, o jeito como ele parecia se refugiar dentro de si mesmo. Ele apenas pedia:

— Pode trazer água gelada, Louisa? — ou: — Acho que preciso de alguns analgésicos.

Às vezes, a dor era tanta que ele ficava pálido, de um branco pastoso. Esses eram os piores dias.

Mas nos outros dias nós nos dávamos muito bem. Ele não parecia mais mortalmente ofendido quando eu falava com ele, como no começo. Naquele dia, tive a impressão de que ele estava sem dor. Quando a Sra. Traynor veio nos avisar que as faxineiras demorariam ainda uns vinte minutos, fiz mais um chá para nós e demos outra volta vagarosa pelo jardim, Will conduzindo a cadeira pelo caminho de pedras e eu olhando minhas sapatilhas de cetim escurecerem na grama molhada.

— Interessante escolha de sapatos — observou Will.

Eram verde-esmeralda. Encontrei-as num brechó. Patrick disse que eu ficava parecendo um duende *drag queen*.

— Sabe, você não se veste como alguém daqui. Sempre aguardo ansioso a próxima combinação maluca de roupas com que vai aparecer.

— Como é que "alguém daqui" deveria se vestir?

Ele virou a cadeira de rodas um pouco à esquerda para evitar um galho no caminho.

— Com roupas esportivas de *fleece*. Ou, se for como minha mãe, com terninhos da Jaeger ou da Whistles. — Ele olhou para mim. — Então, onde você adquiriu seu gosto exótico? Morou fora?

— Não.

— Sempre morou aqui? Onde trabalhou?

— Aqui, só. — Virei-me para ele e cruzei os braços, na defensiva. — O que tem de estranho nisso?

— É uma cidade tão pequena. Tão limitada. Tudo gira em torno do castelo. — Paramos no meio do caminho e olhamos para ele, surgindo a distância em sua estranha colina que lembrava um domo, tão perfeita que parecia desenhada por uma criança. — Sempre pensei que esse é o tipo de lugar para onde as pessoas retornam quando se cansam de todo o resto. Ou quando não têm imaginação suficiente para ir para outro canto.

— Obrigada.

— Não há nada de *errado* nisso. Mas... céus. Não chega a ser um lugar dinâmico, não acha? Não é cheio de ideias, pessoas interessantes e oportunidades. Aqui consideram uma atitude subversiva a loja de turistas vender jogo americano com uma foto diferente que não a da miniferrovia.

Tive de rir. Na semana anterior, o jornal local tinha publicado uma reportagem exatamente com essa questão.

— Você tem vinte e seis anos, Clark. Devia estar lá fora, buscando conquistar o mundo, arrumando confusão em bares, mostrando seu estranho guarda-roupa para homens espertos...

— Estou contente aqui — disse.

— Bom, não deveria.

— Você gosta de dizer às pessoas o que elas devem fazer, não?

— Só quando estou certo — disse ele. — Pode arrumar meu copo? Não consigo alcançar.

Virei o canudinho do copo para que ele pudesse alcançá-lo mais facilmente e esperei enquanto ele bebia. As pontas das suas orelhas estavam rosadas por causa do frio.

Ele fez uma careta.

— Meu Deus, para quem vivia disso, você faz um chá horrível.

— Você está acostumado com chá lésbico — falei. — Aquele negócio de erva *Lapsang souchong*.

— Chá lésbico! — Ele quase se engasgou ao rir. — Bom, é melhor do que esse verniz de escada. Meu Deus. Dá para apoiar uma colher em cima.

— Quer dizer que até o meu chá é ruim. — Sentei-me no banco de frente para ele. — E o que acha de você dar palpite sobre cada coisa que eu digo ou faço, quando ninguém mais diz nada?

— Continue, Louisa Clark. Diga o que acha.

— De você?

Ele soltou um suspiro dramático.

— E eu tenho escolha?

— Você podia cortar o cabelo. Desse jeito, parece um mendigo.

— E você agora parece a minha mãe.

— Bom, você fica horrível. Podia fazer a barba, pelo menos. Essa cabeleira toda não dá coceira?

Ele me olhou de rabo de olho.

— Dá, não é? Eu sabia. Certo: rasparei tudo esta tarde.

— Ah, não.

— Sim, senhor. Você pediu a minha opinião. Pois é essa. Não precisa fazer nada, pode deixar comigo.

— E se eu não quiser?

— Eu farei de qualquer jeito. Se ficar mais comprido, daqui a pouco estarei tirando restos de comida do seu cabelo. E se isso acontecer, sinceramente, terei de processá-lo por comportamento inadequado no local de trabalho.

Ele sorriu, como se estivesse se divertindo comigo. Pode parecer um pouco triste, mas os sorrisos de Will eram tão raros que fiquei meio orgulhosa de provocar um.

— Escute, Clark. Pode me fazer um favor? — perguntou ele.
— O quê?
— Coce a minha orelha, sim? Está me deixando doido.
— Se eu coçar, vai me deixar cortar seu cabelo? Só uma aparadinha?
— Não abuse da sorte.
— Psiu. Não me deixe nervosa. Não sou muito boa com a tesoura.

Encontrei as lâminas de barbear e um pouco de creme no armário do banheiro, enfiados atrás de lenços de papel e do algodão como se não fossem usados há muito tempo. Convenci-o a entrar com a cadeira de rodas no banheiro, enchi a pia com água morna, fiz Will inclinar um pouco a cabeça e coloquei uma toalha quente em seu queixo.

— O que é isso? Você vai dar uma de barbeiro? Para que essa toalha?

— Não sei — confessei. — É assim que fazem nos filmes. Do mesmo jeito usam uma bacia de água quente e toalhas brancas quando uma mulher dá à luz.

Não consegui ver sua boca, mas seus olhos se apertaram, um pouco divertidos. Eu queria que continuassem assim. Queria que ele fosse feliz, que seu rosto perdesse aquele ar assustado e alerta. Comecei a tagarelar. Contei piadas. Cantarolei baixinho. Fiz de tudo para estender o momento antes que ele voltasse a ser sombrio.

Enrolei as mangas da minha blusa e comecei a passar o creme de barbear a partir do seu queixo, indo até as orelhas. Então hesitei ao segurar a lâmina próximo a seu rosto.

— Agora é o momento de avisar a você que até hoje só raspei pernas?

Ele fechou os olhos e recostou-se. Comecei a raspar com cuidado, tudo o que se ouvia era o barulho da lâmina quando eu a mergulhava na água da pia. Trabalhei em silêncio, estudando o rosto de Will Traynor, as rugas nos cantos da boca que pareciam prematuramente fundas para a idade dele. Raspei a costeleta e vi as cicatrizes que muito provavelmente eram do acidente. Reparei também nas olheiras escuras de noites e noites insones, na ruga entre as sobrancelhas, que indicava sua dor silenciosa. A pele emanava uma doçura cálida, o cheiro do creme de barbear e algo bem característico de Will, discreto e caro. Seu rosto começou a aparecer e percebi como devia ter sido fácil para ele seduzir alguém como Alicia.

Trabalhei devagar e com cuidado, incentivada pelo fato de ele estar calmo. Passou pela minha cabeça que o único momento em que alguém tocava nele era para algum procedimento médico ou terapêutico, então encostei os dedos de leve na sua pele, tentando me afastar ao máximo da rispidez desumana de Nathan e do médico.

Fazer a barba de Will foi um momento curiosamente íntimo. À medida que prossegui, notei que havia pensado que a cadeira de rodas seria um obstáculo, que a deficiência física impediria qualquer aspecto sensual. Por mais estranho que fosse, não estava sendo assim. Era impossível estar tão perto de alguém, sentir sua pele sob os dedos, respirar o mesmo ar, ficar com o rosto a centímetros do dele, sem me atrapalhar um pouco. Quando cheguei à outra orelha, senti-me esquisita, como se tivesse ultrapassado uma linha invisível.

Talvez Will conseguisse perceber as mudanças sutis na pressão que eu exercia em sua pele; talvez prestasse mais atenção aos humores das pessoas ao seu redor. Mas abriu os olhos e encarou diretamente os meus.

Fez-se uma pequena pausa e ele pediu, direto:

— Por favor, não diga que raspou também as minhas sobrancelhas.

— Só uma. — Lavei a lâmina, esperando que o rubor sumisse do meu rosto quando me virasse de volta. — Pronto — disse, finalmente. — Acho que já está bom, não? Nathan já deve estar chegando.

— E o cabelo? — perguntou ele.

— Quer mesmo que eu corte?

— Tem minha permissão para isso.

— Achei que não confiasse em mim.

Ele deu de ombros como pôde. Um movimento bem discreto.

— Se você ficar sem resmungar comigo por algumas semanas, acho que é um preço justo a pagar.

— Ai, meu Deus, sua mãe vai ficar tão satisfeita — exclamei, limpando a espuma de barbear da mão.

— Bom, não vamos deixar que isso nos atrapalhe.

Cortei o cabelo dele na sala. Acendi a lareira, coloquei um filme — um suspense americano — e estiquei uma toalha em volta dos seus ombros. Avisei que havia perdido a prática com as tesouras, mas que o cabelo não podia ficar pior do que estava.

— Obrigado pelo elogio — respondeu ele.

Dei início aos trabalhos, passando os dedos pelo seu cabelo, tentando lembrar o pouco que tinha aprendido. Will assistia ao filme, parecendo relaxado e quase contente. De vez em quando, fazia algum comentário — de quais outros filmes o ator principal tinha participado, onde ele tinha assistido pela primeira vez — e eu fazia um ruído vagamente interessado (como eu faço quando Thomas me mostra seus brinquedos). Mas todo o meu foco estava centrado em não destruir o cabelo dele. Finalmente, após ter cortado a pior parte fora, postei-me diante dele para ver o resultado.

— Então? — Ele pausou o DVD.

Endireitei-me.

— Não sei se gosto de ver seu rosto tão exposto. É meio enervante.

— Sinto mais frio assim — observou ele, mexendo a cabeça de um lado para outro, como se testasse a nova sensação.

— Espere, vou pegar dois espelhos. Assim você vai conseguir ver direito. Mas não se mexa. Ainda falta o acabamento. Talvez eu corte uma orelha.

Eu estava no quarto procurando um espelhinho nas gavetas quando ouvi a porta. Dois pares de pés apressados, a voz alta e preocupada da Sra. Traynor.

— Georgina, não, por favor.

A porta da sala foi aberta de supetão. Peguei o espelho e saí correndo do quarto. Não queria ser pega de surpresa longe de Will novamente. A Sra. Traynor estava em pé na porta da sala, as duas mãos sobre a boca, como se visse algo surpreendente.

— Você é o homem mais egoísta que já conheci! — uma jovem menina começou a gritar. — Não acredito nisso, Will. Você já era egoísta antes, agora piorou.

— Georgina. — A Sra. Traynor olhou fixo para mim quando me aproximei. — Por favor, pare.

Entrei na sala atrás dela. Will, com a toalha nos ombros, as rodas da cadeira cobertas de pequenos tufos de cabelo castanho, olhava para uma jovem. Ela tinha um cabelo negro enroscado em um nó bagunçado na nuca. Sua pele era bronzeada, e ela estava usando jeans caros e desbotados e botas de camurça. Assim como Alicia, seus traços eram lindos e perfeitos, os dentes de um branco incrível de anúncio de creme dental. Vi isso porque, mesmo com o rosto vermelho de raiva, ela continuava sibilando para ele.

— Não acredito. Não acredito que tenha pensado nisso. O que você...

— *Por favor,* Georgina. — O tom de voz da Sra. Traynor aumentou, ríspido. — Não é hora para isso.

Will, o rosto impassível, olhava para um ponto invisível à frente.

— Hum...Will? Precisa de ajuda? — perguntei, baixinho.

— Quem é você? — quis saber a jovem, virando-se para mim. Foi então que vi seus olhos cheios de lágrimas.

— Georgina — disse Will. — Esta é Louisa Clark, minha cuidadora e cabeleireira incrivelmente criativa. Louisa, esta é minha irmã, Georgina. Parece que ela veio de avião direto da Austrália para berrar comigo.

— Não seja engraçadinho — disse Georgina. — Mamãe me contou. Contou *tudo*.

Ninguém se mexeu.

— Vou deixá-los a sós um minuto — disse.

— Boa ideia. — Os nós dos dedos da Sra. Traynor estavam brancos sobre o braço do sofá.

Saí da sala de mansinho.

— Aliás, Louisa, aproveite para tirar seu intervalo de almoço.

Aquele ia ser um dia de buscar abrigo em algum ponto de ônibus. Peguei meus sanduíches na cozinha, vesti o casaco e desci pela trilha dos fundos.

Ao sair, ouvi a voz de Georgina Traynor ficar ainda mais alta dentro da casa.

— Will, nunca passou pela sua cabeça que, por incrível que pareça, tudo isso pode não se tratar *apenas* de você?

Quando voltei, exatamente meia hora depois, a casa estava em silêncio. Nathan lavava uma caneca na pia da cozinha.

Ao me ver, virou-se na minha direção.

— Como você está?

— Ela já foi embora?

— Quem?

— A irmã.

Ele olhou para trás.

— Ah. Era ela? Sim, já foi. Quando cheguei, estava saindo de carro. Problemas de família, não?

— Não sei — respondi. — Eu estava cortando o cabelo de Will quando ela entrou e começou a brigar com ele. Pensei que fosse outra namorada.

Nathan deu de ombros.

Percebi que, mesmo se soubesse, Nathan não se interessaria pelos detalhes pessoais da vida de Will.

— Ele está meio calado. Aliás, excelente trabalho com a barba. É bom tirá-lo de trás de todo aquele mato.

Voltei para a sala. Will olhava para a tela da TV, que continuava congelada na mesma cena de quando saí.

— Quer que eu ligue de novo? — perguntei.

Por um instante, ele pareceu não me ouvir. A cabeça estava afundada nos ombros, a expressão relaxada de antes tinha sido coberta por um véu. Will se fechara novamente num lugar onde eu não conseguia entrar.

Piscou, como se só então tivesse notado minha presença ali.

— Claro — respondeu.

Eu carregava um cesto de roupas lavadas pelo corredor quando as ouvi. A porta do anexo estava entreaberta e as vozes da Sra. Traynor e da filha vieram pelo longo corredor, em ondas abafadas. A irmã de Will soluçava baixinho, toda a raiva da sua voz tinha sumido. Soava quase como uma criança.

— Deve haver alguma coisa que eles possam fazer. Algum avanço da medicina. Não podem levá-lo para os Estados Unidos? As coisas estão sempre se aprimorando por lá.

— Seu pai está atento a todos os progressos. Mas não, querida, não há nada de... concreto.

— Ele está tão... diferente agora. Como se estivesse determinado a não ver o lado bom em nada.

— Ele está assim desde o começo, George. É que você só o viu agora. Na época, acho que ele ainda estava... determinado. Antes, ele tinha certeza de que podia melhorar em algum aspecto.

Fiquei um pouco constrangida por ouvir uma conversa tão pessoal. Mas a excentricidade do assunto fez com que eu me aproximasse. Avancei na direção da porta sem fazer barulho, os pés silenciosos dentro das meias.

— Olhe, seu pai e eu não contamos a você. Não queríamos preocupá-la. Mas ele tentou... — ela lutou com as palavras. — Will tentou... tentou se matar.

— O quê?

— Seu pai o encontrou. Aconteceu em dezembro. Foi... foi horrível.

Embora isso apenas confirmasse o que eu já desconfiava, senti todo o sangue sumir das minhas veias. Ouvi um choro abafado, murmúrios de consolo. Fez-se outro longo silêncio. Então Georgina voltou a falar, com a voz rouca de tristeza.

— E a moça...?

— Sim. Louisa está aqui para garantir que nada parecido aconteça de novo.

Congelei. Do outro lado do corredor, vindo do banheiro, pude ouvir Nathan e Will falando baixinho, sem tomar conhecimento da conversa a poucos metros de distância. Dei um passo à frente, aproximando-me mais da porta. Acho que tive certeza disso quando vi as cicatrizes nos pulsos dele. Afinal de contas, tudo fazia sentido: a preocupação da Sra. Traynor para que eu não deixasse Will sozinho por muito tempo, a raiva dele por eu estar lá, o fato de eu ter sentido que não tinha nada de útil para fazer ali. Eu era uma babá. Eu não sabia, mas Will sim, e me detestava por isso.

Peguei na maçaneta da porta me preparando para fechá-la sem fazer barulho. Imaginei o quanto Nathan sabia. E se Will estava mais feliz agora. Percebi que estava me sentindo, de forma egoísta, um pouco aliviada por Will não ser contra mim, mas contra minha presença lá — ou de qualquer outra pessoa — para vigiá-lo. Meus pensamentos se atropelavam e quase perdi o outro trecho da conversa.

— Não pode deixar que ele faça isso, mãe. Tem de impedir.

— Não depende de nós, querida.

— Depende, sim. Se ele... se está pedindo para você participar — protestou Georgina.

Continuei segurando a maçaneta.

— Não acredito que esteja concordando com isso. E a sua religião? E tudo o que você fez? Para que o salvou da última vez?

A voz da Sra. Traynor estava propositalmente calma.

— Você não está sendo justa comigo.

— Você disse que ia levá-lo. O que...

— Você acha que, se eu me recusar a levá-lo, ele não vai pedir a outra pessoa?

— Mas levá-lo para a Dignitas? É errado. Sei que é difícil para ele, mas você e papai vão ficar arrasados. Sei disso. Pense em como você ia ficar! Pense nas notícias nos jornais! O seu trabalho! A reputação de vocês dois! *Ele* sabe disso. Só de pedir já é egoísta. Como ele se atreve? Como pode fazer isso? Como *você* pode? — Ela soluçou de novo.

— George...

— Não me olhe assim. Eu me preocupo com ele, mamãe. É meu irmão e eu o amo. Mas não posso aguentar. Não aguento nem pensar no assunto. Ele está errado em pedir, e você está errada em concordar. E não é só a própria vida que ele vai destruir levando isso adiante.

Recuei da janela. O sangue pulsava tão alto nos meus ouvidos que quase não ouvi a resposta da Sra. Traynor.

— Seis meses, George. Ele prometeu me dar mais seis meses. Não quero que você toque mais nesse assunto, muito menos na frente de outra pessoa. E temos... — Ela respirou fundo. — Temos de rezar muito para que, nesses seis meses, aconteça algo que o faça mudar de ideia.

8

Camilla

Nunca tive a intenção de ajudar na morte do meu filho.

Até mesmo ler estas palavras parece estranho — algo como o que se lê em um tabloide ou naquelas revistas horríveis que a faxineira carrega na bolsa, repletas de mulheres cujas filhas fugiram com companheiros desonestos, histórias de incríveis perdas de peso e bebês de duas cabeças.

Eu não era o tipo de pessoa com quem essas coisas aconteciam. Pelo menos, pensava que não era. Minha vida era razoavelmente estruturada — do tipo comum, pelos padrões modernos. Estava casada havia quase trinta e sete anos, criara dois filhos, mantivera minha carreira, ajudara na escola, na Associação de Pais e Professores e saíra de cena quando os filhos não precisavam mais de mim.

Era juíza havia quase onze anos. Vi toda a vida humana passar pelo meu tribunal: os perdidos sem esperança, que não conseguiam se organizar nem para chegar na hora à audiência; os transgressores reincidentes; os jovens mal-encarados, raivosos, e as mães exaustas e endividadas. É um pouco difícil se manter calma e compreensiva vendo os mesmos rostos e os mesmos erros se repetirem. Às vezes, eu podia escutar a impaciência em meu tom de voz. Podia ser estranhamente desanimadora a completa recusa do ser humano em ao menos tentar agir de maneira responsável.

E nossa pequena cidade, apesar da beleza do castelo, dos diversos prédios tombados como patrimônio histórico e de nossas pitorescas estradas rurais, não está imune a tudo isso. Nossas praças construídas na época da Regência eram ocupadas por adolescentes alcoolizados, nossos chalés com teto de palha abafavam o barulho dos maridos batendo em suas esposas e seus filhos. Às vezes, eu me sentia como o rei Canuto, fazendo inúteis pronunciamentos diante da maré de caos e devastação. Mas gostava do meu trabalho. Eu trabalhava porque acreditava na ordem, em um código moral. Acredito que existe certo e errado, por mais fora de moda que o conceito possa parecer.

Consegui superar os piores momentos por causa do meu jardim. À medida que as crianças foram crescendo, a jardinagem se transformou um pouco em minha obsessão. Eu poderia dizer o nome científico, em latim, de quase todas as plantas que alguém me mostrasse. O engraçado é que nem tive aulas de latim na escola — frequentei uma pequena escola pública para meninas cujo foco era aprender a cozinhar e a bordar, coisas que poderiam nos ajudar a ser boas esposas —, mas acontece que o nome científico dessas plantas gruda na cabeça. Eu só precisava escutá-los uma única vez para me lembrar deles para sempre: *Helleborus niger*, *Eremurus stenophyllus*, *Athyrium niponicum*. Consigo pronunciar com uma fluência que nunca imaginei.

Dizem que só é possível se admirar um jardim depois de certa idade, e acho que existe alguma verdade nisso. Provavelmente tem algo a ver com o grande ciclo da vida. Parece que há algo de miraculoso em ver o inexorável otimismo de um novo broto após a desolação do inverno, uma espécie de alegria na diversidade a cada ano, a forma como a natureza escolhe mostrar diferentes partes do jardim. Houve momentos — quando meu casamento ficou mais populoso do que eu tinha imaginado — em que o jardim foi meu refúgio, momentos em que foi uma alegria.

Mas houve momentos também em que, sinceramente, ele foi uma dor. Não existe maior desapontamento do que criar um novo canteiro apenas para vê-lo não florir, ou ver uma fileira de lindos *alliums* destruídos durante a noite por algum motivo qualquer. Mas mesmo quando eu reclamava a respeito do tempo, do esforço que me exigia cuidar do jardim, do modo como minhas juntas protestavam quando eu passava uma tarde arrancando ervas daninhas ou de como minhas unhas nunca pareciam estar bem limpas, mesmo assim eu adorava aquilo. Adorava os prazeres sensoriais de estar ao ar livre, o cheiro, a sensação da terra sob meus dedos, a satisfação de ver coisas vivas, brilhando, cativada por sua própria beleza fugaz.

Depois do acidente de Will, abandonei a jardinagem por um ano. Não foi só por causa da falta de tempo, embora fossem infindáveis as horas passadas no hospital ou gastas indo e vindo de carro e nas reuniões — ah, meu Deus, as reuniões. Tirei seis meses de licença no trabalho e, mesmo assim, não foi suficiente.

É que, de repente, não vi mais sentido naquilo. Paguei um jardineiro para manter o jardim arrumado, e acho que não dei mais que uma olhada superficial nele durante quase um ano inteiro.

Foi só quando trouxemos Will de volta para casa, depois que o anexo foi adaptado e arrumado, que encontrei algum sentido em tornar o jardim bonito outra vez. Precisava dar ao meu filho um lugar para onde olhar. Precisava dizer a ele, silenciosamente, que as coisas poderiam mudar, crescer ou fenecer, mas que a vida continuaria. Que todos nós éramos parte de um grande ciclo, algum tipo de arranjo cuja finalidade só Deus poderia entender. Eu não podia dizer isso a ele, é claro — Will e eu nunca fomos muito bons em conversar —, mas eu queria mostrar. Uma promessa tácita, se preferir, de que existe algo maior, um futuro melhor.

* * *

Steven estava mexendo na lareira acesa. Ele manejava com destreza, usando um atiçador, a lenha parcialmente queimada, fazendo com que faíscas reluzentes subissem pela chaminé, e então colocou uma nova acha no meio. Recuou, como sempre fazia, olhando com calma satisfação à medida que a lenha pegava fogo, e limpou as mãos nas calças de veludo. Virou-se quando entrei na sala. Estendi-lhe um copo.

— Obrigado. George vai descer?

— Pelo jeito, não.

— O que ela está fazendo?

— Assistindo a TV lá em cima. Não quer companhia. Eu perguntei.

— Ela vem. Deve estar com jet lag.

— Espero que sim, Steven. No momento, ela não está muito feliz conosco.

Ficamos em silêncio, observando o fogo. Ao nosso redor, a sala estava escura e parada, as vidraças da janela sacudiam-se delicadamente ao serem golpeadas pelo vento e pela chuva.

— Tempo horrível esta noite.

— É.

A cadela entrou em silêncio na sala e, com um suspiro, deixou-se cair pesadamente na frente da lareira. De sua posição deitada, lançou um olhar de adoração para nós.

— O que você acha? — disse ele. — Dessa história do corte de cabelo?

— Não sei. Gostaria de achar que é um bom sinal.

— Essa Louisa é uma figura, não?

Vi o modo como meu marido sorria para si mesmo. *Ela também não*, peguei-me pensando, e então pus fim a esse pensamento.

— É. É, acho que é, sim.

— Acha que ela é a pessoa certa?

Dei um golinho na bebida antes de responder. Dois dedos de gim, uma rodela de limão e bastante tônica.

— Quem sabe? — falei. — Acho que eu já não tenho a menor ideia do que é certo ou errado.

— Ele gosta dela. Tenho certeza de que gosta dela. Outra noite, conversávamos enquanto assistíamos ao noticiário e ele falou dela duas vezes. Nunca tinha feito isso antes.

— É. Bom. Eu não ficaria tão esperançosa.

— Precisa fazer isso?

Steven virou o rosto para mim. Eu podia vê-lo me estudar, talvez notando as novas rugas em volta dos meus olhos, o modo como, nesses dias, minha boca se transformara numa linha fina devido à preocupação. Ele olhou para a pequena cruz dourada que agora estava sempre no meu pescoço. Eu não gostava quando ele me olhava daquele jeito. Tinha sempre a impressão de que estava me comparando com outra pessoa.

— Só estou sendo realista.

— Soa... soa como se você já estivesse esperando que isso aconteça.

— Conheço meu filho.

— Nosso filho.

— Sim, nosso. — Mais meu, peguei-me pensando. *Você nunca esteve presente para ele de verdade. Não em termos emocionais. Você era apenas a ausência a quem ele tentava sempre impressionar.*

— Ele vai mudar de ideia — disse Steven. — Ainda tem muito chão pela frente.

Ficamos ali. Dei um bom gole na bebida, o gelo frio contrastava com o calor que vinha da lareira.

— Fico pensando... — falei, olhando para dentro da lareira. — Ainda acho que não entendi bem.

Meu marido continuava a me observar. Eu podia sentir seu olhar, mas não conseguia encará-lo. Talvez ele pudesse estender a mão para mim. Mas acho que, provavelmente, tínhamos ido longe demais para isso.

Ele deu um gole na bebida.

— Você só pode fazer o que está ao seu alcance, querida.

— Sei bem disso. Mas não é o suficiente, certo?

Ele se voltou de novo para a lareira, mexeu desnecessariamente a lenha com o atiçador até eu me virar e sair em silêncio da sala.

Exatamente como sabia que eu faria.

A primeira vez que Will me contou o que queria fazer, precisou repetir, pois eu tive certeza de que não tinha entendido bem. Fiquei calma quando compreendi o que ele estava me propondo, então falei que ele estava sendo ridículo e saí do quarto na mesma hora. É uma vantagem desleal ser capaz de se afastar de um homem numa cadeira de rodas. Há dois degraus entre o anexo e a casa principal e, sem a ajuda de Nathan, Will não pode transpô-los. Fechei a porta do anexo e fiquei no hall de entrada, com as palavras calmas de meu filho ainda tilintando nos meus ouvidos.

Acho que fiquei parada por uma meia hora.

Ele se recusou a desistir. Em se tratando de Will, ele sempre precisava ter a última palavra. Repetiu o pedido todas as vezes em que fui vê-lo, até que a cada dia se tornava quase insuportável para mim ir até lá. *Não quero viver assim, mãe. Não é a vida que eu quis. Não há perspectiva de recuperação, então, é bastante razoável pedir para acabar com isso da maneira como eu ache adequada.* Ouvi-o e pude imaginar muito bem como ele deveria ter sido nas reuniões de negócios, na profissão que o tornou rico e arrogante. No fim das contas, ele era um homem que costumava ser obedecido. Não podia suportar o fato de que, de certa maneira, eu tivesse o poder de ditar seu futuro, que tivesse, de algum modo, me transformando de novo na *mamãe*.

Ele dedicou toda a sua energia em me convencer. Não é porque minha religião proíba, embora fosse terrível a perspectiva de que Will acabasse enviado para o Inferno devido a seu próprio desespero. (Prefiro acreditar que Deus, um Deus benevolente, pudesse compreender nossos sofrimentos e perdoar nossos pecados.)

É só que o que não se pode compreender a respeito da maternidade, até que se tenha um filho, é que não é um adulto — o deselegante, barbado, fedorento, filho teimoso — que a mãe vê diante de si, com seus recibos de estacionamento, seus sapatos não engraxados e sua complicada vida sentimental. A mãe enxerga todas as pessoas que o filho já foi ao longo da vida reunidas em uma só.

Olhei para Will e enxerguei o bebê que segurei no colo, chorosamente encantada, incapaz de acreditar que eu havia gerado um outro ser humano. Vi a criança pequena, esticando a mão para mim, o menino em idade escolar chorando de raiva porque outra criança zombou dele. Enxerguei as vulnerabilidades, o amor, a história. Era isso que ele estava me pedindo para extinguir — a criança e, ao mesmo tempo, o homem — todo aquele amor, toda aquela história.

E então, num dia vinte e dois de janeiro, um dia em que eu estava presa no tribunal por causa de uma quantidade enorme de pequenos ladrões e motoristas sem seguro contra acidentes; de chorosos e irritados ex-casais, Steven entrou no anexo e encontrou nosso filho quase inconsciente, a cabeça caída no braço da cadeira, um mar de sangue escuro e pegajoso ao redor de sua cadeira de rodas. Ele tinha encontrado um prego enferrujado de menos de dois centímetros, que emergia de alguma parte mal-acabada do armário e, pressionando o pulso contra aquele prego, movimentou sua cadeira para cima e para baixo até a pele ser cortada em tiras. Até hoje não consigo imaginar a determinação que o fez continuar, mesmo que ele tenha ficado meio delirante por causa da dor. Os médicos disseram que, se demorássemos mais vinte minutos, ele teria morrido.

Isso não foi, eles comentaram em um requintado eufemismo, *um pedido de ajuda*.

Quando me ligaram do hospital para dizer que Will sobreviveria, saí para o meu jardim e me enfureci. Fiquei furiosa com Deus, com a natureza, com qualquer destino que tivesse levado minha família àquele ponto. Hoje, olhando para trás, imagino que devo ter parecido completamente louca. Naquela tarde fria, fiquei no jardim, arremessei meu grande copo de conhaque a seis metros, nos *Euonymus compactus*, e gritei de tal maneira que minha voz rompeu o ar, ultrapassou os muros do castelo e ecoou na distância. Eu estava tão furiosa porque tudo ao meu redor podia se mexer e se curvar e crescer e se reproduzir, e meu filho — meu filho cheio de vida, carismático e lindo — era apenas aquela *coisa*. Imóvel, murcho, ensanguentado, sofrendo. A beleza do mundo parecia uma obscenidade. Gritei e gritei e jurei — com palavras que até então não sabia que conhecia — até Steven sair e parar junto a mim, sua mão repousando no meu ombro, esperando até que pudesse ter certeza de que eu ficaria novamente em silêncio.

Ele não entendeu, sabe. Ainda não tinha entendido. Que Will tentaria outra vez. Que nossas vidas seriam esgotadas numa vigilância constante, esperando pela próxima vez, aguardando para ver que horror ele poderia se infligir. Teríamos de ver o mundo pelos olhos dele — os venenos em potencial, os objetos cortantes, a criatividade com a qual ele poderia terminar o serviço que aquele maldito motoqueiro tinha começado. Nossas vidas tinham de encolher para caber no potencial daquele primeiro ato. E ele tinha uma vantagem — não tinha mais nada em que pensar.

Duas semanas depois, eu disse a Will:

— Está bem.

Claro que eu disse.

O que mais eu poderia fazer?

9

Não dormi aquela noite. Fiquei deitada no meu quarto olhando o teto e reconstruindo cuidadosamente os dois últimos meses com base no que eu agora sabia. Foi como se tudo tivesse sido modificado, fragmentado e rearrumado de outra maneira, em um padrão que eu mal reconhecia.

Senti-me enganada, a estúpida subordinada que não sabia o que estava acontecendo. Senti que eles deviam ter rido escondido de minhas tentativas de oferecer legumes para Will comer, ou de cortar seus cabelos — pequenas coisas para fazê-lo se sentir melhor. Qual tinha sido o sentido de tudo isso, afinal?

Repassei diversas vezes a conversa que ouvi, tentando interpretá-la de algum outro jeito, tentando convencer a mim mesma de que eu havia entendido mal o que eles disseram. Mas a Dignitas não era exatamente o lugar a que se ia para tirar umas férias. Eu não conseguia acreditar que Camilla Traynor pudesse pensar em fazer aquilo com o filho. Sim, eu a achava fria, e sim, esquisita perto dele. Era difícil imaginá-la fazendo carinho em Will, como minha mãe fazia conosco (de maneira firme, jovial) até nos afastarmos nos retorcendo, pedindo para ela nos soltar. Para ser sincera, eu achava que era assim que a classe alta lidava com os filhos. Afinal, eu tinha acabado de ler o livro de Will, *Love in a Cold Climate*. Mas, ativamente, concordar em colaborar na morte do próprio filho?

Pensando em retrospecto, o comportamento dela parecia ainda mais frio, suas ações imbuídas de alguma intenção funesta. Eu estava furiosa com ela, e com Will. Furiosa com eles por me fazerem acreditar numa fachada. Furiosa por todas as vezes em que fiquei pensando em como poderia melhorar as coisas para ele, fazê-lo se sentir confortável ou feliz. Quando não ficava furiosa, eu ficava triste. Eu podia me lembrar da sutil interrupção na voz dela ao tentar confortar Georgina, e me senti muito triste por ela. Ela estava, eu sabia, numa posição insuportável.

Mas, acima de tudo, eu me senti tomada de horror. Estava assustada com o que agora sabia. Como alguém pode viver com a consciência de que está apenas deixando os dias correrem até sua própria morte? Como poderia esse homem, cuja pele, hoje de manhã, eu tinha sentido sob meus dedos — cálida e viva —, querer simplesmente acabar consigo mesmo? Como poderia ser que, com o consentimento de todos, dali a seis meses, essa mesma pele estaria se decompondo embaixo da terra?

Eu não podia contar para ninguém. E isso era quase o pior de tudo. Eu agora era cúmplice do segredo dos Traynor. Indisposta e indiferente, liguei para Patrick para avisar que não estava bem e ia ficar em casa. Tudo certo, ele estava numa corrida de dez quilômetros, disse. Provavelmente, não teria terminado suas atividades no clube de atletismo antes das nove da noite. Nós nos veríamos no sábado. Ele pareceu distraído, como se já estivesse em outro lugar, mais além, em alguma pista de corrida mítica.

Eu não quis jantar. Fiquei na cama até meus pensamentos escurecerem e se solidificarem ao ponto de eu não aguentar mais o peso deles, e, às oito e meia, desci e fiquei sentada silenciosamente vendo TV, empoleirada ao lado de vovô, que era a única pessoa na nossa família que com certeza não iria me perguntar nada. Ele estava sentado em sua poltrona predileta e olhava fixamente para a tela com intensos olhos vidrados. Eu nunca tinha certeza se ele assistia ao programa ou se sua mente estava em algo completamente diferente.

— Tem certeza que não quer que eu faça nada para você, querida? — mamãe apareceu ao meu lado com uma xícara de chá. Para nossa família, não havia nada que não pudesse ser resolvido com uma xícara de chá.

— Não. Estou sem fome, obrigada.

Vi a forma como ela olhou para papai. Eu sabia que, depois, haveria murmúrios secretos sobre como os Traynor estavam me fazendo trabalhar demais, e como o estresse de cuidar daquele inválido era muito pesado. Eu sabia que eles se culpariam por me incentivarem a aceitar o emprego.

Eu precisava deixá-los pensar que tinham razão.

Paradoxalmente, no dia seguinte Will estava de bom humor — surpreendentemente falante, cheio de opiniões, provocador. Ele falou mais do que no dia anterior. Foi como se quisesse discutir comigo, e se desapontou quando eu não entrei no jogo.

— Quando você vai terminar o trabalho?

Eu estava limpando a sala. Olhei, batendo as almofadas do sofá.

— Que trabalho?

— Meu cabelo. Está pela metade. Pareço um daqueles órfãos vitorianos. Ou um londrino idiota. — Ele virou a cabeça para que eu pudesse ver melhor minha obra. — A menos que essa seja uma de suas demonstrações de estilo alternativo.

— Quer que eu continue a cortar?

— Bom, achei que isso a deixava feliz. E seria ótimo não parecer que vivo num hospício.

Peguei uma toalha e a tesoura em silêncio.

— Nathan está definitivamente mais feliz agora que pareço um sujeito normal — disse ele. — Embora ele tenha observado que, agora que minha cara voltou ao que era, eu precisarei fazer a barba todos os dias.

— Ah — exclamei.

— Você se importa? Nos finais de semana, aguentarei uma barbinha rala.

Eu não conseguia falar com ele. Achei difícil até mesmo olhá-lo nos olhos. Era como descobrir que seu namorado foi infiel. Eu me sentia, estranhamente, como se Will tivesse me traído.

— Clark?

— Hum?

— Você está tendo outro dia enervantemente calado. O que houve com aquela "falação que chegava a ser vagamente irritante"?

— Desculpe-me — falei.

— É o Corredor de novo? O que ele fez agora? Ele não saiu correndo do relacionamento, saiu?

— Não.

Peguei uma macia mecha de cabelos de Will entre o dedo indicador e o médio e deslizei as lâminas da tesoura por ela para aparar o que ficara exposto acima deles. Os cabelos ficaram na minha mão. Como eles fariam? Dariam a ele uma injeção letal? Seria com um medicamento? Ou será que apenas largavam a pessoa num quarto com uma porção de navalhas?

— Você parece cansada. Eu não ia dizer quando você chegou, mas, droga, você está com uma cara péssima.

— Ah.

Como eles acabavam com a vida de uma pessoa incapaz até de mexer braços e pernas? Peguei a mim mesma olhando para os pulsos de Will, que estavam sempre cobertos por mangas compridas. Durante semanas, achei que era por que ele sentia mais frio do que nós. Outra mentira.

— Clark?

— Sim?

Fiquei feliz por estar atrás dele. Não queria que ele visse a minha cara.

Will ficou indeciso. A parte da nuca, que ficava coberta pelos cabelos, estava ainda mais clara do que o restante da pele. Parecia macia, branca e estranhamente vulnerável.

— Olhe, me desculpe por minha irmã. Ela estava... estava muito nervosa, mas isso não lhe dá o direito de ser agressiva. Às vezes ela é muito direta. Não percebe que tira as pessoas do sério. — Fez uma pausa. — É por isso que ela gosta de morar na Austrália, eu acho.

— Você quer dizer que lá as pessoas dizem a verdade umas para as outras?

— O quê?

— Nada. Levante a cabeça, por favor.

Cortei seu cabelo e penteei, trabalhando metodicamente ao redor de toda a cabeça até que cada fio estivesse aparado e restasse um ralo montinho de cabelos em volta dos pés dele.

No final do dia, tive certeza do que eu faria. Enquanto Will assistia a TV com o pai, aproveitei para pegar uma folha de papel A4 na impressora e uma caneta no pote que ficava na janela da cozinha e escrevi o que queria dizer. Dobrei o papel, encontrei um envelope e deixei-o sobre a mesa da cozinha, destinado à mãe dele.

Quando saí, à noite, Will e o pai conversavam. Na verdade, Will estava rindo. Parei no corredor com a bolsa pendurada no ombro, escutando. Por que ele ria? O que poderia lhe provocar alegria, uma vez que faltavam poucas semanas para ele se matar?

— Terminei aqui — gritei porta adentro e comecei a andar.

— Ei, Clark... — Will começou a falar, mas eu já tinha fechado a porta atrás de mim.

Passei a curta viagem de ônibus tentando pensar no que diria aos meus pais. Eles ficariam furiosos por eu largar um emprego que viam como perfeitamente adequado e bem pago. Após o choque inicial, minha mãe pareceria sofrida e me defenderia, insinuando que tinha sido demais para mim. Meu pai certamente perguntaria por que eu não era mais parecida com minha irmã. Ele sempre fazia isso, mesmo que não tenha sido eu a estragar a vida ficando grávida, nem a depender do restante da família para ter dinheiro e cuidar do filho. Não era permitido dizer nada assim na nossa casa porque, segundo minha mãe, era como dizer que Thomas não era uma bênção. Todos os bebês eram bênçãos de Deus, mesmo aqueles que diziam *veado* um pouco demais e cuja presença significava que metade do potencial de ganhar dinheiro de nossa família não podia de fato sair e arrumar um bom emprego.

Eu não conseguiria dizer a verdade para eles. Sabia que não devia nada a Will ou a sua família, mas não ia impor o olhar curioso da vizinhança sobre eles.

Todos esses pensamentos reviravam na minha cabeça quando saí do ônibus e desci a colina. E então cheguei na esquina da nossa rua e escutei o berro, senti a sutil vibração no ar, e tudo em que pensava foi brevemente esquecido.

Uma pequena multidão tinha se juntado em volta da nossa casa. Apressei o passo, com medo de que tivesse acontecido alguma coisa, e vi meus pais no vestíbulo, espiando, e notei que não era na nossa casa, afinal de contas. Era só a mais recente de uma longa série de pequenas batalhas que caracterizavam o casamento de nossos vizinhos.

Que Richard Grisham não era o mais fiel dos maridos era algo bastante sabido em nossa rua. Mas, a julgar pela cena no jardim, devia ter sido a esposa dele a descobrir isso.

— Você deve ter achado que eu era uma droga de uma idiota. Ela estava com a sua camiseta! Aquela que eu fiz para o seu aniversário!

— Querida... Dympna... não é o que você está pensando.

— Fui comprar os seus malditos ovos escoceses! E lá estava ela, usando a sua camiseta! Cheia de si! E eu nem *gosto* de ovos escoceses!

Diminuí o passo, abrindo caminho em meio à pequena multidão até conseguir alcançar nosso portão, vendo quando Richard se abaixou para evitar ser atingido por um aparelho de DVD. A seguir, veio um par de sapatos.

— Há quanto tempo eles estão nessa?

Minha mãe, com o avental cuidadosamente amarrado à cintura, descruzou os braços e deu uma olhada no relógio.

— Há uns bons quarenta e cinco minutos. Bernard, você diria que já tem uns bons quarenta e cinco minutos?

— Depende se você contar a partir de quando ela jogou as roupas ou de quando ele voltou e as encontrou.

— Considero quando ele chegou.

Papai avaliou.

— Então faz realmente quase meia hora. Ela ficou um bom tempo jogando coisas pela janela nos primeiros quinze minutos.

— Seu pai disse que, se ela realmente expulsar Richard de casa, vai fazer uma oferta de compra pela Black and Decker dele.

A multidão tinha aumentado e Dympna Grisham não mostrava sinais de que desistiria. Pelo contrário, parecia encorajada pelo crescente tamanho de sua audiência.

— Pode dar para ela seus livros imundos — gritou, jogando um maço de revistas pela janela.

Isso promoveu uma pequena salva de palmas na plateia.

— Veja se ela gosta que você fique metade da tarde de domingo sentado no banheiro com *isso*, ok? — Ela sumiu dentro de casa e então reapareceu na janela, esvaziando o conteúdo de um cesto de roupas sujas em cima do que já estava no gramado. — E suas imundas cuecas. Vamos ver se ela acha você um... como era?... *supergaranhão*, quando estiver lavando essas coisas para você todos os dias!

Richard recolhia inutilmente braçadas de suas roupas à medida que aterrissavam na grama. Ele estava gritando alguma coisa para o alto, na direção da janela, mas, com o barulho e os apupos, era difícil entender. Como se por ora admitisse a derrota, ele abriu caminho pela multidão, destrancou o carro, jogou uma braçada de seus pertences no banco de trás e bateu a porta para fechá-la. Estranhamente, enquanto sua coleção de CDs e seus video games causaram muito interesse, ninguém moveu uma palha pela roupa suja.

Crash. Houve uma pequena agitação quando o aparelho de som encontrou o chão. Ele olhou para cima, incrédulo.

— Sua vadia maluca!

— Você anda dando amassos naquele monstro vesgo e cheio de doenças que trabalha na garagem e *eu* é que sou a vadia maluca?

Mamãe virou-se para papai:

— Você gostaria de uma xícara de chá, Bernard? Acho que está ficando um pouco frio.

Meu pai não tirou os olhos da porta da vizinha.

— Seria ótimo, querida. Obrigado.

Foi quando mamãe entrou em casa que reparei no carro. Foi tão inesperado que a princípio não o reconheci — a Mercedes azul-marinho da Sra. Traynor, discreta e de suspensão baixa. Ela abriu a porta, observando a cena na calçada, e hesitou por um instante antes de sair do carro. Ela ficou parada, encarando as várias casas, talvez conferindo os números. E então, me viu.

Saí do vestíbulo e percorri o caminho para carros antes que papai perguntasse aonde eu ia. A Sra. Traynor permaneceu ao lado da multidão, olhando para o caos como Maria Antonieta olharia para um bando de camponeses revoltados.

— Briga doméstica — expliquei.

Ela desviou o olhar, como se estivesse quase constrangida por ter sido pega observando a cena.

— Sei.

— Para os padrões deles, é completamente construtivo. Quase uma terapia de casal.

O elegante *tailleur* de lã que ela usava, as pérolas e o cabelo de aparência chique bastavam para destacá-la na nossa rua, no meio das calças de moletom e dos tecidos baratos e de cores berrantes das lojas de departamento. Ela tinha uma aparência rígida, pior do que a daquela manhã em que chegou em casa e me encontrou dormindo no quarto de Will. Registrei em alguma parte distante da minha mente que eu não sentiria falta de Camilla Traynor.

— Estava pensando se você e eu poderíamos ter uma conversinha. — Ela precisou erguer a voz para se fazer ouvir acima da agitação.

A Sra. Grisham agora jogava pela janela os vinhos finos do marido. Cada garrafa que explodia no chão era saudada com gritos de deleite e mais um sincero acesso de raiva e apelos do Sr. Grisham. Um rio de vinho tinto escorria por entre os pés da multidão, para dentro do bueiro.

Lancei um olhar para aquela confusão, e depois virei para trás, para a nossa casa. Não conseguia pensar em levar a Sra. Traynor para a nossa sala da frente, com aquela confusão de trens de brinquedo, o vovô roncando silenciosamente diante da TV, mamãe borrifando essências para disfarçar o cheiro das meias de papai e Thomas aparecendo para mumurar *veado* para as visitas.

— Hum... não é uma boa hora.

— Talvez possamos conversar no meu carro? Olhe, só cinco minutos, Louisa. Certamente tem esse tempo a nos oferecer.

Alguns vizinhos olharam na minha direção quando entrei no carro. Tive sorte de os Grisham serem a grande novidade do dia, caso contrário, o tópico das conversas teria sido eu. Na nossa rua, se você entra num carro de luxo significa que conquistou um jogador de futebol ou está sendo preso por policiais à paisana.

As portas do carro se fecharam com um baque surdo e pesado e, de repente, fez-se silêncio. O carro tinha cheiro de couro e não havia nada em seu interior além de mim e da Sra. Traynor. Sem papel de bala, lama, brinquedos perdidos ou coisas perfumadas penduradas para disfarçar o cheiro da embalagem de leite que tinha se derramado lá dentro três meses antes.

— Pensei que você e Will se dessem bem. — Ela falou como se estivesse se dirigindo a alguém bem à sua frente. Quando eu não disse nada, ela perguntou: — É problema de dinheiro?

— Não.

— Precisa de um intervalo de almoço maior? Sei que é um pouco curto. Posso perguntar a Nathan se ele...

— Não é por causa do horário. Nem do dinheiro.

— Então...

— Eu realmente não quero...

— Olhe, você não pode pedir demissão sem aviso prévio e esperar que eu nem ao menos pergunte o que aconteceu.

Respirei fundo.

— Ouvi a senhora. A senhora e sua filha. Na noite passada. E não quero... Não quero participar disso.

— Ah.

Ficamos em silêncio. O Sr. Grisham agora tentava derrubar a porta da frente para entrar e a Sra. Grisham estava ocupada em arremessar pela janela e em direção à cabeça dele qualquer coisa que localizasse. A escolha dos projéteis (rolo de papel higiênico, caixas de absorvente, escova de vaso, frascos de xampu) sugeria que ela estava no banheiro.

— Por favor, não vá embora — disse a Sra. Traynor, em voz baixa. — Will está à vontade com você. Mais do que tem estado em muito tempo. Eu... seria muito difícil nós conseguirmos isso com outra pessoa.

— Mas vocês... vocês vão levá-lo para aquele lugar onde as pessoas se matam. Dignitas.

— Não. Vou fazer tudo o que puder para garantir que ele não faça isso.

— Como o quê? Rezar?

Ela me deu o que minha mãe teria chamado de um "olhar desaprovador".

— Você já deve ter percebido que, se Will decide se tornar inalcançável, há muito pouco que qualquer pessoa possa fazer em relação a isso.

— Já entendi tudo isso — falei. — Estou lá apenas para garantir que ele não trapaceie e se mate antes que os seis meses cheguem ao fim. É isso, não é?

— Não. Não é isso.

— É por isso que a senhora não ligou para minhas qualificações para o trabalho.

— Achei você inteligente, alegre e diferente. Você não parecia uma enfermeira. Não se comportava... como nenhuma das outras. Pensei... pensei que pudesse animá-lo. E anima... você *realmente* o anima, Louisa. Vê-lo sem aquela barba horrorosa ontem... você parece ser uma das poucas pessoas que consegue chegar até ele.

Roupas de cama saíram pela janela. Caíram emboladas, os lençóis se abriram rápida e graciosamente antes de atingirem o chão. Duas crianças pegaram um e correram pelo jardim com ele na cabeça.

— Não acha que teria sido justo dizer que eu seria, na prática, a vigia de um suicida?

O suspiro que Camilla Traynor deu soou como o de alguém obrigado a explicar algo educadamente para uma imbecil. Fiquei pensando se ela tinha consciência de que tudo o que falava fazia os outros parecerem idiotas. Pensei que aquilo era uma coisa que ela havia cultivado realmente de maneira deliberada. Acho que eu jamais conseguiria fazer alguém se sentir inferior.

— Podia ser assim na época em que nós nos conhecemos... mas tenho certeza que Will vai manter sua palavra. Ele me prometeu seis meses, e será isso o que terei. Precisamos desse tempo, Louisa. Precisamos desse tempo para que ele saiba que existe uma *possibilidade*. Eu esperava que isso plantasse nele a ideia de que existe uma vida que ele pode aproveitar, mesmo que não seja a vida que ele havia planejado.

— Mas é tudo mentira. A senhora mentiu para mim e todos na sua família estão mentindo uns para os outros.

Ela não parecia me ouvir. Virou-se para me olhar, puxando um talão de cheques da bolsa, a caneta já na mão.

— Escute, o que você quer? Dobro o seu salário. Diga-me quanto quer.

— Não quero o seu dinheiro.

— Um carro. Alguns benefícios. Bônus...

— Não...

— Então... o que posso fazer para que você mude de ideia?

— Sinto muito. Eu apenas não...

Fiz menção de sair do carro. Sua mão disparou. E ficou ali, no meu braço, estranha e radioativa. Nós duas olhamos para a mão.

— Você assinou um contrato, Srta. Clark — disse ela. — Você assinou um contrato em que prometeu trabalhar conosco por seis meses. Pelos meus cálculos, cumpriu apenas dois. Só estou solicitando que cumpra suas obrigações contratuais.

Sua voz tinha se tornado áspera. Olhei para baixo, para a mão dela, e vi que tremia.

Ela engoliu em seco.

— Por favor.

Meus pais estavam olhando da varanda. Eu podia vê-los, canecas de chá equilibradas em suas mãos, as únicas pessoas que não acompanhavam a cena na porta ao lado. Viraram-se, desajeitados, quando perceberam que eu os havia notado. Papai, eu reparei, usava os chinelos xadrez manchados de tinta.

Abri a porta do carro.

— Sra. Traynor, eu realmente não posso simplesmente me sentar e assistir... é muito estranho. Não quero fazer parte disso.

— Apenas pense a respeito. Amanhã é Sexta-feira Santa; direi a Will que você tem um compromisso familiar, se precisa mesmo de tempo. Aproveite o fim de semana prolongado para pensar. Mas, por favor. Volte. Volte e ajude-o.

Entrei em casa sem olhar para trás. Sentei-me na sala de estar, olhando para a TV enquanto meus pais me seguiam, trocando olhares e fingindo que não estavam me examinando.

Passaram-se quase onze minutos até que eu finalmente ouvi o motor do carro da Sra. Traynor ser ligado e sair.

Nem cinco minutos depois de chegar em casa, minha irmã veio me confrontar, pisando duro na escada e escancarando a porta do meu quarto.

— Sim, pode entrar — falei, deitada na cama, com as pernas apoiadas na parede, olhando o teto.

Eu estava vestindo meia-calça e short com lantejoulas azuis, que se embolava sem qualquer charme nas minhas coxas.

Katrina ficou à porta.

— É verdade?

— Que Dympna Grisham finalmente expulsou aquele marido traidor, imprestável, mulherengo e...

— Não banque a espertinha. Sobre o seu trabalho.

Percorri com o dedão do pé o desenho do papel de parede.

— Sim, entreguei a carta de demissão. Sim, eu sei que mamãe e papai não estão felizes com isso. Sim, sim, sim para qualquer coisa que você deseje jogar em cima de mim.

Ela fechou a porta com cuidado atrás de si, então se sentou pesadamente na ponta da cama e praguejou vigorosamente:

— Não acredito nisso.

Empurrou minhas pernas pela parede até que eu escorregasse, de modo que elas quase caíram sobre a cama.

Eu me endireitei.

— Ai.

Seu rosto estava afogueado.

— Não acredito. Mamãe está lá em baixo devastada. Papai finge que não, mas também está. Como eles vão se virar com o dinheiro? Você sabe que papai já está entrando em pânico com o emprego. Por que jogar fora um trabalho perfeitamente ótimo?

— Não venha me repreender, Treen.

— Bom, alguém tem que fazer isso! Você não vai conseguir um salário como esse em lugar nenhum. E como vai ficar o seu currículo?

— Ah, não finja que isso é sobre qualquer outra coisa que não seja você e seus interesses.

— O quê?

— Você não liga para o que eu faço, desde que possa ir lá e ressuscitar a sua carreira promissora. Você só precisa que eu seja o arrimo da família e pague a bendita creche. O resto que se dane.

Sei que fui mesquinha e vil, mas não pude evitar. Afinal, foi a situação da minha irmã que nos levou àquela confusão. Anos de ressentimento começaram a vir à tona.

— Todos nós temos de aguentar empregos que odiamos para que a pequena Katrina possa realizar suas malditas ambições.

— Isso não tem nada a ver *comigo*.

— Não?

— Não, tem a ver com você sair do único emprego decente que alguém lhe ofereceu em anos.

— Você não sabe *nada* sobre o meu emprego, está bem?

— Sei que paga muito mais que o salário mínimo. E é só o que preciso saber sobre o seu emprego.

— Nem tudo na vida gira em torno de dinheiro, sabia?!

— Ah, é? Então desça e diga isso para mamãe e papai.

— Não ouse me dar um sermão sobre dinheiro quando há anos não contribui com um tostão nesta casa.

— Você sabe que não posso contribuir com muito por causa de Thomas.

Comecei a empurrar minha irmã porta afora. Não me lembro da última vez em que encostei a mão nela, mas agora tudo o que eu queria era bater em alguém e não sabia do que seria capaz se ela continuasse na minha frente.

— Apenas dê o fora, Treen. Certo? Apenas dê o fora e me deixe sozinha.

Bati a porta na cara dela. E quando finalmente ouvi-a descer devagar a escada, preferi não pensar no que ela poderia dizer aos meus pais, em como todos poderiam considerar essa como mais uma prova da minha catastrófica incapacidade de fazer algo útil. Preferi não pensar em Syed no Centro de Trabalho e em como eu poderia explicar meus motivos para largar o mais bem pago emprego doméstico. Preferi não pensar na fábrica de frangos e em como, em algum lugar, bem lá no fundo, provavelmente havia um conjunto de avental plástico e touca higiênica com meu nome escrito.

Deitei-me na cama e pensei em Will. Pensei em sua raiva e em sua tristeza. Pensei no que a mãe dele tinha dito: que eu era uma das únicas pessoas que conseguiu alcançá-lo. Pensei nele se esforçando para não rir com a *Canção Molahonkey* numa noite em que a neve caía dourada do outro lado da janela. Pensei na pele cálida e nas mãos e nos cabelos macios de alguém vivo, de alguém bem mais inteligente e engraçado do que eu jamais poderia ser e que, apesar disso, não via nada melhor no futuro do que se matar. E enfim, com a cabeça pressionada contra o travesseiro, chorei porque minha vida de repente pareceu muito mais difícil de entender e muito mais complicada do que jamais havia imaginado, e desejei poder voltar até os dias em que minha maior preocupação era se Frank e eu tínhamos encomendado bolinhos Chelsea suficientes.

Alguém bateu à porta.

Assoei o nariz.

— Dê o fora, Katrina.

— Desculpe.

Encarei a porta.

A voz dela estava abafada como se a boca estivesse encostada no buraco da fechadura.

— Trouxe vinho. Escute, deixe eu entrar, pelo amor de Deus, ou a mamãe vai me ouvir. Tenho duas canecas de Bob, o Construtor, escondidas na minha saia, e você sabe como ela fica quando bebemos aqui em cima.

Saí da cama e abri a porta.

Ela olhou meu rosto manchado de lágrimas e fechou rápido a porta atrás de si.

— Certo — disse, abrindo a garrafa e servindo uma caneca de vinho —, o que realmente aconteceu?

Olhei firme para minha irmã.

— Você não pode contar a ninguém o que eu vou lhe dizer. Nem ao papai. E, principalmente, à mamãe.

Então, contei tudo.

Tinha de contar para alguém.

Eu não gostava de muitas coisas em relação à minha irmã. Há alguns anos, poderia apresentar listas inteiras que eu escrevera discorrendo sobre cada um dos tópicos. Eu a detestava pelo fato de ter cabelos grossos e lisos enquanto o meu ficava quebradiço se crescesse além dos ombros. Eu a detestava porque nunca podia contar uma coisa que ela já não soubesse. Eu odiava o fato de meus professores, durante toda a minha vida escolar, fazerem questão de me dizer, em voz baixa, como ela era inteligente, como se seu brilho não significasse que, por definição, eu tinha de viver sempre na sombra. Eu a detestava porque, aos vinte e seis anos, eu precisava ocupar um quartinho numa casa geminada só para ela poder ficar com seu filho bastardo no quarto maior. Mas, de vez em quando, eu realmente gostava muito que ela fosse minha irmã.

Pois Katrina não gritou de horror. Não pareceu chocada ou insistiu para que eu avisasse a mamãe e papai. E não disse sequer uma vez que foi um erro eu pedir demissão.

Deu uma grande golada na bebida e exclamou:

— Meu Deus.

— Exatamente.

— É legal, de qualquer jeito. Eles não podem impedir o filho de se matar.

— Eu sei.

— Merda. Não consigo nem pensar nisso.

Nós esvaziamos dois copos só enquanto eu contava o caso, e eu podia sentir o calor subindo por minhas bochechas.

— Detesto pensar em deixá-lo. Mas não posso participar disso, Treen. Não posso.

— Hum.

Treen estava pensando. Minha irmã realmente tem uma "cara pensante". Faz as pessoas pararem antes de dizerem alguma coisa para ela. Papai diz que minha "cara pensante" dá a impressão de que eu quero ir ao banheiro.

— Não sei o que fazer — confessei.

Ela me olhou, o rosto subitamente iluminado.

— É simples.

— Simples.

Serviu mais um copo para cada uma de nós.

— Opa. Pelo jeito, já terminamos com essa garrafa. Sim. O que você precisa fazer é simples. Eles têm dinheiro, não é?

— Não quero o dinheiro deles. Ela me ofereceu um aumento. Não é isso.

— Cale a boca. Não é para você, sua idiota. Eles vão ficar com o dinheiro deles. E Will provavelmente recebeu uma boa quantia de seguro por causa do acidente. Bom, diga a eles que você quer uma verba e então você usa ao longo dos... quantos eram?... quatro meses que ainda tem. E você vai fazer Will Traynor mudar de ideia.

— O quê?

— Fazê-lo mudar de ideia. Você disse que ele passa quase todo o tempo em casa, certo? Bom, comece com algo pequeno, então, uma vez que você tenha feito ele sair de casa de novo, pense nas coisas incríveis que poderia fazer por ele, tudo que pudesse fazê-lo querer viver: aventuras, viagens ao exterior, nadar ao lado de golfinhos, o que quer que seja, e então você coloca isso em prática. Posso ajudá-la. Vou pesquisar coisas na internet. Aposto que podemos arrumar programas ótimos para vocês fazerem. Que o deixariam realmente feliz.

Eu a encarei.

— Katrina...

— É. Pode dizer. Eu sei. — Ela fez uma careta quando sorriu. — Eu sou um gênio.

10

Os Traynor ficaram meio surpresos. Na verdade, surpresos é pouco. A Sra. Traynor ficou pasma, depois um pouco desconcertada, e então fechou a cara. A filha, enroscada ao lado dela no sofá, olhou para mim furiosa, da mesma forma que mamãe fazia quando mandava eu não me mexer nem se o vento mudasse.

Não era exatamente a reação entusiasmada que eu esperava.

— Mas o que você quer fazer exatamente?

— Ainda não sei. Minha irmã é boa em pesquisa. Está tentando descobrir quais programas são possíveis para tetraplégicos. Mas o que eu realmente queria saber era se vocês gostariam de ir junto.

Estávamos na sala de visitas. A mesma sala onde fui entrevistada, só que dessa vez a Sra. Traynor e a filha se encarapitavam no sofá, com o velho e baboso cão entre elas. O Sr. Traynor estava ao lado da lareira. Eu usava minha jaqueta jeans estilo camponês francês, um minivestido e coturnos. Pensando melhor, acho que podia ter escolhido um visual mais sério para expor meu plano.

— Deixe-me ver se entendi direito. — Camilla Traynor inclinou-se para a frente. — Você quer tirar Will de casa.

— Isso.

— E levá-lo numa série de "aventuras".

Ela falou de um modo que fez parecer que eu estava sugerindo submetê-lo a uma cirurgia experimental.

— Sim. Como eu disse, ainda não sei o que é possível. Mas a proposta é sair com ele para ampliar seus horizontes. Primeiro, podíamos fazer algumas coisas por perto, depois, com sorte, iríamos mais longe.

— Você se refere a viajar para o exterior?

— Exterior...? — Pisquei. — Eu pensava em, quem sabe, levá-lo ao pub. Ou a um show, só para começar.

— Há dois anos Will só sai de casa para consultas no hospital.

— Bom, é... pensei em convencê-lo a fazer outras coisas.

— E você, claro, iria com ele em todas essas aventuras — concluiu Georgina Traynor.

— Olhe, não é nada de extraordinário. Estou falando apenas em tirá-lo de casa, para começar. Dar uma volta pelos arredores do castelo ou ir ao pub. Se acabarmos nadando com golfinhos na Flórida, ótimo. Mas, de verdade, eu só queria tirá-lo de casa um pouco e fazê-lo pensar em outras coisas.

Não acrescentei que só o pensamento de levá-lo ao hospital como única responsável ainda me dava calafrios. E pensar em levá-lo ao exterior, para mim, era o mesmo que participar de uma maratona.

— Acho uma ótima ideia — disse o Sr. Traynor. — Seria maravilhoso que Will passeasse por aí. Não pode ser bom para ele passar dia após dia olhando para quatro paredes.

— Tentamos sair com ele, Steven — disse a Sra. Traynor. — Não queríamos que ficasse mofando em casa. Tentei inúmeras vezes.

— Eu sei, querida, mas não deu muito certo, não é? Se Louisa está disposta a sugerir coisas que ele queira tentar, só pode ser algo bom, não acha?

— Bom, "disposta a sugerir" é a frase-chave.

— É só uma ideia — insisti. De repente, fiquei irritada. Sabia o que ela estava pensando. — Se vocês não quiserem...

— ...você vai embora? — ela olhava direto para mim.

Sustentei o olhar. Camilla Traynor não me assustava mais. Pois agora sabia que ela não era melhor do que eu. Era uma mulher capaz de sentar-se e deixar o filho morrer bem na sua frente.

— Sim, provavelmente irei.

— Então, isso é uma chantagem.

— Georgina!

— Bom, não vamos encobrir os fatos, papai.

Aprumei-me um pouco.

— Não, não é chantagem. É o que posso oferecer. Não posso ficar parada esperando até que... Will... bem. — Minha voz sumiu.

Cada um olhou para sua xícara de chá.

— Como eu disse — repetiu o Sr. Traynor, firme. — Acho que é uma ideia muito boa. Se conseguir convencer Will, não há mal nenhum. Adoraria que ele saísse de férias. Só... só diga o que precisamos fazer.

— Tive uma ideia. — A Sra. Traynor pôs a mão no ombro da filha. — Você poderia sair de férias com eles, Georgina.

— Acho ótimo — concordei. Achava mesmo. Pois a possibilidade de eu levar Will de férias era a mesma de competir no *Mastermind*.

Georgina Traynor mexeu-se desconfortável no sofá.

— Não posso. Você sabe que começo no novo emprego daqui a duas semanas. Não poderei voltar para a Inglaterra tão cedo.

— Você vai retornar para a Austrália?

— Não fique tão surpresa, mamãe. Eu disse que era apenas uma visita.

— Eu só achei que... considerando os últimos fatos, você fosse querer ficar um pouco mais. — Camilla Traynor olhava para a filha como jamais olhara para Will, por mais agressivo que ele fosse.

— É um emprego muito bom, mamãe. Eu corri atrás dele por dois anos. — Ela olhou para o pai. — Não posso colocar minha vida em suspenso por causa do estado psicológico de Will.

Fez-se um longo silêncio.

— Não é justo. Se eu estivesse numa cadeira de rodas, você pediria para Will mudar os planos dele?

A Sra. Traynor não olhou para a filha. Abaixei a cabeça e li e reli em silêncio o primeiro parágrafo da minha lista de sugestões.

— Eu também tenho uma vida, sabe. — A frase saiu como um protesto.

— Vamos discutir isso outra hora. — O Sr. Traynor colocou a mão no ombro da filha e o apertou de leve.

— É, vamos. — A Sra. Traynor mexeu nos papéis em seu colo. — Muito bem. Então proponho que façamos desta forma: quero saber tudo o que está planejando — disse, olhando para mim. — Quero saber os preços e, se possível, as datas para tentar conseguir uma folga e ir com vocês. Tenho alguns dias de férias que não tirei, posso...

— Não.

Todas nós viramos para o Sr. Traynor. Ele acarinhava a cabeça do cachorro com uma expressão simpática, mas sua voz era firme.

— Não. Acho que você não deve ir, Camilla. Will precisa fazer isso sozinho.

— Steven, ele não pode fazer isso sozinho. Ele precisa levar muitas coisas quando vai a qualquer lugar. É complicado. Acho que não podemos deixar por conta de...

— Não, querida — repetiu ele. — Nathan pode ajudar e Louisa consegue muito bem dar conta.

— Mas...

— Temos que deixar Will se sentir um adulto. O que será impossível com a mãe ou, quem sabe, a irmã sempre ao lado dele.

Senti uma súbita pena da Sra. Traynor. Ela continuava com aquela expressão altiva, mas eu podia ver que, no fundo, estava meio perdida, como se não entendesse muito bem o que o marido propunha. Segurou o colar.

— Posso garantir que ele vai ficar bem — disse. — E vou avisar com bastante antecedência tudo o que pretendemos fazer.

Ela mantinha a mandíbula tão rígida que um pequeno músculo pouco abaixo da maçã do rosto ficou visível. Fiquei me perguntando se ela me detestava.

— Também desejo que Will queira viver — acrescentei, por fim.

— Nós sabemos — disse o Sr. Traynor. — E agradecemos a sua determinação. E discrição.

Não entendi bem se isso era em relação a Will, ou a outra coisa completamente diferente; ele então se levantou e percebi que era um sinal para eu me retirar. Georgina e a mãe continuaram no sofá, caladas. Concluí que, assim que eu saísse da sala, eles continuariam a conversar sobre o assunto.

— Muito bem — concluí. — Mostrarei o plano a vocês depois de estruturar tudo na minha cabeça. Não demoro. Não temos muito...

O Sr. Traynor deu um tapinha no meu ombro.

— Eu sei. Basta nos avisar o que decidiu — disse.

Treena estava soprando as mãos para aquecê-las, seus pés se moviam para cima e para baixo involuntariamente, como se marchasse sem sair do lugar. Estava usando a minha boina verde-escura que ficava bem melhor nela do que em mim, o que era irritante. Ela se inclinou para a frente, apontou para uma lista que tinha acabado de tirar do bolso e me entregou.

— Pode ser que você precise excluir o Item 3, ou pelo menos esperar até a temperatura subir um pouco.

Olhei a lista.

— Basquete de tetraplégicos? Nem sei se ele gosta de basquete.

— Não importa. Puxa, aqui está muito frio. — Ela enfiou mais a boina na cabeça. — O importante é que ele conheça as possibilidades que tem. Que há outras pessoas na mesma situação, que praticam esportes e fazem coisas.

— Não sei. Ele não consegue nem segurar uma xícara. Esses jogadores devem ser paraplégicos. Não sei como podem jogar bola sem usar os braços.

— Você não está entendendo. Ele não precisa *fazer* nada, é só para abrir os horizontes, certo? Precisamos fazer com que ele veja o que os outros deficientes físicos estão fazendo.

— Vamos ver então.

A multidão soltou uma exclamação baixinha. Foi porque os atletas surgiram, a certa distância de nós. Se eu ficasse na ponta dos pés, podia vê-los no vale a uns três quilômetros, vários pontinhos brancos se mexendo, abrindo caminho no frio por uma estrada úmida e cinzenta. Olhei o relógio. Estávamos havia quarenta minutos ali na colina que recebera o nome bastante adequado de Windy Hill, e eu já não conseguia mais sentir os pés por causa do frio.

— Dei uma olhada nos eventos que vamos ter por aqui e, se você não quiser dirigir até muito longe, daqui a duas semanas haverá um jogo no centro esportivo. Ele pode até fazer uma aposta.

— Aposta?

— É, assim ele se envolve um pouco sem precisar jogar. Ah, olha, os atletas estão vindo. Quanto tempo acha que levam até chegar aqui?

Estávamos perto da linha de chegada. Acima de nós, uma faixa anunciava a "Linha de Chegada do Triatlo da Primavera" e ondulava com o vento frio.

— Não sei. Vinte minutos? Ou mais? Tenho uma barra de chocolate para emergências, caso queira dividir comigo. — Peguei-a no bolso. Era impossível segurar a lista de sugestões com uma mão só. — Então, o que mais você descobriu?

— Você disse que queria ir mais para o interior, não é? — Ela apontou para a minha mão. — Você ficou com o maior pedaço de chocolate.

— Então fique com este. Acho que a família de Will pensa que estou tirando proveito da situação.

— Por você querer sair com ele alguns míseros dias? Céus. Eles deviam agradecer por alguém fazer isso. Já que eles não se dão o trabalho.

Treena pegou o outro pedaço de chocolate.

— Enfim, acho que ele podia fazer o Item 5. Curso de informática. Eles prendem na cabeça da pessoa um aparelho que possui um bastão e com um gesto de cabeça é possível escrever no teclado. Há milhares de tetraplégicos na internet. Ele pode fazer muitos amigos. Ou seja, não vai ser necessário sair de casa sempre. Cheguei até a conversar com um casal na sala de bate-papo. Eles pareciam ótimos. Bem... — ela deu de ombros — *...normais.*

Comemos nossas metades da barra de chocolate em silêncio, enquanto observávamos os pobres atletas se aproximarem. Não consegui ver Patrick. Nunca conseguia. Ele tinha aquele tipo de cara que some no meio da multidão.

Treena mostrou a anotação no papel.

— Olha, na parte cultural tem um concerto especial para deficientes físicos. Você disse que ele é culto, certo? Pois então, ele só precisa ficar lá sentado e se deixar levar pela música. Afinal, a finalidade da música é fazer com que você se desligue do mundo, não? Quem me disse isso foi Derek, o bigodudo do meu trabalho. Ele disse também que o concerto pode ser meio barulhento por causa de alguns deficientes, que às vezes gritam. Mas tenho certeza que mesmo assim Will vai gostar.

Franzi o nariz.

— Não sei, Treen...

— Você se assustou porque eu falei em "cultura". Basta ficar sentada lá com ele. E nada de comer biscoitos crocantes. Mas se quiser um programa mais apimentado... — Ela abriu um enorme sorriso. — Tem um clube de striptease em Londres. Você podia ir com ele.

— Levar meu patrão a um show de striptease?

— Bom, você disse que faz tudo para ele... dá comida, limpa e tal. Não vejo problema em ficar ao lado dele enquanto tem uma ereção.

— Treena!

— Ele deve sentir falta. Você podia até pagar para uma stripper dançar no colo dele.

Várias pessoas no meio da multidão olharam para nós. Minha irmã ficou rindo. Ela falava de sexo desse jeito, como se fosse uma espécie de atividade recreativa. Como se não tivesse importância.

— Por outro lado, há também as viagens mais longas. Não sei o que você imaginou, mas podiam degustar vinhos no Vale do Loire... não é longe demais, para começar.

— Tetraplégicos ficam bêbados?

— Não sei, pergunte a ele.

Franzi o cenho olhando a lista.

— Então... digo aos Traynor que vou embebedar o filho tetraplégico com tendências suicidas, gastar o dinheiro deles com strippers e depois levá-lo aos Jogos Paraolímpicos...

Treena pegou a lista da minha mão.

— Bom, *você* não consegue sugerir nada mais inspirado.

— Eu pensei em... sei lá. — Cocei o nariz. — Na verdade, estou meio assustada. É difícil convencê-lo até a passear pelo jardim.

— Bom, você não pode ter medo. Ah, olhe, os atletas estão chegando. É melhor sorrirmos.

Abrimos caminho em meio à multidão e reforçamos a torcida. Tive dificuldade para fazer o barulho necessário, pois mal conseguia mexer os lábios de tanto frio.

Então vi Patrick, de cabeça baixa num mar de corpos concentrados, o rosto brilhando de suor, os tendões do pescoço esticados, a expressão de angústia como se estivesse sendo torturado. Esse mesmo rosto se iluminaria completamente assim que cruzasse a linha de chegada, como se precisasse mergulhar fundo dentro dele mesmo para chegar às alturas. Ele não me viu.

— Vai, Patrick! — gritei, a voz fraca.

E ele passou correndo rumo à linha de chegada.

Treena ficou dois dias sem falar comigo porque não fiquei tão entusiasmada com a lista de Coisas a Fazer, ao contrário do que ela esperava. Meus pais não notaram essa rusga, estavam felicíssimos por saber que eu continuaria no emprego. A diretoria da fábrica de móveis onde papai trabalhava tinha marcado várias reuniões com os funcionários para o final da semana e ele tinha certeza de que ia ser demitido. Ninguém conseguia ultrapassar a barreira dos quarenta anos.

— Somos muito gratos por sua ajuda aqui em casa, querida. — Mamãe repetiu isso tantas vezes que fiquei meio constrangida.

Foi uma semana engraçada. Treena começou a arrumar as malas para o curso e todos os dias eu ia dar uma olhada furtiva nas malas para descobrir quais coisas minhas ela estava pretendendo levar. Ela não surrupiou quase nenhuma roupa, mas consegui recuperar um secador de cabelo, meus óculos Prada falsos e minha *nécessaire* com estampa de limões. Se eu pedisse explicações, ela ia dar de ombros e dizer:

— Bom, você nunca usa essas coisas! — Como se isso bastasse.

Treena era assim. Ela achava que era seu direito. Mesmo depois de Thomas ter nascido, ela continuava se considerando a caçulinha da família e tinha o sentimento bem arraigado de que o mundo girava em torno dela. Quando éramos pequenas, ela ficava muito irritada quando queria uma coisa minha e mamãe pedia para eu "emprestar um pouquinho", nem que fosse só para manter a paz no lar. Quase vinte anos depois, nada mudara. Tínhamos de cuidar de Thomas para Treena sair; dar comida a ele para Treena não se preocupar; comprar mais presentes de Natal e aniversário para ela já que "ela não pode comprar por causa de Thomas." Bom, ela não precisava levar a minha maldita *nécessaire* com estampa de limões. Preguei um aviso na minha porta dizendo: "Minhas coisas são MINHAS. PARE COM ISSO." Treena rasgou o aviso, reclamou com mamãe que eu era muito infantil e que o dedo mindinho de Thomas era mais maduro do que eu.

Mas isso me fez pensar. Uma noite, depois que Treena saiu para as aulas noturnas, eu me sentei na cozinha enquanto mamãe separava as camisas de papai para passar.

— Mãe...

— Sim, querida.

— Será que posso me mudar para o quarto de Treena quando ela for embora?

Mamãe parou, pressionando no peito uma camisa meio dobrada.

— Não sei. Não pensei nisso.

— Eu pensei que já que ela e Thomas estarão fora, é justo que eu tenha um quarto mais adequado. Não parece inteligente deixar o quarto vazio, se eles vão morar no campus.

Mamãe concordou com a cabeça e colocou com cuidado a camisa no cesto.

— Você tem razão.

— E, por direito, aquele quarto devia ser meu, já que sou a mais velha e tal. Ela só ficou com o quarto por causa de Thomas.

Mamãe reconheceu que fazia sentido.

— É verdade. Vou falar com Treena — disse.

Agora percebo que foi mais sensato da parte dela consultar a minha irmã primeiro.

Três horas depois, Treena entrou furiosa na sala.

— O cadáver ainda nem esfriou e você já pula em cima da minha cova?

Vovô acordou assustado na cadeira e instintivamente pôs a mão no peito.

Tirei os olhos da TV.

— Do que você está falando?

— Onde você acha que Thomas e eu vamos passar os fins de semana? Não cabemos no quartinho. Lá não tem nem espaço para duas camas.

— Exatamente. E estou enclausurada lá há cinco anos. — Constatar que eu estava sempre em desvantagem me fez soar mais ofendida do que eu pretendia.

— Não pode ficar com o meu quarto. Não é justo.

— Você nem vai estar aqui!

— Mas preciso dele! Thomas e eu não cabemos no quartinho de jeito nenhum! Papai, explique isso a ela!

Papai afundou o queixo no colarinho e cruzou os braços. Detestava quando brigávamos e costumava deixar mamãe resolver a questão.

— Deixem isso para lá, meninas — falou.

Vovô balançou a cabeça como se não nos compreendesse. Nos últimos tempos, ele balançava muito a cabeça.

— Não dá para acreditar em você. Por isso estava tão disposta a me ajudar com a mudança — reclamou Treena.

— O quê? Então a sua insistência para que eu mantivesse meu emprego para ajudar você financeiramente faz parte de um plano sinistro meu?

— Você é *tão* falsa.

— Katrina, acalme-se. — Mamãe apareceu na porta, com as luvas de lavar louça pingando espuma no carpete da sala. — Podemos discutir isso civilizadamente. Não quero que incomodem o vovô.

Katrina ficou com o rosto vermelho, como acontecia quando era pequena e não conseguia o que queria.

— Na verdade, Louisa quer que eu saia daqui. É isso. Quer que eu vá logo porque está com inveja pois eu vou fazer alguma coisa da vida. Ela só quer tornar a minha volta para casa mais difícil.

— Ninguém sabe se você virá mesmo nos finais de semana — gritei. — Preciso de um quarto e não de um armário, e você ficou com o melhor quarto esse tempo todo só porque foi tão idiota a ponto de engravidar.

— Louisa! — ralhou mamãe.

— É, pois bem, se você não fosse tão burra a ponto de nem conseguir um bom emprego, podia ter sua maldita casa própria. Tem idade para isso. Ou será que finalmente percebeu que Patrick jamais se casará com você?

— Já chega! — papai rosnou. — Já ouvi demais! Treena, para a cozinha. Lou, sente-se e cale a boca. Já tenho problemas suficientes para ainda ter que aguentar vocês me azucrinando.

— Se acha que vou ajudar você com a sua lista idiota, está enganada — sibilou Treena para mim, enquanto mamãe a retirava da sala.

— Que bom. Eu não queria mesmo a sua ajuda, sua *aproveitadora* — falei, e me esquivei do exemplar da *Radio Times* que papai jogou em cima de mim.

No sábado de manhã, fui à biblioteca. Acho que não voltava lá desde que estava no colégio, certamente por medo de que lembrassem do livro de Jude Blume que perdi no segundo ano. Temia que, ao passar pelas colunas vitorianas da entrada, algum funcionário estendesse a mão grudenta para me cobrar as quatro libras de multa.

O local não era mais como eu me lembrava. Metade dos livros tinha sido substituída por CDs e DVDs, havia grandes prateleiras cheias de audiolivros e até de cartões de cumprimentos. E o lugar não era nada silencioso. O som de música e palmas vinha do setor dos livros infantis, onde alguma mãe com um grupo de bebês estava com a corda toda. As pessoas liam revistas e conversavam baixinho. A seção onde os mais velhos costumavam dormir em cima dos jornais gratuitos tinha sumido, substituída por uma grande mesa oval com computadores. Sentei, desajeitada, na frente de um deles, esperando que ninguém reparasse em mim. Computadores, assim como livros, são coisas que pertencem à minha irmã. Por sorte, os funcionários parecem prever o medo que pessoas como eu sentem. Um bibliotecário veio até a minha mesa e me entregou um cartão e um papel plastificado com as instruções. Ele não ficou atrás de mim, só me avisou, em um sussurro, que estaria à minha disposição caso eu precisasse de ajuda e me deixou sentada sozinha com meu estranho casaco de capuz e a tela em branco.

Há anos, o único computador que uso é o de Patrick. Ele só usa para baixar programas de ginástica ou comprar livros técnicos de esportes na Amazon. Se faz mais alguma outra coisa no computador, prefiro não saber. Mas obedeci a orientação do bibliotecário, segui cada passo e, por incrível que pareça, deu certo. Não só deu certo como achei *fácil*.

Quatro horas depois, eu tinha iniciado a minha lista.

E ninguém falou no livro de Judy Blume. Deve ter sido porque usei o cartão da minha irmã.

No caminho de volta para casa, parei na papelaria e comprei um calendário. Não daqueles que tem uma ilustração diferente a cada mês ou então uma linda foto do Justin Timberlake ou pôneis da montanha. Era um calendário de parede, daqueles que você coloca no escritório, com os feriados nacionais devidamente assinalados. Comprei-o com a eficiente rapidez de quem adora mergulhar em tarefas administrativas.

Abri o calendário no meu quartinho, pendurei-o atrás da porta e marquei o dia em que comecei a trabalhar nos Traynor, no início de fevereiro. Depois, contei os meses que faltavam e assinalei o dia doze de agosto, para o qual agora faltava apenas quatro meses. Dei um passo para trás e fiquei olhando para ele por um tempo, tentando fazer com que a pequena marcação em preto evidenciasse um pouco do peso que tinha. E então percebi com o que eu estava lidando.

Eu tinha de preencher os pequenos retângulos brancos do calendário com um monte de coisas que pudessem causar felicidade, alegria, satisfação ou prazer. Tinha de preencher os dias com todas as experiências incríveis que um homem que não mexia os braços nem as pernas não podia mais realizar sozinho. Em apenas quatro meses de retângulos, eu marcaria passeios, viagens, visitas, almoços e concertos. Tinha de usar todos os meios práticos para realizar as atividades e pesquisar bastante para tudo dar certo.

Depois, teria de convencer Will a ir.

Olhei bem para o calendário, com a caneta na mão. Aquele pequeno pedaço de papel brilhoso passou a significar, de repente, uma grande responsabilidade.

Eu dispunha de cento e dezessete dias para convencer Will Traynor de que ele tinha motivos para viver.

11

Em alguns lugares as mudanças das estações são marcadas pela passagem de pássaros migratórios, ou pela maré alta ou baixa. Na nossa cidadezinha, as estações são marcadas pela volta dos turistas. Começa aos poucos, as pessoas saltando dos trens ou dos carros usando casacos impermeáveis coloridos, segurando seus guias de viagem e suas carteirinhas de sócio do National Trust. Depois, quando o calor aumenta um pouco e começa a temporada, os turistas são expelidos de seus carros e enchem a rua principal: americanos, japoneses e um bando de estudantes estrangeiros vão surgindo ao redor do castelo.

No inverno, quase todas as lojas fecham. Os comerciantes mais abonados aproveitam os longos meses sem movimento para passar as férias em casas fora da cidade, enquanto os mais resistentes promovem eventos natalinos e faturavam com corais ou feiras de artesanato. Quando a temperatura sobe, os estacionamentos do castelo lotam, os pubs recebem mais pedidos de sanduíches de queijo com picles e, alguns domingos ensolarados depois, passamos outra vez de modorrenta cidadezinha a tradicional destino turístico inglês.

Subi a colina desviando dos primeiros visitantes da temporada, com suas pochetes de neoprene presas à cintura, os guias turísticos bastante manuseados e as câmeras já prontas para fotografar o castelo na primavera. Sorri para alguns e parei para tirar fotos com as câmeras daqueles que me pediam. Alguns moradores locais reclamavam da alta temporada por causa dos engarrafamentos, dos banheiros lotados, dos pedidos estranhos no The Buttered Bun ("Vocês não têm sushi? Nem rolinhos primavera?"), mas eu não me incomodava. Gostava do jeito dos estrangeiros, dos relances de vidas tão diferentes da minha. Gostava de ouvir diferentes sotaques e tentar adivinhar de que região eram, observar as roupas de quem nunca viu um catálogo da loja de departamento Next, nem comprou um pacote de cinco calcinhas na Marks and Spencer's.

— Você parece animada — disse Will, quando larguei minha mochila no corredor. Seu tom dava a entender que minha animação era quase uma afronta.

— É porque é hoje.

— O que tem hoje?

— A nossa saída. Vamos levar Nathan para ver a corrida de cavalos.

Will e Nathan se entreolharam. Eu quase ri. Senti um enorme alívio ao ver como estava o tempo, e ao constatar a presença do sol soube que tudo ia dar certo.

— Corrida de cavalos?

— É. Está tendo uma corrida acirrada em... — tirei o bloco de anotações do bolso — Longfield. Se sairmos agora, chegamos a tempo de ver o terceiro páreo. E quero apostar cinco libras no cavalo Man Oh Man, portanto é melhor irmos logo.

— Corrida de cavalos.

— É. Nathan nunca foi a uma.

Em honra da ocasião, coloquei meu minivestido de matelassê azul, com um lenço com estampa de arreios de cavalo amarrado ao pescoço e um par de botas de montaria de couro.

Will me estudou cuidadosamente, depois deu marcha a ré em sua cadeira e virou-a de lado, de modo a poder ver melhor seu enfermeiro.

— Este é um desejo seu de longa data, Nathan?

Dei a Nathan um olhar de advertência.

— Sim — disse ele, e abriu um sorriso. — Quero ir, sim. Vamos ver os cavalinhos.

Nós tínhamos combinado, claro. Liguei para Nathan na sexta-feira e perguntei que dia ele estaria livre para o passeio. Os Traynor aceitaram pagar horas-extras (a filha deles tinha ido para a Austrália, e acho que eles queriam garantir que alguém "sensível" me acompanharia), mas até o domingo eu não estava bem certa sobre o que faríamos. Aquilo parecia o começo ideal: um ótimo dia ao ar livre, a menos de meia hora de carro.

— E se eu disser que não quero ir?

— Então, você fica me devendo quarenta libras — respondi.

— Quarenta libras? Como você resolveu isso?

— Meus ganhos. Cinco pratas vezes o prêmio de oito para um. — Encolhi os ombros. — Man Oh Man é barbada.

Tive a impressão de tê-lo desequilibrado.

Nathan bateu com as mãos nos joelhos.

— Parece ótimo. E está um lindo dia para isso — disse ele. — Quer que eu embrulhe alguma coisa de comer para você levar?

— Não — respondi. — Lá tem um restaurante ótimo. Quando meu cavalo vence a corrida, o almoço é por minha conta.

— Você tem assistido a muitas corridas, então? — perguntou Will.

E assim, antes que ele pudesse dizer qualquer outra coisa, nós havíamos enfiado o casaco nele e eu corri lá para fora a fim de tirar o carro da garagem.

* * *

Eu tinha tudo planejado. Chegaríamos ao hipódromo num lindo dia de sol. Haveria puros-sangue lustrosos e de longas pernas, seus jóqueis em brilhantes selas ondulantes, desfilando devagar. Talvez uma ou duas bandas de música tocando. As arquibancadas estariam cheias de gente animada e encontraríamos um lugar de onde pudéssemos torcer e agitar os papeizinhos com nossas apostas vencedoras. O espírito competitivo de Will viria à tona, ele não resistiria a calcular as chances e a garantir que ganhasse mais do que Nathan e eu nas apostas. Eu tinha preparado tudo. Depois, quando cansássemos de ver cavalos, iríamos ao elogiado restaurante do hipódromo e teríamos um almoço de lamber os beiços.

Eu deveria ter dado ouvidos a meu pai.

— Quer saber quando a realidade vence a esperança? — ele perguntava. — Programe um divertido dia ao ar livre com a família.

Começou no estacionamento. Chegamos lá sem qualquer incidente, eu agora estava um pouco mais confiante de que Will não cairia para a frente se eu dirigisse a mais de trinta por hora. Tinha visto o itinerário na biblioteca e fui brincando animadamente durante quase todo o trajeto, comentando o lindo céu azul, os campos, a estrada vazia. Não havia filas para entrar no hipódromo, que era, confesso, um pouco menos grandioso do que eu esperava, e o estacionamento era bem sinalizado.

Mas ninguém me avisou que era gramado e que foi muito usado durante todo o inverno chuvoso. Conseguimos uma vaga (sem dificuldades, já que estava apenas parcialmente cheio) e quase no mesmo momento em que a rampa de Will abaixou, Nathan pareceu preocupado.

— O terreno é muito macio — disse ele. — Ele vai afundar.

Olhei em direção às tribunas.

— Mas se conseguirmos colocá-lo naquela trilha ele ficará bem, certo?

— Essa cadeira pesa uma tonelada — disse ele. — E a trilha está a dez metros de distância.

— Ah, qual é. Essas cadeiras devem ser projetadas para enfrentar um pouco de terra macia.

Tirei a cadeira de Will com cuidado e então vi as rodas afundarem vários centímetros na lama.

Will não disse nada. Ele parecia desconfortável e havia se mantido em silêncio na maior parte do trajeto de meia hora. Ficamos ao lado dele, brincando com seus controles. Tinha surgido uma brisa e as bochechas de Will ficaram rosadas.

— Vamos lá — disse eu. — Vamos fazer isso manualmente. Tenho certeza de que conseguimos carregar a cadeira até lá.

Inclinamos Will para trás. Segurei-a de um lado, Nathan do outro e arrastamos a cadeira para a trilha. Progredíamos devagar, sobretudo porque eu parava a toda hora, já que meus braços doíam e minhas botas novinhas ficaram imundas com a sujeira. Quando, finalmente, chegamos à trilha, a manta de Will tinha escorregado parcialmente e, de algum modo, se prendido nas rodas, ficando com um dos lados torcido e sujo de lama.

— Não se preocupe— disse Will, seco —, é só cashmere.

Eu o ignorei.

— *Certo*. Conseguimos. Agora, vamos à parte divertida.

Ah, sim. A parte divertida. Quem achou que seria uma boa ideia colocar catracas em hipódromos? Não era como se eles precisassem controlar uma multidão, certo? Como se houvesse uma horda de fãs de corridas gritando, ameaçando se amotinar se o cavalo Charlie's Darling não chegasse em terceiro, além de garotas irritadas porque tinham de ficar em cercados longe da pista. Nathan e eu olhamos para a catraca, depois para a cadeira de Will e então nos entreolhamos.

Nathan foi até a bilheteria e explicou nossa situação para a moça lá dentro. Ela inclinou a cabeça para ver Will e indicou o final da tribuna.

— A entrada para deficientes é lá — disse.

Ela pronunciou *deficientes* como se estivesse num concurso de dicção. A entrada ficava a quase duzentos metros dali. Quando finalmente conseguimos chegar, o céu azul havia desaparecido de repente, sendo substituído por uma tempestade súbita. Claro que eu não tinha levado guarda-chuva. Fui falando sem parar e animadamente sobre como a situação era engraçada e ridícula e mesmo para mim aquilo soava irritante.

— Clark — disse Will, por fim. — Fique calma, sim? Você está cansativa.

Compramos entradas para as tribunas e então, com imenso alívio por finalmente entrarmos, empurrei a cadeira de Will para um lugar coberto, bem ao lado da tribuna principal. Enquanto Nathan resolvia a questão da bebida de Will, pude olhar nossos colegas turfistas.

Era realmente agradável na base da tribuna, apesar dos eventuais salpicos de chuva. Acima de nós, numa sacada envidraçada, homens de terno ofereciam taças de champanhe a mulheres com roupas de casamento. Eles pareciam estar quentes e confortáveis, e desconfiei de que aquela era a Tribuna Especial, listada no quiosque de vendas com preços estratosféricos. As pessoas lá usavam uma tarja, como um pequeno distintivo, sobre uma fita vermelha, para mostrar que eram especiais. Pensei por um momento se seria possível pintar as nossas fitas azuis de outra cor, mas concluí que sermos os únicos com uma cadeira de rodas provavelmente já nos fazia um pouco mais destacados.

Ao nosso lado, salpicados pelas tribunas e segurando copos de café de isopor e garrafinhas de bolso com uísque, havia homens de paletó de tweed e mulheres com casacos acolchoados. Pareciam um pouco mais comuns e suas pequenas tarjas também eram azuis. Desconfiei de que muitos deveriam ser treinadores, cavalariços ou ter alguma ligação com o turfe. Abaixo, um pouco mais à frente, ao lado de pequenas lousas brancas, ficavam os apontadores, seus braços balançando em algum tipo de código de sinais que não conseguia entender. Rabiscavam novas combinações de figuras e as apagavam de novo usando o punho da camisa.

E então, como se fosse uma paródia da sociedade de classes, na parte ao redor da pista de corrida se concentrava um grupo de homens de camisas polo listradas, com latas de cerveja na mão e parecendo estar em algum tipo de reunião. Suas cabeças raspadas davam a entender que prestavam algum serviço militar. De vez em quando, paravam para cantar ou faziam uma barulhenta luta corporal, dando cabeçadas ou gravatas uns nos outros. Quando passei por eles para ir ao banheiro, miaram por causa da minha saia curta (parecia que eu era a única pessoa de saia em toda aquela tribuna) e, sem me virar, levantei para eles meu dedo do meio. E eles perderam o interesse por mim quando sete ou oito cavalos começaram a contornar uns aos outros, diminuindo o ritmo em frente às tribunas numa demonstração primorosa de habilidade, todos se preparando para a próxima corrida.

E então pulei de susto quando a pequena multidão à nossa volta ganhou vida com um urro e os cavalos dispararam das baias de largada. Levantei-me e fiquei olhando, subitamente pasma, sem conseguir conter uma onda de animação ao ver os rabos dos cavalos ondulando ao sabor do vento atrás de seus corpos, os esforços furiosos dos homens com roupas de cores berrantes em cima deles, todos se acotovelando para garantir suas posições. Quando o vencedor cruzou a linha de chegada foi quase impossível não gritar.

Assistimos à Copa Sisterwood, e a seguir à Maiden Stakes, e Nathan ganhou seis libras numa pequena aposta. Will recusou-se a apostar. Assistiu a todas as corridas, mas manteve-se em silêncio, a cabeça enfiada no colarinho alto da jaqueta. Achei que ele tinha ficado dentro de casa tanto tempo que éramos obrigados a nos sentir mal por ele, e decidi que simplesmente não confirmaria isso.

— Acho que agora é o seu páreo, a Copa Hempworth — disse Nathan, olhando para o placar. — Em qual deles você disse que apostou? Man Oh Man? — Ele sorriu. — Eu não sabia que assistir a corrida é muito mais divertido quando se aposta.

— Sabe, eu não lhe disse isso, mas eu nunca tinha vindo ao hipódromo. — comentei com Nathan.

— Você está brincando.

— Nunca nem montei. Minha mãe tem pavor de cavalos. Não me levava nem nas cocheiras.

— Minha irmã tem dois cavalos, perto de Christchurch. Trata-os como se fossem bebês. Gasta todo o dinheiro com eles. — Nathan deu de ombros. — E ela nem vai poder *comê-los* quando eles morrerem.

A voz de Will se infiltrou até nós.

— Quantas corridas teremos de assistir até garantirmos que você considere seu velho sonho realizado?

— Não seja mal-humorado. Dizem que deve-se experimentar de tudo pelo menos uma vez na vida — falei.

— Acho que corrida de cavalos é a terceira coisa que não se deve fazer na vida, depois de incesto e dança folclórica inglesa.

— Você sempre diz para eu ampliar meus horizontes. Você está adorando isso — provoquei-o. — E não finja que não está.

Então, eles largaram. Man Oh Man usava sela roxa com um losango amarelo. Eu vi o animal se alinhar à pista branca, a cabeça estendida, as pernas do jóquei subindo e descendo, os braços agitando-se para a frente e para trás acima do pescoço do cavalo.

— Vamos lá, camarada!

Nathan estava envolvido, mesmo sem querer. Seus punhos estavam cerrados, seus olhos, fixos no borrão indistinto de animais correndo pelo lado da pista que estava mais distante de nós.

— Vamos, Man Oh Man! — gritei. — Nosso bife do jantar está cavalgando com você! — Vi o cavalo tentar em vão ganhar terreno, as narinas dilatadas, as orelhas grudadas na cabeça. Meu coração subiu para a boca. E então, quando alcançaram a reta final, meu grito começou a morrer: — Tudo bem, pode ser um café — eu me esforcei. — Fechamos com um café?

As tribunas ao meu redor explodiam em gritos e berros. A duas cadeiras de nós, uma garota pulava, rouca de tanto gritar. Notei que eu também pulava. Foi então que olhei para baixo e vi que Will estava de olhos fechados, uma ligeira ruga no meio de suas sobrancelhas. Afastei minha atenção da pista e me ajoelhei.

— Você está bem, Will? — perguntei, chegando para perto dele. — Precisa de alguma coisa? — Tinha de gritar para ser ouvida naquela confusão.

— Uísque — respondeu ele. — Duplo.

Encarei-o e seu olhar se ergueu até encontrar o meu. Ele parecia completamente farto.

— Vamos comer alguma coisa — sugeri a Nathan.

O cavalo Man Oh Man, aquele impostor de quatro patas, passou pela linha de chegada em um mísero sexto lugar. Houve nova gritaria e a voz do locutor veio pelos alto-falantes: *Senhoras e senhores, uma incrível vitória de Love Be A Lady, seguido de Winter Sun e, logo depois, Barney Rubble, duas cabeças atrás, na terceira posição.*

Empurrei a cadeira de Will pelo meio dos absortos grupos, batendo deliberadamente nas pessoas quando não atendiam ao meu segundo pedido de licença para passar.

Nós já estávamos no elevador quando ouvi a voz de Will:

— Então, Clark, isso quer dizer que você me deve quarenta libras?

O restaurante tinha sido reformado e a cozinha estava sob o comando de um chef com programa na TV cujo rosto estava em cartazes por todo o hipódromo. Eu tinha olhado o cardápio antecipadamente.

— A especialidade da casa é pato com molho de laranja — disse eu aos dois. — Pelo jeito, é gastronomia retrô, anos setenta.

— Como a sua roupa — disse Will.

Fora do frio e longe da multidão, ele parecia um pouco mais animado. Começara a olhar ao redor, em vez de retirar-se novamente para seu mundo solitário. Meu estômago começou a roncar, já antevendo um bom almoço com pratos quentes. A mãe de Will tinha nos dado oitenta libras de "ajudinha". Decidi pagar por minha refeição e mostrar o recibo, por isso pediria o que me apetecesse no menu, fosse pato assado retrô ou outra coisa.

— Gosta de sair para comer, Nathan? — perguntei.

— Sou mais de comida para viagem com cerveja — respondeu ele. — Mas estou gostando de estar aqui hoje.

— Qual foi a última vez que você foi a um restaurante, Will? — perguntei.

Ele e Nathan se entreolharam.

— Desde que estou lá, ele não foi a nenhum — disse Nathan.

— Por estranho que pareça, não sou muito chegado a receber comida na boca na frente de desconhecidos.

— Então vamos pedir uma mesa em que possamos colocar você longe do salão — eu disse. Tinha previsto isso. — Se alguma celebridade estiver aí dentro, você vai perder.

— Porque as celebridades pululam num hipodromozinho lamacento em março.

— Você não vai estragar isso, Will Traynor — falei, quando a porta do elevador se abriu. — A última vez que comi fora foi num aniversário de quatro anos no único boliche indoor de Hailsbury, e não havia uma única coisa que não estivesse coberta de bolo. Inclusive as crianças.

Percorremos o corredor acarpetado com nossa cadeira de rodas. O restaurante ficava de um lado, atrás de uma vidraça, e eu pude ver que muitas mesas estavam vazias. Meu estômago roncou de expectativa.

— Olá — cumprimentei, entrando na recepção. — Uma mesa para três, por favor. — *Por favor, não olhe para Will,* disse em silêncio para a mulher. *Não o faça se sentir esquisito. É importante que ele goste daqui.*

— Sua tarja, por favor — pediu ela.

— Desculpe?

— Pode mostrar sua tarja de Área Especial?

Olhei para ela inexpressivamente.

— Este restaurante é exclusivo para os que têm a tarja da Área Especial.

Olhei para trás, na direção de Will e Nathan. Eles não podiam me ouvir, mas ficaram esperando, cheios de expectativa. Nathan estava ajudando Will a tirar o casaco.

— Hum... pensei que poderíamos almoçar onde quiséssemos. Temos as tarjas azuis.

Ela sorriu.

— Desculpe. Aqui é só para quem tem a tarja Especial. Está escrito em todo o nosso material promocional.

Respirei fundo.

— Certo. Tem algum outro restaurante aqui?

— Creio que a nossa área informal, o Bufê à Quilo, está em reformas, mas as tribunas têm barracas de comida. — Ela viu minha cara desmoronar e acrescentou: — O Porco no Espeto é muito bom. Tem porco assado no pão de passas. E eles também têm molho de maçã.

— Uma barraca.

— É.

Inclinei-me para ela.

— Por favor, viemos de longe e meu amigo ali não está se sentindo muito bem com esse frio. Tem algum jeito de conseguirmos uma mesa aqui? Precisamos realmente que ele fique num lugar quente. É muito importante que ele tenha um bom dia.

Ela franziu o nariz.

— Lamento muito — disse ela. — Quebrar essa regra vai além daquilo que minha função permite. Tem uma área para deficientes no andar de baixo, você pode fechar as portas. Não dá para ver a pista de corrida, mas é bem aconchegante. Tem aquecedores e tudo. Vocês podem comer lá dentro.

Olhei bem para ela. Eu podia sentir a tensão subindo pelas minhas canelas. Pensei que eu poderia ficar completamente rígida.

Li o nome dela no crachá.

— Sharon — disse eu —, o restaurante está longe de estar lotado. Certamente seria melhor ter mais gente comendo do que deixar metade dessas mesas vazia, não acha? Só por causa de um antiquado código de classes num livro de regulamentos?

O sorriso dela lampejou sob a iluminação embutida.

— Senhora, já expliquei a situação. Se abrirmos exceção para a senhora, teremos de fazer o mesmo para todos.

— Mas não faz sentido — argumentei. — Hoje é uma segunda-feira chuvosa, estamos na hora do almoço. Você está com mesas vazias. Nós queremos almoçar. Um almoço realmente caro, com guardanapos e tudo. Não queremos comer espetinho de porco dentro de um armário sem vista, por mais confortável que seja.

Algumas pessoas que estavam comendo no restaurante começaram a se virar em nossa direção, curiosas com a discussão na entrada. Pude ver que Will estava constrangido. Ele e Nathan concluíram que alguma coisa estava errada.

— Então, a senhora devia ter comprado a tarja da Área Especial.

— Certo. — Alcancei minha bolsa e comecei a vasculhá-la em busca da minha carteira. — Quanto é a tarja da Área Especial? — Lenços de papel, velhos tickets de ônibus e um dos carrinhos Hot Wheels de Thomas voaram. Não me incomodava mais com nada. Eu daria a Will seu almoço bacana num restaurante chique. — Aqui. Quanto é? Mais dez? Vinte? — Empurrei um punhado de notas para ela.

Ela olhou para a minha mão.

— Desculpe, senhora, não vendemos tarjas aqui. Isto é um restaurante. A senhora terá que voltar à bilheteria.

— Aquela que fica lá trás, do outro lado das pistas.

— É.

Nós nos encaramos.

A voz de Will surgiu:

— Louisa, vamos embora.

De repente, senti meus olhos se encherem de lágrimas.

— Não — disse eu. — É ridículo. Viemos até aqui. Aguardem aqui enquanto compro tarjas da Área Especial para todos nós. E então, almoçaremos.

— Louisa, estou sem fome.

— Vamos ficar ótimos depois de almoçar. Podemos ver os cavalos e tudo. Vai ser ótimo.

Nathan se adiantou e colocou a mão no meu braço.

— Louisa, acho que Will quer apenas ir para casa.

Nós éramos, naquele momento, o foco de atenção de todo o restaurante. O olhar dos clientes passou por nós e viajou por cima de mim até chegar a Will, onde pairou com um leve toque de nojo ou pena. Senti por ele. Senti como se aquilo fosse um fracasso total. Olhei para a mulher, que pelo menos fez o favor de parecer meio constrangida depois que Will de fato falou.

— Bom, obrigada — disse eu a ela. — Obrigada por ser amável para cacete.

— Clark... — a voz de Will era carregada de advertência.

— Fico feliz por você ser tão flexível. Certamente eu a recomendarei a todos os meus amigos.

— Louisa!

Agarrei minha bolsa e a enfiei embaixo do braço.

— Você esqueceu o seu carrinho de brinquedo — disse ela, quando deslizei para fora pela porta que Nathan segurou para mim.

— O carrinho também precisa de uma maldita tarja? — perguntei, e os segui para dentro do elevador.

Descemos em silêncio. Passei quase todo o pequeno percurso tentando impedir que as mãos tremessem de raiva.

Quando chegamos ao pátio térreo, Nathan murmurou:

— Acho que podíamos comprar alguma coisa nas barracas, sabe. Estamos sem comer há horas. — Deu uma olhadela para Will, para que eu soubesse a quem ele realmente se referia.

— Ótimo — disse eu, animada. Dei um pequeno suspiro. — Eu adoro um pouco de torresmo. Vamos ao velho porco assado.

Pedimos três espetos de porco, torresmo e molho de maçã e ficamos abrigados debaixo do toldo listrado enquanto comíamos. Sentei-me num pequeno caixote para ficar na mesma altura de Will e ajudei-o a comer, partindo pedaços pequenos, usando meus dedos quando necessário. As duas mulheres que serviam atrás do balcão fingiam não olhar para nós. Pude vê-las observando Will com o canto dos olhos, cochichando uma com a outra, quando achavam que não ouvíamos. *Coitado* — eu praticamente podia escutá-las dizer. — *que maneira horrível de se viver.* Fiz cara séria para elas, desafiando-as a olhá-lo daquele jeito. Tentei não pensar muito no que Will deveria estar sentindo.

A chuva tinha parado, mas a pista de corrida varrida pelo vento pareceu ser absolutamente desoladora, sua superfície verde e marrom suja por papéis de apostas, o horizonte liso e vazio. O estacionamento tinha alagado com a chuva e, de longe, ouvíamos apenas o som distorcido do alto-falante enquanto outra corrida trovejava ao passar.

— Acho melhor irmos — disse Nathan, limpando a boca. — Quer dizer, foi ótimo e tal, mas é melhor não pegarmos trânsito, não?

— Tudo bem — respondi. Amassei meu guardanapo de papel e joguei-o na lixeira. Will recusou o terceiro e último pedaço do espeto.

— Ele não gostou? — perguntou a mulher, quando Nathan começou a empurrar a cadeira pelo gramado.

— Não sei. Talvez ele tivesse gostado mais se a comida não viesse acompanhada de pessoas enxeridas — respondi, jogando os restos na lixeira.

No entanto, voltar para o carro e acionar a rampa era mais fácil na teoria que na prática. Nas poucas horas que ficamos no hipódromo, os carros que chegaram e saíram transformaram o estacionamento num mar de lama. Mesmo com a força impressionante de Nathan e meu melhor esforço, não conseguimos empurrar a cadeira nem até a metade do caminho gramado até o carro. As rodas atolavam e rangiam sem conseguir vencer os últimos centímetros. Meus pés e os de Nathan escorregavam na lama, que subia pelo lado dos sapatos.

— Não vai dar — constatou Will.

Eu me recusei a ouvi-lo. Não podia aceitar a ideia de que nosso dia terminaria daquele jeito.

— Acho que vamos precisar de ajuda — concluiu Nathan. — Não consigo nem colocar a cadeira de volta na trilha. Atolou.

Will deu um sonoro suspiro. Parecia estar mais irritado do que eu jamais o vira.

— Will, posso carregá-lo até o banco da frente, se eu inclinar um pouco o encosto. E então, Louisa e eu podemos ver se conseguimos levar a cadeira depois.

A voz de Will surgiu por entre os dentes trincados:

— Não quero que o dia de hoje termine comigo sendo içado pelos bombeiros.

— Desculpe, companheiro — disse Nathan. — Mas Lou e eu não vamos conseguir fazer isso sozinhos. Escute, Lou, você é mais bonita que eu. Vá e arranje mais alguns braços lá onde estávamos, sim?

Will fechou os olhos, endureceu o maxilar e eu corri em direção às tribunas.

É inacreditável que tantas pessoas possam recusar um pedido de ajuda que envolva uma cadeira de rodas atolada na lama, principalmente quando o pedido vem de uma garota usando uma minissaia e lançando seu sorriso mais amável. Não costumo lidar bem com estranhos, mas o desespero me fez destemida. Passei de um grupo a outro de turfistas que estavam na tribuna principal, perguntando se podiam ajudar um minuto. Olharam para mim e para minhas roupas como se eu estivesse tramando alguma cilada.

— Trata-se de um cadeirante — eu insistia. — Está um pouco preso.

— Estamos só esperando pelo próximo páreo — diziam. Ou: — Desculpe-me. — Ou: — Só depois do páreo das duas e meia. Temos um cavalo correndo nesse.

Cheguei até mesmo a pensar em arranjar um jóquei ou dois. Mas, quando cheguei perto da área destinada a eles, reparei que eram menores que eu.

No momento em que cheguei ao local de aquecimento, eu estava incandescente de raiva contida. Desconfio que rosnava para as pessoas, e não sorria. E ali estavam, finalmente, alegria suprema, os rapazes de camisas polo listradas. Nas costas das camisas lia-se "Última Batalha do Marky" e eles seguravam latas de Pilsner e Tennent's Extra. O sotaque dava a entender que eram de algum lugar do nordeste e eu tinha certeza que não tinham parado de beber nem por um instante nas últimas vinte e quatro horas. Eles vibraram quando me aproximei, e precisei lutar contra a vontade de lhes mostrar o dedo outra vez.

— Sorria, belezinha. É o último fim de semana de solteiro de Marky — disse um, com voz pastosa e colocando no meu ombro a mão do tamanho de um pernil.

— Hoje é segunda-feira. — Tentei não vacilar ao me desvencilhar dele.

— Você está brincando. Já é segunda? — Ele cambaleou. — Bom, acho que você deveria dar um beijo nele.

— Na verdade — disse eu —, vim aqui pedir ajuda a vocês.

— Ajudo no que quiser, gata. — A frase foi acompanhada de uma piscadela lasciva.

Os colegas ficaram balançando ao redor dele como plantas aquáticas.

— Não, sério. Preciso que vocês ajudem a um amigo. Lá no estacionamento.

— Desculpe, não sei se estou em condições de ajudar, gata.

— Preste atenção. Vai começar o próximo páreo, Marky. Você apostou nesse? Acho que eu apostei.

Eles se viraram para a pista, já perdendo o interesse em mim. Olhei por cima do meu ombro para o estacionamento, vendo a figura curvada de Will, com Nathan puxando inutilmente a cadeira. Imaginei-me voltando para casa e contando aos pais de Will que tínhamos largado a caríssima cadeira de rodas num estacionamento. Foi então que vi a tatuagem.

— Ele é soldado— falei, alto. — Ex-soldado.

Um por um, eles se viraram para mim.

— Foi ferido. No Iraque. Nós só queríamos que ele tivesse um bom dia ao ar livre. Mas ninguém nos ajuda. — Ao falar isso, senti lágrimas brotarem nos meus olhos.

— Veterano? Você está brincando. Onde ele está?

— No estacionamento. Pedi a várias pessoas, mas elas simplesmente não quiseram ajudar.

Tive a impressão de que eles levaram um ou dois minutos para processar o que eu dizia. Depois, se entreolharam, admirados.

— Vamos, rapazes. Não vamos assistir a esse páreo. — Passaram por mim em uma fila nada reta. Eu podia ouvi-los comentar entre eles, murmurando: — Malditos civis... não têm ideia de como é isso...

Quando alcançamos o estacionamento, vi Nathan ao lado de Will, cuja cabeça estava enfiada na gola do casaco por causa do frio, apesar de Nathan ter colocado mais uma manta no ombro dele.

— Esses simpáticos cavalheiros se ofereceram para nos ajudar — expliquei.

Nathan olhou as latas de cerveja. Preciso admitir que era preciso se esforçar para imaginar algum deles em uniforme militar.

— Querem levar ele para onde? — perguntou um.

Os outros rodearam Will, saudando-o com a cabeça. Um deles ofereceu a cerveja, provavelmente incapaz de notar que Will não podia segurá-la.

Nathan indicou o nosso carro.

— Queremos colocá-lo no carro. Mas, para fazermos isso, temos de levar a cadeira até o suporte e depois dar marcha a ré até ele.

— Não precisa fazer isso — disse um deles, dando um tapinha nas costas de Nathan. — Podemos carregá-lo até o carro, não é, rapazes?

Um coro de vozes concordou. Eles começaram a se posicionar ao redor da cadeira.

Troquei o pé de apoio, desconfortável.

— Não sei... é uma distância grande para vocês carregarem — avisei. — E a cadeira é muito pesada.

Eles estavam completamente bêbados. Alguns mal conseguiam segurar a lata de cerveja. Outro deixou a lata de Tennent's na minha mão.

— Não se preocupe, gata. Fazemos qualquer coisa por um colega de farda, não é, rapazes?

— Não vamos deixar você aqui, camarada. Jamais abandonamos um companheiro, não é?

Olhei para Nathan e, com a cabeça, neguei furiosamente diante de sua cara intrigada. Will parecia incapaz de se manifestar. Estava sério e, então, quando os homens se agruparam ao redor de sua cadeira e com um grito a içaram, ele ficou meio assustado.

— Qual era o regimento dele, querida?

Tentei sorrir, vasculhando minha memória em busca de nomes de regimentos.

— Décimo Primeiro... Décimo Primeiro Regimento de Rifles — respondi.

— Não conheço — comentou outro homem.

— É um regimento novo — gaguejei. — Supersecreto. Fica baseado no Iraque.

Os tênis deles escorregaram na lama e senti meu coração disparar. A cadeira de Will tinha sido levantada a vários centímetros do chão, como se fosse uma espécie de liteira. Nathan correu para pegar a bolsa de Will e abrir o carro antes que chegássemos até lá.

— Foram os garotos desse regimento que treinaram em Catterick?

— Eles mesmos — respondi, e então mudei de assunto. — E... qual de vocês vai se casar?

Tínhamos trocado números de telefone quando eu finalmente me livrei de Marky e seus companheiros. Eles fizeram uma vaquinha de quarenta libras para ser doada para o fundo de reabilitação de Will e só desistiram quando eu disse que ficaríamos mais contentes se fizessem um brinde a nós. Tive de dar um beijo em cada um. Eu estava quase tonta com o bafo de bebida deles quando terminei. Continuei acenando enquanto voltavam para a tribuna e Nathan buzinou, chamando para que eu entrasse no carro.

— Eles foram úteis, não? — perguntei, animada, ao ligar o carro.

— O mais alto derramou toda a cerveja na minha perna direita — disse Will. — Estou com cheiro de cervejaria.

— Não, não acredito no que estou vendo — exclamou Nathan, quando finalmente saí pela entrada principal. — Olhem. Ali tem um enorme estacionamento para deficientes, ao lado da tribuna. E todo asfaltado.

Will não disse mais nada até o fim do dia. Acenou para Nathan quando o deixamos em casa e então ficou em silêncio enquanto eu pesquisava sobre qual estrada tomar para o castelo, que parecia ir se estreitando a perder de vista agora que a temperatura voltara a baixar, e enfim parei o carro do lado de fora do anexo.

Desci a cadeira de Will, levei-o para dentro e preparei uma bebida quente para ele. Troquei seus sapatos e sua calça, colocando a manchada de cerveja na máquina de lavar, e acendi a lareira para que ele pudesse se aquecer. Liguei a TV e puxei as cortinas para deixar a sala aconchegante — talvez ainda mais aconchegante devido ao tempo que passamos no frio. Mas foi só quando me sentei com ele na sala, bebericando meu chá, que percebi que ele não estava falando — não por cansaço, ou por querer assistir TV. Ele apenas não estava falando comigo.

— Tem... alguma coisa errada? — perguntei, quando ele não disse nada após meu terceiro comentário sobre as notícias locais.

— Você sabe, Clark.

— Como assim?

— Bom, você sabe tudo que há para se saber a meu respeito. Então, diga qual é o problema.

Olhei bem para ele.

— Desculpe — disse eu, afinal. — Sei que hoje as coisas não saíram exatamente como planejei. Era para ser um ótimo passeio. Eu realmente pensei que você fosse gostar.

Eu não disse que ele estava sendo rude, que ignorava o que eu passei só para distraí-lo, que nem tentou aproveitar. Também não falei que, se tivesse me deixado ir comprar as malditas tarjas, teríamos tido um ótimo almoço e as outras coisas teriam sido esquecidas.

— É isso que quero dizer.

— O quê?

— Ah, você é igual a todos eles.

— Como assim?

— Se você tivesse se preocupado em me perguntar, Clark. Se, por uma vez, tivesse me consultado sobre esse tal passeio ao ar livre, eu teria dito a você. Detesto cavalos e corridas de cavalo. Sempre detestei. Mas você não se preocupou em perguntar. Decidiu o que gostaria que eu fizesse e foi em frente. Fez o que todo mundo faz. Decidiu por mim.

Engoli em seco.

— Eu não tive a intenção de...

— Mas você fez.

Ele virou a cadeira de costas para mim e, após alguns minutos de silêncio, concluí que eu estava dispensada.

12

Lembro exatamente do dia em que perdi o medo.

Foi há quase sete anos, nos últimos dias quentes e preguiçosos de julho, quando as ruas estreitas ao redor do castelo estavam apinhadas de turistas e eram preenchidas pelo barulho dos passos ociosos e dos sinos das onipresentes vans de sorvete que se enfileiravam no alto da colina.

Minha avó tinha morrido um mês antes, após uma longa doença, e o verão acabou revestido por uma fina camada de tristeza que tirava a graça de tudo o que fazíamos, levando Treena e eu a perdermos nossa tendência para o drama e a cancelar nossa rotina de verão com pequenas folgas e dias ao ar livre. Minha mãe passava quase todos os dias lavando louça, as costas tensas devido ao esforço de tentar conter as lágrimas; já papai, saía toda manhã para o trabalho com uma cara decidida e séria e voltava horas depois com o rosto brilhando de suor e parecia incapaz de falar uma palavra antes de abrir uma cerveja com um estalido. Minha irmã havia chegado em casa após seu primeiro ano na universidade, mas seus pensamentos estavam bem longe da nossa cidadezinha. Eu tinha vinte anos e iria conhecer Patrick em menos de três meses. Era um daqueles raros verões de total liberdade, sem responsabilidades financeiras, sem dívidas, sem hora marcada com ninguém. Eu tinha um emprego temporário e todo o tempo do mundo para aprimorar minhas técnicas de passar maquiagem, de usar salto alto, o que causava estranhamento ao meu pai e, geralmente, o fazia questionar quem eu era.

Na época, eu me vestia normalmente. Ou, melhor dizendo, eu me vestia como as outras garotas da cidade: cabelo comprido na altura dos ombros, jeans, camisetas bem justas para mostrar a cintura fina e os seios fartos. Ficávamos horas retocando o brilho nos lábios e esfumaçando a sombra nos olhos até ficar perfeita. Qualquer roupa caía bem em nós, mas passávamos horas reclamando de celulites e rugas inexistentes.

E eu tinha planos. Coisas que queria fazer. Um dos rapazes que conheci no colégio fez uma viagem ao redor do mundo e retornou, de alguma forma, mudado e irreconhecível, deixando de ser o garoto de onze anos que fazia bolhas de cuspe durante as duas aulas seguidas de francês. Num rompante, reservei passagens baratas para a Austrália e estava à procura de alguém que quisesse ir comigo. Gostei do jeito exótico e diferente que meu colega ganhou com a viagem. Ele trouxe a brisa suave de um mundo vasto e estranhamente atraente. Afinal, todos ali naquela cidadezinha sabiam tudo a meu respeito. E com uma irmã como a minha, era impossível esquecer alguma dessas coisas.

Era uma sexta-feira e eu tinha passado o dia todo trabalhando em um estacionamento com colegas do colégio, acompanhando visitantes na feira de artesanato dos jardins do castelo. Passamos o dia rindo e bebendo espumante debaixo do sol quente, e os raios solares no céu azul batiam nas ameias do castelo. Acho que não houve um só turista que não sorrisse para mim naquele dia. É difícil alguém ficar sério com um grupo de garotas alegres e animadas. Recebemos trinta libras de pagamento e os organizadores ficaram tão satisfeitos com nosso serviço que deram mais cinco libras a cada uma de nós. Comemoramos nos embebedando com alguns rapazes que trabalhavam no distante estacionamento do centro de visitantes. Eles falavam muito, usavam camisetas de rugby e cabelos despenteados. Um deles se chamava Ed, dois estavam na faculdade (não consigo me lembrar em qual) e também trabalhavam nas férias para ganhar um extra. Estavam cheios de dinheiro depois de uma semana de trabalho e, quando o nosso acabou, eles ficaram contentes de pagar bebidas para garotas locais já alegrinhas com o álcool que agitavam os cabelos, sentavam no colo umas das outras, davam gritinhos, brincavam e os elogiavam. Os rapazes pareciam falar uma outra língua, comentavam de anos sabáticos e viagens pela América do Sul no verão, de uma trilha de mochileiros na Tailândia e de quem iria tentar um intercâmbio no exterior. Enquanto ouvíamos e bebíamos, lembrei-me de minha irmã parada ao lado do quiosque de cerveja onde estávamos deitados na grama. Treena usava o casaco com capuz mais velho do mundo e estava sem maquiagem, e eu havia esquecido que ia encontrá-la. Pedi para ela avisar aos nossos pais que eu voltaria depois que fizesse trinta anos. Por alguma razão achei isso histericamente engraçado. Ela levantou as sobrancelhas e saiu pisando firme como se eu fosse a pessoa mais irritante de todas.

Quando o bar Red Lion fechou, nós saímos e nos sentamos no jardim em forma de labirinto do castelo. Alguém tinha conseguido passar pelos portões e, depois de muitos tropeços e risadas, encontramos o caminho até o centro do labirinto e bebemos uma sidra forte enquanto alguém passava um baseado pela roda. Lembro de ficar olhando as estrelas, de me sentir sumindo nas profundezas do infinito, à medida que o chão balançava e oscilava suavemente, como se fosse o convés de um imenso navio. Alguém estava tocando violão, chutei para longe na grama meus sapatos de salto alto de cetim rosa e nunca mais voltei para buscá-los. Sentia que podia dominar o universo.

Só meia hora depois percebi que as outras garotas tinham ido embora.

Mais tarde, minha irmã me encontrou no meio do labirinto, bem depois de as estrelas sumirem nas nuvens da noite. Como eu disse, ela é muito inteligente. Pelo menos, mais que eu.

É a única pessoa que conheço que conseguia encontrar a saída do labirinto.

— Você vai achar graça. Fiz um cadastro na biblioteca.

Will estava apoiado sobre sua coleção de CDs. Virou a cadeira e esperou eu servir suco no seu copo.

— É mesmo? O que está lendo?

— Ah, nada especial. Você não ia gostar. É só uma historinha de amor, mas estou gostando.

— Outro dia mesmo você estava lendo o meu Flannery O'Connor. — Ele deu um gole no suco. — Quando eu estava doente.

— O livro de contos? Não sabia que você tinha percebido.

— Não tinha como não perceber. Você deixou o livro na mesa de cabeceira. Um lugar onde não consigo pegá-lo.

— Ah.

— Então não leia porcaria. Leve os contos de O'Connor para casa e os leia no lugar.

Eu ia recusar, mas não tinha por quê.

— Certo, devolvo assim que terminar.

— Clark, ponha uma música para mim?

— O que você quer?

Ele indicou com a cabeça e procurei nos CDs até achar.

— Tenho um amigo que é *spalla* na Sinfônica Albert. Ele ligou para dizer que vai tocar aqui perto, na próxima semana. Esse tipo de música. Você conhece?

— Não conheço nada de música clássica. Quer dizer, às vezes meu pai sintoniza nos Clássicos FM sem querer, mas...

— Você nunca foi a um concerto?

— Não.

Ele pareceu realmente chocado.

— Bom, uma vez fui ver *Westlife*, mas não sei se isso conta. Foi minha irmã que escolheu. Ah, no meu aniversário de vinte e dois anos ia assistir ao Robbie Williams, mas tive uma intoxicação alimentar.

Will me olhou daquele jeito dele, o tipo de olhar que dava a entender que passei anos trancada num porão.

— Você devia ir a esse concerto. Ele me deu convites. Vai ser muito bom, leve sua mãe.

Eu ri e balancei a cabeça.

— Acho que não. Minha mãe nunca sai. E não é meu tipo preferido de programa.

— Da mesma forma que filmes com legendas não são seu tipo?

Franzi o cenho.

— Você não vai conseguir me mudar, Will. Isso não é *My Fair Lady*.

— *Pigmalião*.

— O que disse?

— A peça a que você se refere é *Pigmalião*. *My Fair Lady* é apenas um derivado adulterado.

Olhei bem para ele. Não adiantou. Coloquei o CD para tocar. Quando me virei, ele ainda balançava a cabeça.

— Você é uma grande esnobe, Clark.

— *Eeeeu*?

— Você recusa várias coisas porque acha que "não é esse tipo de pessoa."

— Mas não sou mesmo.

— Como sabe? Você não fez nada, não foi a lugar algum. Como sabe que tipo de pessoa você é?

Como alguém como ele podia ter alguma ideia de quem eu era? Quase me irritei com ele por não entender de propósito.

— Vá ao concerto. Abra a sua cabeça.

— Não.

— Por quê?

— Porque não me sentiria à vontade. Eu sei que... que eles iam saber.

— Eles, quem? Saber o quê?

— Todo mundo saberia que eu sou diferente.

— Como acha que me sinto?

Nós nos entreolhamos.

— Clark, em todo lugar que vou, as pessoas ficam me olhando porque sou diferente.

Ficamos ali sentados em silêncio e a música começou a tocar. O pai de Will falava ao telefone no corredor da casa e o som de riso abafado chegou ao anexo como se viesse de longe. *A entrada para deficientes é lá*, disse a mulher no hipódromo. Como se ele pertencesse a outra espécie.

Olhei a capa do CD.

— Eu vou se você for comigo.

— Por que não vai sozinha?

— De jeito nenhum.

Continuamos ali, enquanto ele pensava no caso.

— Meu Deus, você é um saco.

— Você diz isso o tempo todo.

Dessa vez, não fiz planos. Não estava esperando nada. Só queria que, após o fracasso da corrida de cavalos, Will ainda tivesse disposição para sair do anexo. O amigo violinista mandou os tais convites, um folheto com informações e o endereço do evento. Ficava a quarenta minutos de carro. Cumpri com meu dever e liguei antes para saber onde ficava o estacionamento de deficientes físicos e a melhor maneira de conduzir Will até o local. Eles reservariam lugares na primeira fila para nós e me sentaria numa cadeira dobrável ao lado dele.

— Na verdade, esse é o melhor lugar que temos — disse a bilheteira, animada. — É mais impactante quando se fica bem próximo ao fosso da orquestra. É onde eu mesma gostaria de me sentar.

Ela perguntou até se queríamos que alguém nos encontrasse no estacionamento para ajudar a chegar aos nossos lugares. Com medo de Will achar que isso chamaria muito a atenção, agradeci e disse que não seria preciso.

À medida que a noite foi chegando, não sei quem ficava mais nervoso: Will ou eu. Eu lembrava do fracasso da última saída e a Sra. Traynor não ajudava entrando e saindo do anexo quatorze vezes para confirmar onde e quando era o evento e o que faríamos exatamente.

A rotina vespertina de Will exige certo tempo, ela disse. Ela precisava ter certeza que alguém estaria à disposição para ajudar. Mas Nathan tinha outros compromissos naquele dia e aparentemente o Sr. Traynor iria sair.

— Demora pelo menos uma hora e meia para prepará-lo — ela reforçou.

— E é incrivelmente entediante — acrescentou Will.

Percebi que ele estava procurando uma desculpa para não ir.

— Eu faço o que for preciso, basta Will me dizer como. Não me incomodo de ficar aqui para ajudar. — Só percebi o que estava aceitando depois que já tinha falado.

— Bom, nós dois estamos ansiosos para isso — disse Will, amuado, depois que a mãe saiu. — Você vai dar uma boa conferida no meu traseiro e então serei carregado por uma pessoa que desmaia ao ver alguém nu.

— Eu não desmaio ao ver alguém nu.

— Clark, você é a pessoa que fica mais desconfortável com o corpo humano que já vi. Parece até que acha que contém elementos radioativos.

— Vamos pedir para a sua mãe dar banho em você, então — retruquei, ríspida.

— É, assim fico com mais vontade ainda de sair.

E ainda havia o problema da roupa. Eu não sabia o que vestir.

Usei a roupa errada para ir ao hipódromo. Como ter certeza que não iria errar de novo? Perguntei a Will o que devia vestir e ele me olhou como se eu fosse louca.

— As luzes estarão apagadas — explicou. — Ninguém vai olhar para você. Todos estarão atentos à música.

— Você não entende *nada* de mulher — falei.

Acabei trazendo no ônibus quatro roupas diferentes, penduradas na velha capa para ternos de meu pai. Era a única maneira.

Nathan chegou às cinco e meia para o intervalo do chá e, enquanto ele cuidava de Will, fui para o banheiro me arrumar. Primeiro, experimentei a roupa mais "artística", um vestido verde larguinho com enormes contas de âmbar aplicadas. Eu achava que as pessoas que iam a concertos deviam ser bem artísticas e exibidas. Tanto Will quanto Nathan olharam para mim assim que entrei na sala.

— Essa roupa, não — disse Will, direto.

— Parece algo que a minha mãe usaria — acrescentou Nathan.

— Você não me contou que era filho de Nana Moskouri — disse Will.

Os dois riram enquanto eu voltava para o banheiro.

A segunda roupa era um vestido preto bem sério, de corte enviesado, gola e punhos brancos, que eu mesma tinha feito. Para mim, ele era ao mesmo tempo chique e parisiense.

— Parece que você vai servir os sorvetes — disse Will.

— Nossa, colega, você daria uma boa empregada doméstica — disse Nathan, elogiando. — Você devia usar essa roupa em um evento diurno. Devia mesmo.

— Daqui a pouco vai pedir para ela espanar o rodapé.

— Já que você comentou, essa roupa está *mesmo* um pouco empoeirada.

— Amanhã, vocês dois tomarão chá com detergente.

Descartei a terceira roupa — calça amarela de boca de sino —, já prevendo que Will ia lembrar do ursinho Rupert e sua calça amarela, então vesti a quarta opção, um antigo vestido de cetim vermelho-escuro. O modelo fazia parte de uma fase minha mais frugal e eu sempre rezava para o zíper passar pela minha cintura, mas dentro dele ficava com a silhueta de uma estrela de cinema dos anos 1950. Era um vestido "sensação", daqueles que fazem quem usa se sentir bem. Coloquei um bolero prata sobre os ombros, cobri o decote com uma echarpe de seda cinza, passei um batom combinando e entrei na sala.

— Ulalá — exclamou Nathan, admirado.

Will olhou o vestido de cima a baixo. Só então vi que ele estava de terno. Barba feita e cabelo penteado, o que o deixou muito bonito. Não consegui conter o sorriso ao vê-lo. Não tanto pela sua aparência, mas pelo esforço em se arrumar.

— É esse — disse ele. Sua voz estava inexpressiva e contida. E quando ajeitei a gola, ele completou: — Mas tire o bolero.

Tinha razão. Eu sabia que não estava muito bom. Tirei, dobrei com cuidado e o coloquei no encosto da cadeira.

— E a echarpe também.

Levei a mão ao pescoço.

— A echarpe? Por quê?

— Não combina. E parece que você está querendo esconder alguma coisa.

— Mas... assim todo o decote vai ficar aparecendo.

— E daí? — Ele deu de ombros. — Escute, Clark, se for usar um vestido assim, tem que se sentir segura. É preciso vesti-lo mental e fisicamente.

— Só você, Will Traynor, para dizer a uma mulher como ela deve usar um maldito vestido.

Acabei tirando a echarpe.

Nathan foi arrumar a bolsa de Will. Estava pensando em fazer um comentário sobre como Will era controlador, quando virei-me e vi que ele continuava me olhando.

— Você está ótima, Clark. De verdade — disse ele, baixinho.

Will causava quase sempre as mesmas reações nas pessoas comuns — aquelas que Camilla Traynor provavelmente chamaria de "classe operária". A maioria ficava olhando. Algumas sorriam solidárias, demonstravam apoio, ou me perguntavam, sussurrando, o que tinha acontecido com ele. Muitas vezes eu tinha vontade de responder: "Infelizmente foi atingido por um fuzil M16" só para ver qual seria a reação delas, mas nunca fiz isso.

O problema com as pessoas de classe média é que elas fingem que não estão olhando, mas estão. São muito educadas para olhar descaradamente. Tinham o estranho hábito de olhar na direção de Will determinadas a *não* enxergá-lo. Só depois que ele passava, elas olhavam fixo, enquanto continuavam conversando com outra pessoa qualquer. Mas não falavam sobre ele. Pois isso seria grosseiro.

Ao passarmos pelo saguão da Sala Sinfônica, vi que as pessoas seguravam a bolsa e a programação do evento em uma mão e um gim-tônica na outra. Elas reagiram com um suave murmúrio que nos seguiu até nossos lugares. Não sei se Will percebeu. Às vezes, eu achava que a única maneira de enfrentar isso era fazer de conta que não estava notando.

Sentamos, as duas únicas pessoas na primeira fila. À nossa direita havia outro cadeirante, conversando animadamente com duas mulheres que o ladeavam. Olhei-os, torcendo para que Will também os notasse. Mas ele olhava para a frente, a cabeça afundada nos ombros como se tentasse se tornar invisível.

Não vai dar certo, uma voz baixinha me disse.

— Quer alguma coisa? — sussurrei.

— Não. — Ele balançou a cabeça. Engoliu em seco. — Na verdade, quero sim. Tem uma coisa pinicando no meu colarinho.

Inclinei-me e apalpei a parte de dentro do colarinho. Encontrei uma etiqueta de náilon. Puxei para arrancá-la, mas não consegui.

— A camisa é nova. Está incomodando muito?

— Não, eu só comentei para fazer graça.

— Tem alguma tesoura na bolsa?

— Não sei, Clark. Acredite se quiser, mas eu nunca arrumo a bolsa.

Não tinha tesoura alguma. Olhei para trás, as pessoas ainda estavam chegando, conversando e consultando o programa. Se Will não conseguisse relaxar e se concentrar na música, nossa saída seria inútil. Não conseguiria suportar outro fracasso.

— Espere — pedi.

— Por que...

Antes que ele terminasse a frase, inclinei-me na direção dele, puxei delicadamente o colarinho do pescoço e mordi a etiqueta que estava incomodando. Fiquei alguns segundos mordendo a etiqueta e fechei os olhos, tentando não sentir o cheiro de homem limpo, o contato com a pele, a inconveniência do que estava fazendo. Finalmente, arranquei-a. Afastei a cabeça e abri os olhos, triunfante, com a etiqueta entre os dentes.

— Consegui! — exclamei, tirando a etiqueta dos dentes e jogando-a entre os assentos.

Will me fitou.

— O que foi?

Olhei para trás e vi todos da plateia subitamente muito interessados no folheto de programação. Depois, virei-me de volta para Will.

— Ah, não me diga que essas pessoas nunca viram uma garota dando umas mordidas no pescoço de um cara.

Tive a impressão de que meu comentário o silenciara. Will piscou duas vezes, fez menção de balançar a cabeça. Notei, achando graça, que o pescoço dele tinha ficado bem vermelho.

Ajeitei a saia.

— De qualquer jeito, acho que devíamos agradecer por não ser uma etiqueta na calça.

Então, antes que ele pudesse responder, a orquestra entrou no palco, os homens de smoking e as mulheres de vestidos chiques. A plateia ficou em silêncio e não pude conter uma onda de empolgação. Juntei as mãos no colo e empertiguei-me. Começaram a tocar e, de repente, o teatro foi invadido por um único som — o mais real e tridimensional que eu já tinha ouvido. Meus pelos se arrepiaram e prendi a respiração.

Will me olhou de rabo de olho, ainda contendo o sorriso como há pouco. Sua expressão dizia: *Combinado, vamos nos divertir.*

O maestro parou, deu dois toques na tribuna com a batuta e fez-se silêncio absoluto. Todos pararam e a plateia ficou atenta, à espera. Ele então baixou a batuta e de repente a sala foi tomada pelo som. Senti a música como se fosse algo físico que não entrava só pelos meus ouvidos, mas fluía dentro de mim, me cercava, fazia meus sentidos vibrarem. Estava toda arrepiada e minhas mãos ficaram úmidas. Will não tinha falado que era assim. Pensei que fosse ficar entediada. Mas aquela era a coisa mais linda que eu já tinha ouvido.

E ainda fazia a minha imaginação percorrer caminhos inesperados; sentada ali, pensei em coisas que não passavam mais pela minha cabeça havia anos, fui invadida por velhas emoções; novas ideias e pensamentos surgiam como se minha percepção se ampliasse. Era quase excessivo, mas eu não queria que parasse. Queria ficar sentada ali para sempre. Dei uma olhada em Will. Ele estava enlevado, distraído. Virei-me para a frente, com um medo inesperado de estar observando-o. Temia o que ele pudesse estar sentindo, o tamanho da entrega, a extensão dos seus medos. A vida de Will Traynor era tão diferente da minha. Quem era eu para dizer como ele deveria viver?

O amigo músico de Will mandou um bilhete nos convidando para irmos ao camarim depois da apresentação, mas Will não quis. Insisti, porém, pela tensão em suas mandíbulas, percebi que ele realmente não estava com vontade. Não podia culpá-lo. Lembrei como seus ex-colegas de trabalho o olharam naquele dia: com um misto de pena, repulsa e, de certa maneira, profundo alívio por terem sido poupados daquele golpe do destino. Desconfiei que ele não suportava muito esse tipo de visita.

Esperamos a plateia esvaziar e então empurrei sua cadeira até o elevador que dava para o estacionamento. Não tive problemas para colocar Will no carro. Falei pouco, pois a música ainda tocava na minha cabeça e eu não queria que parasse. Fiquei pensando nela e em como o amigo de Will estava tão absorto pelo que tocava. Eu não sabia que a música era capaz de fazer com que coisas novas surgissem dentro da gente e de nos levar a lugares que nem o compositor imaginou. Deixava uma marca no ar a nossa volta e era como se, ao sair do concerto, você carregasse os resquícios consigo. Sentada ali na plateia, por algum tempo, esqueci até que Will estava ao meu lado.

Chegamos ao anexo. Na nossa frente, por cima do muro, surgia o castelo iluminado pela lua cheia, observando-nos sereno do alto da colina.

— Quer dizer que você não gosta de música clássica?

Olhei pelo retrovisor. Will estava sorrindo.

— Não gostei nem um pouco.

— Eu vi.

— Não gostei especialmente daquele final, com o solo de violino.

— Percebi. Aliás, você detestou tanto que ficou com lágrimas nos olhos.

Sorri para ele.

— Adorei — disse. — Não sei se gosto de *todas* as músicas clássicas, mas achei o concerto maravilhoso. — Cocei o nariz. — Obrigada. Obrigada por me levar.

Ficamos em silêncio, olhando para o castelo. À noite, ele em geral ganhava uma espécie de brilho alaranjado dos holofotes dos muros da fortaleza. Mas nessa noite de lua cheia, parecia imerso num azul etéreo.

— Que tipo de música eles ouviam naquele tempo? — perguntei. — Deviam ouvir algum tipo de música específico.

— No castelo? Música medieval. Alaúdes, instrumentos de cordas. Não são os meus preferidos, mas posso lhe emprestar alguns CDs, se quiser. Você devia dar uma volta no castelo com fones de ouvido, se quiser viver a experiência completa.

— Não. Nunca vou ao castelo.

— É sempre assim, quando se mora perto de um ponto turístico.

Não cheguei a concordar. Continuamos ali mais um pouco, ouvindo o barulho do motor do carro cortar o silêncio.

— Muito bem — falei, soltando meu cinto de segurança. — Melhor entrarmos. A rotina da noite nos aguarda.

— Espere um instante, Clark.

Virei-me. O rosto de Will estava no escuro, não conseguia vê-lo direito.

— Espere um instante. Só um minuto.

— Está se sentindo bem? — Olhei para a cadeira dele, com medo de estar esmagado ou preso em alguma parte, ou de eu ter feito alguma coisa errada.

— Estou ótimo. É que...

Podia ver o colarinho claro da camisa em contraste com o terno escuro.

— Não quero entrar agora. Quero ficar sentado aqui e pensar que... — Engoliu em seco.

Mesmo no escuro, pareceu fazer esforço.

— Quero... ser apenas um homem que foi a um concerto com uma garota de vestido vermelho. Só por mais alguns minutos.

Larguei a maçaneta da porta.

— Claro.

Fechei os olhos, apoiei a cabeça no encosto da cadeira e ficamos ali mais um pouco, duas pessoas perdidas nas lembranças sonoras, meio ocultas à sombra de um castelo numa colina iluminada pela lua.

Minha irmã e eu nunca falamos sobre o que aconteceu naquela noite no labirinto. Acho que não teríamos palavras. Ela ficou um pouco comigo, depois me ajudou a encontrar minhas roupas e procurou em vão por meus sapatos na grama até eu dizer que não tinha importância. De qualquer jeito, eu não ia mais usá-los mesmo. Fomos andando para casa devagar: eu, descalça, as duas de braços dados, o que não fazíamos desde que ela estava no primeiro ano da escola e mamãe insistia para eu não largar dela.

Quando chegamos em casa, paramos no vestíbulo, ela passou um lenço úmido no meu cabelo e nos meus olhos, e só então abrimos a porta da frente e entramos como se nada tivesse acontecido.

Papai ainda estava acordado, assistindo a um jogo de futebol.

— Meninas, isso são horas? — perguntou. — Sei que é sexta-feira, mas, mesmo assim...

— Tem razão, papai — nós dissemos, em coro.

Na época, o meu quarto era o que hoje é do vovô. Subi rápido a escada e, antes que minha irmã pudesse dizer alguma coisa, tranquei a porta.

Na semana seguinte, cortei o cabelo. Cancelei a passagem aérea para a Austrália. Não saí mais com as garotas da minha antiga escola. Mamãe estava muito deprimida para perceber e papai nunca notava nada que acontecia em nossa casa, achava que a minha nova mania de me trancar no quarto era devido a "problemas femininos". Eu andei pensando sobre quem eu era e concluí que era uma pessoa bem diferente daquela garota risonha que se embebedava com estranhos. Era alguém que não usava roupas que pudessem ser consideradas provocantes. Ou de quem os frequentadores do Red Lion pudessem gostar.

A vida voltou ao normal. Comecei a trabalhar como cabeleireira, depois no The Buttered Bun e tudo aquilo ficou para trás.

Devo ter passado pelo castelo cinco mil vezes depois disso.

Mas nunca mais voltei ao labirinto nos jardins.

13

Patrick estava na beira da pista, correndo sem sair do lugar, com a nova camiseta Nike e o short grudando de leve em suas pernas suadas. Fui lá dar um alô e avisar que não ia à reunião dos Tratores do Triatlo naquela noite no pub. Nathan estava fora e eu ficaria no lugar dele para cuidar das tarefas da noite.

— É a terceira reunião do grupo a que você não vai.

— É mesmo? — Contei nos dedos. — Tem razão.

— Você precisa ir na próxima semana. São os planos de viagem para o Norseman Xtreme. E você não me disse o que quer fazer no seu aniversário. — Ele começou a fazer alongamentos, levantando a perna no alto e apertando o joelho no peito. — Pensei em irmos ao cinema, que tal? Não quero comer muito, não enquanto eu estiver treinando.

— Ah. Meus pais estão planejando um jantar especial.

Ele segurou o calcanhar e apontou o joelho para baixo. Não pude deixar de reparar que a perna dele estava ficando estranhamente forte.

— Isso não é exatamente uma saída, certo?

— Bom, ir ao cinema também não é. De qualquer jeito, acho que devo aceitar o jantar, Patrick. Mamãe anda meio triste.

Treena tinha saído de casa no fim de semana anterior (não levou a minha *nécessaire* com estampa de limões — eu a recuperei na noite anterior à sua partida). Mamãe estava arrasada; na verdade, estava sendo ainda pior do que quando Treena fora para a faculdade da primeira vez. Sentia falta de Thomas como sentiria de um braço ou de uma perna amputados. Os brinquedos que enchiam a sala desde que ele era bebê haviam sido colocados numa caixa e guardados. Não havia mais dedinhos de chocolate no sofá, nem caixinhas de bebida infantil no armário. Mamãe não tinha mais motivo para ir a pé até a escola às três e quinze da tarde, nem alguém com quem conversar no curto trajeto de volta. Era a única hora em que mamãe realmente saía de casa. Agora, não ia a lugar nenhum, só ao supermercado uma vez por semana com papai.

Mamãe passou três dias andando pela casa, parecendo meio perdida, depois começou a fazer faxina com um vigor que assustou até o vovô. Ele resmungou quando ela passou o aspirador embaixo da cadeira onde estava sentado, ou bateu com o espanador no ombro dele. Treena dissera que não viria em casa nas primeiras semanas da faculdade para que Thomas pudesse se adaptar. Todas as noites, quando ela telefonava, mamãe falava com os dois e depois chorava meia hora no quarto.

— Você tem trabalhado até tarde ultimamente. Quase não vejo você.

— Bom, você está sempre treinando. Mas é um bom dinheiro, Patrick. É pouco provável que eu me recuse a ir dormir lá.

Ele não podia discutir com isso.

Eu estava ganhando mais do que já ganhara em toda a minha vida. Dobrei a ajuda que dava aos meus pais; separei uma parte para depositar em uma poupança todo mês e ainda assim ganhava mais do que podia gastar. Em parte porque eu trabalhava tantas horas que nunca estava fora da Granta House quando as lojas ainda estavam abertas. O outro motivo era, simplesmente, o fato de eu não ser muito consumista. Comecei a passar as horas livres na biblioteca, pesquisando coisas na internet.

Havia todo um mundo à minha disposição naquele computador, página após página. Aquilo começou a exercer sobre mim um canto de sereia.

Começou com a carta de agradecimento. Alguns dias após o concerto, eu disse a Will que deveríamos escrever e agradecer ao amigo dele, o violinista.

— Comprei um lindo cartão no caminho para cá — expliquei. — Você me diz o que quer dizer e eu escrevo. Trouxe minha caneta boa.

— Acho melhor não — disse Will.

— Como assim?

— Você me escutou.

— Você *acha* melhor não? Esse homem nos deu lugares na primeira fila. Você mesmo disse que foi fantástico. O mínimo que pode fazer é agradecer a ele.

A mandíbula de Will estava dura, imóvel.

Larguei a caneta.

— Ou você está tão acostumado a ganhar coisas que acha desnecessário agradecer?

— Clark, você não tem ideia de como é frustrante depender de alguém para escrever. A frase "escrevo em nome de" é... humilhante.

— É? Bom, melhor do que um imenso nada — rosnei. — *Eu* vou agradecer. Não vou mencionar você, se insiste em ser um imbecil quanto a isso.

Escrevi o cartão e coloquei no correio. Não comentei mais nada. Porém, naquela tarde, as palavras de Will ainda ecoavam na minha cabeça quando eu me desviei rumo à biblioteca e, tendo visto um computador livre, acessei a internet. Pesquisei se havia algum acessório que Will pudesse usar para escrever sem ajuda. Em uma hora, havia achado três: uma espécie de software de identificação de voz; outro tipo de software, que funcionava com o piscar dos olhos e, como minha irmã tinha dito, um dispositivo que Will poderia usar na cabeça para teclar.

Ele previsivelmente desdenhou do dispositivo para ser usado na cabeça, mas concordou que o software de voz podia ser útil e, uma semana depois, com a ajuda de Nathan, instalamos o programa no computador dele e acomodamos Will de modo que, com o teclado do computador fixado em sua cadeira de rodas, ele não precisasse de mais ninguém para digitar para ele. No começo, ficou pouco à vontade, mas quando eu disse para começar tudo com a frase "Escreva uma carta, Srta. Clark", ele superou a questão.

Nem a Sra. Traynor conseguiu encontrar algo do que reclamar.

— Se houver outro equipamento que você ache que possa ajudar — disse ela, os lábios apertados como se não acreditasse por completo que aquilo pudesse ser algo diretamente bom —, avise-nos.

Olhava Will, nervosamente, como se ele estivesse mesmo prestes a arrancar o dispositivo de sua mandíbula.

Três dias depois, assim que saí para o trabalho, o carteiro me entregou um envelope. Abri no ônibus, pensando que fosse um cartão de aniversário adiantado, de algum primo distante. Estava escrito, em tipografia computadorizada:

Cara Clark,
Para mostrar que sou mesmo um egoísta imbecil completo.
E que agradeço muito os seus esforços.
Obrigado.
Will

Ri tão alto que o motorista perguntou se eu tinha ganhado na loteria.

Depois de passar anos naquele quartinho, com minhas roupas penduradas num corrimão no corredor, o quarto de Treena parecia um palácio. Na primeira noite que dormi lá, rodopiei com os braços abertos, apenas desfrutando o fato de que eu não conseguia encostar minhas mãos simultaneamente nas paredes. Fui a uma loja de bricolagem e comprei tintas e cortinas novas, além de um abajur e algumas prateleiras, que eu mesma instalei. Não que eu seja boa nesse tipo de coisa, acho que eu só queria ver se conseguia.

Passei a redecorar tudo e a pintar as paredes por uma hora, à noite, quando voltava do trabalho, e, ao final de uma semana, até papai teve que admitir que eu tinha feito mesmo um bom trabalho. Examinou um pouco a nova pintura, passou os dedos pelas cortinas que eu mesma instalei e pôs a mão no meu ombro.

— Você virou outra pessoa com esse trabalho, Lou.

Comprei também um novo edredom, um tapete e algumas almofadas grandonas — para o caso de alguém aparecer e pensar em descansar. Não que alguém fosse fazê-lo. O calendário foi para trás da nova porta. Ninguém o via, só eu. Ninguém mais teria entendido o que ele significava, de todo jeito.

Fiquei meio mal com o fato de que, quando colocamos a cama de armar de Thomas ao lado da cama de Treena no quartinho, não ter sobrado qualquer espaço no chão, porém depois racionalizei: eles não moravam mais ali de verdade. E o quartinho era um lugar onde iriam apenas para dormir. Não havia razão para o quarto maior ficar desocupado durante semanas.

A cada dia que eu ia trabalhar, tentava pensar em outros lugares para onde pudesse levar Will. Não tinha nenhum plano geral, apenas me concentrava em cada dia sair com ele e tentar alegrá-lo. Havia alguns dias — dias em que seus membros queimavam ou quando a infecção o atingia deixando-o devastado e febril na cama — que eram mais difíceis que outros. Mas, nos bons dias, consegui várias vezes levá-lo para fora, para o sol da primavera. Eu já sabia então que uma das coisas que ele mais detestava era a pena que estranhos demonstravam, por isso levava-o de carro a lugares bonitos, onde, por uma hora mais ou menos, pudéssemos ser apenas nós dois. Eu fazia piqueniques e ficávamos no campo, aproveitando a brisa, longe do anexo.

— Meu namorado quer conhecer você — disse a ele numa tarde, tirando com a mão pedaços de sanduíche de queijo e picles que lhe oferecia.

Eu tinha dirigido vários quilômetros para fora da cidade, rumo ao topo de uma colina, e podíamos ver o castelo do outro lado do vale oposto, separado de nós por campos cheios de ovelhas.

— Por quê?

— Quer saber com quem tenho ficado até tarde da noite.

Estranhamente, ele achou a ideia um tanto animadora.

— O Corredor.

— Acho que meus pais também querem conhecer você.

— Fico nervoso quando uma garota quer que eu conheça os pais dela. Mas como está sua mãe?

— Igual.

— E o trabalho de seu pai? Alguma novidade?

— Não. Estão dizendo para ele agora que será na semana que vem. Em todo o caso, meus pais perguntaram se quero convidar você para meu jantar de aniversário na sexta-feira. Tudo bem informal. Só a família, na verdade. Mas, tudo bem... eu disse que você não ia querer.

— Quem disse que eu não ia querer?

— Você detesta estranhos. Não gosta de comer na frente das pessoas. E não gosta do meu namorado. Não me pareceu uma questão difícil de responder.

Eu tinha conseguido. A melhor maneira para convencer Will a fazer qualquer coisa era dizer a ele que você sabia que ele não iria querer fazê-la. A parte dele que era do contra, obstinada, não suportava isso.

Will ponderou por um instante.

— Não. Eu vou ao seu aniversário. Isso vai dar à sua mãe algo em que pensar, se não servir para mais nada.

— Mesmo? Oh, Deus, se eu contar, ela já vai começar a limpar e esfregar tudo hoje mesmo.

— Tem certeza que ela é sua mãe biológica? Não deveria ter alguma semelhança genética aí? Mais sanduíche, por favor, Clark. E ponha mais picles no próximo pedaço.

A piada era apenas parcial. Mamãe entrou em parafuso só de pensar em receber um tetraplégico. Suas mãos voaram para o rosto e ela começou a arrumar de novo as coisas no aparador, como se Will e eu fôssemos chegar minutos depois de eu ter contado a ela.

— Mas e se ele precisar ir ao banheiro? Não temos um no térreo. Eu não acho que o papai consiga carregá-lo pela escada. Eu posso ajudar... mas ia ficar meio preocupada com onde colocar as mãos. Será que Patrick pode fazer isso?

— Não precisa se preocupar com esse tipo de coisa. De verdade.

— E sobre a comida dele? Ele precisa que a comida dele tenha consistência de purê? Tem alguma coisa que não possa comer?

— Não, ele só precisa de ajuda para cortar as coisas para ele.

— Quem vai fazer isso?

— Eu. Calma, mãe. Ele é ótimo. Você vai gostar dele.

E assim ficou combinado. Nathan buscaria Will de carro e voltaria duas horas depois para levá-lo de volta para casa e cumprir as rotinas da noite. Eu me ofereci para fazer isso, mas os dois insistiram para eu "desligar" no dia do meu aniversário. Eles obviamente não conheciam meus pais.

Às sete e meia em ponto, abri a porta de casa para Will e Nathan. Will estava usando sua camisa chique e jaqueta. Não sabia se ficava satisfeita com o esforço que ele fizera, ou preocupada porque minha mãe ia passar as duas primeiras horas se atormentando por não ter se vestido adequadamente.

— Oi, pessoal.

Meu pai surgiu no corredor atrás de mim.

— Arrá. A rampa funcionou bem, rapazes?

Ele tinha passado a tarde inteira fazendo uma rampa de compensado para a escada externa.

Nathan levou com cuidado a cadeira de Will até nosso estreito corredor.

— Muito bem — disse Nathan, enquanto eu fechava a porta atrás dele. — É ótima. Já vi rampas piores em hospitais.

— Bernard Clark. — Papai estendeu a mão para Nathan e se apresentou. Estendeu-a para Will antes de retirá-la num súbito ataque de constrangimento. — Bernard. Desculpe, hum... não sei como cumprimentar um... não posso apertar a sua... — Papai começou a gaguejar.

— Uma reverência está bem — ironizou Will.

Papai ficou olhando e, ao ver que Will estava brincando, deu uma risada de alívio.

— Ah! — exclamou, e deu um tapinha no ombro de Will. — É. Uma reverência. Essa é boa. Ah!

Isso quebrou o gelo. Nathan despediu-se com um aceno e uma piscadela e empurrei Will na cadeira de rodas até a cozinha. Por sorte, mamãe segurava uma travessa, o que a eximiu de enfrentar a mesma preocupação.

— Mamãe, este é Will. Will, esta é Josephine.

— Josie, por favor. — Ela sorriu para ele, suas luvas refratárias indo até os cotovelos. — Que bom finalmente conhecer você, Will.

— Prazer em conhecê-la — disse ele. — Por favor, não interrompa o que está fazendo.

Ela deixou a travessa numa mesa e pôs a mão nos cabelos, o que, em se tratando da mamãe, era sempre um bom sinal. Pena que ela se esqueceu de tirar as luvas antes.

— Desculpe — disse ela. — Estou fazendo um assado. Tudo depende do tempo no forno, sabe.

— Na verdade, não — respondeu Will. — Não sei cozinhar. Mas gosto de boa comida. É por isso que estava ansioso por vir.

— Então... — Papai abriu a geladeira. — Como vamos fazer isso? Você tem um... copo especial para cerveja?

Eu disse a Will que se papai tivesse sofrido um acidente, certamente providenciaria o copo para cerveja antes mesmo da cadeira de rodas.

— Prioridades, certo? — disse papai.

Vasculhei a bolsa de Will até achar o copo especial.

— Cerveja está ótimo. Obrigado.

Ele deu um gole e fiquei ali na cozinha, subitamente me dando conta de como nossa casa era pequena e antiquada, com seu papel de parede dos anos 1980 e armários de cozinha gastos. A casa de Will era elegantemente mobiliada, suas coisas esparsas e bonitas. A nossa casa parecia que tinha noventa por cento de todas as coisas vindas de uma loja de 1,99. Os desenhos de Thomas, feitos em papéis com as pontas amassadas, cobriam cada superfície livre de paredes. Mas, se reparou nisso, Will não comentou. Ele e papai descobriram logo um interesse em comum, que foi a minha total falta de habilidade. Não me incomodei. Isso fez os dois felizes.

— Você sabia que uma vez ela deu marcha a ré em cima de uma baliza e jurou que a culpa foi da baliza...

— Você precisa ver quando ela abaixa a minha rampa. Eu sinto como se estivesse esquiando.

Papai rolou de rir.

Deixei-os conversando. Mamãe foi atrás de mim, agitada. Ela colocou uma bandeja com copos na mesa de jantar e então deu uma olhada no relógio.

— Onde está Patrick?

— Ele vem direto do treino — respondi. — Deve ter se atrasado.

— Ele não podia deixar isso de lado pelo menos no seu aniversário? Esse frango não vai ficar bom se ele demorar demais.

— Mamãe, vai ficar ótimo.

Esperei que ela pousasse a bandeja, depois passei os braços em volta dela e lhe dei um abraço. Ela estava rígida de preocupação. Senti uma repentina onda de afeto por ela. Não devia ser fácil ser minha mãe.

— De verdade, vai ficar ótimo.

Ela se desvencilhou de mim, deu um beijo no alto da minha cabeça e esfregou as mãos no avental.

— Queria que sua irmã estivesse aqui. Parece errado comemorar sem ela.

Para mim, não parecia. Eu estava gostando muito de ser o foco das atenções, para variar. Talvez parecesse infantil, mas era verdade. Adorei que Will e papai estivessem rindo de mim. Adorei que o jantar (do frango assado à mousse de chocolate) fosse só com meus pratos preferidos. E gostei de ser do jeito que eu quisesse ser, sem que a voz da minha irmã ficasse me lembrando de quem eu tinha sido.

A campainha tocou e mamãe agitou as mãos.

— Aí está ele. Lou, por que você não começa a servir?

Patrick ainda estava corado por causa dos exercícios na pista.

— Feliz aniversário, querida — disse, parando para me beijar. Tinha cheiro de loção pós-barba e desodorante e a pele morna de quem acabou de sair do banho.

— Melhor ir direto para lá — Acenei com a cabeça em direção à sala de estar. — Mamãe está histérica com a hora.

— Ah — Ele olhou o relógio. — Desculpe, devo ter perdido a noção do tempo.

— Com o *seu tempo* você se preocupa, certo?

— O quê?

— Nada.

Papai tinha levado a grande mesa desmontável para a sala. E, seguindo minhas instruções, também havia encostado um dos sofás na outra parede, de modo que Will pudesse entrar no cômodo sem obstruções. Will manobrou a cadeira de rodas para onde mostrei e elevou um pouco o assento para ficar à mesma altura que todos.

Sentei-me à esquerda dele e Patrick ficou em frente. Ele, Will e vovô se cumprimentaram com a cabeça. Eu tinha alertado Patrick para que não estendesse a mão para Will. Quando me sentei, pude notar que Will observava Patrick e pensei por um momento se ele seria tão simpático com meu namorado como tinha sido com meus pais.

Will inclinou a cabeça para mim.

— Se der uma olhada na parte de trás da minha cadeira, vai ver que tem uma coisinha para o jantar.

Olhei e enfiei a mão na bolsa atrás da cadeira de Will. Ao puxar minha mão de volta, ela trouxe uma garrafa de champanhe Laurent-Perrier.

— Você sempre deve ter champanhe no seu aniversário — disse ele.

— Ah, olha só — disse mamãe, trazendo os pratos. — Que simpático! Mas não temos taças de champanhe!

— Essas servem — disse Will.

— Eu abro a garrafa — Patrick pegou-a, retirou o arame e posicionou seus dedões embaixo da rolha. Continuou observando Will, como se ele não fosse quem esperava.

— Se fizer assim — observou Will —, isso vai espirrar para todos os lados — Ele levantou o braço mais ou menos um centímetro, num gesto vago. — Acho que segurar a rolha e ir girando a garrafa pode ser mais seguro.

— Eis um homem que conhece o seu champanhe — disse papai. — Faça isso, Patrick. Girar a garrafa, foi isso que você disse? Bom, quem sabe?

— Eu sei— disse Patrick. — Era o que eu ia fazer.

O champanhe foi seguramente aberto e servido, e brindamos ao meu aniversário.

Vovô gritou alguma coisa que bem que poderia ser:

— Ouçam, ouçam.

Levantei-me e fiz uma mesura. Estava com um minivestido amarelo dos anos 60, evasê, comprado no brechó. A vendedora disse que devia ser da Biba, embora alguém tivesse cortado a etiqueta.

— Que este seja o ano em que a nossa Lou finalmente cresça — brindou papai. — Eu ia dizer "que ela faça alguma coisa na vida", mas parece que finalmente ela está fazendo algo. Preciso dizer, Will, que desde que começou a trabalhar com você, ela... bem, ela realmente amadureceu.

— Estamos muito orgulhosos — disse mamãe. — E gratos. A você. Por dar o emprego a ela, quero dizer.

— Sou eu quem agradece — disse Will. E olhou de relance para mim.

— À Lou — disse papai. — E seu sucesso.

— E aos membros da família que estão ausentes — disse mamãe.

— Caramba — exclamei. — Acho que eu deveria fazer aniversário com mais frequência. Nos outros dias, vocês só me perseguem.

Eles começaram a conversar, papai contando alguma outra história contra mim, o que fez mamãe e ele rirem alto. Foi bom vê-los rir. Naquelas últimas semanas, papai parecia muito cansado, e mamãe estava de olhos fundos, distraída, como se estivesse sempre em outro lugar. Eu quis aproveitar aqueles momentos, vê-los esquecer um pouco os problemas, com piadinhas entre si e sentimento de união familiar. Apenas por um instante, pensei que eu não teria me incomodado se Thomas estivesse lá. Aliás, Treena também.

Estava tão perdida em pensamentos que levei um instante para notar a cara de Patrick. Eu estava dando comida para Will enquanto dizia algo para vovô, dobrando uma fatia de salmão defumado com os dedos e colocando-a na boca de Will. Aquela era uma parte tão automática do meu dia agora que a intimidade do gesto só me surpreendeu quando vi o choque no rosto de Patrick.

Will disse alguma coisa para papai e eu encarei Patrick, querendo que ele parasse com aquilo. À sua esquerda, vovô comia com muito gosto, fazendo o que nós chamávamos de seus "sons de comida": pequenos gemidos e suspiros de prazer.

— Salmão delicioso — disse Will para mamãe. — Um sabor ótimo, realmente.

— Bom, isso não é algo que façamos todos os dias — disse mamãe, sorrindo —, mas quisemos que hoje fosse especial.

Pare de encará-lo, eu disse a Patrick sem emitir som.

Por fim, ele captou meu olhar e olhou para outro lugar. Parecia furioso.

Dei a Will outro pedaço de salmão e, quando ele deu uma olhadela para o pão, também ofereci um pouco. Percebi então, naquele momento, que eu estava tão em sintonia com relação às necessidades de Will que eu nem precisava olhar para saber o que ele queria. À nossa frente, Patrick comia de cabeça baixa, cortando o salmão defumado em pequenos pedaços e pegando-os com o garfo. Deixou o pão.

— Então, Patrick — disse Will, talvez percebendo meu desconforto. — Louisa me disse que você é *personal trainer*. Como é seu trabalho?

Queria que ele não tivesse perguntado. Patrick entrou no seu linguajar de vendedor, falando sobre motivação pessoal e sobre como um corpo em forma constrói uma mente saudável. Então ele foi em frente com sua agenda de treinos para o Norseman Xtreme — as temperaturas do Mar do Norte, as taxas de gordura necessárias para a maratona, seus melhores tempos em cada área. Em geral, a essa altura da conversa eu desligava, mas tudo o que eu podia pensar naquele momento, com Will ao meu lado, era em como aquele assunto era inapropriado. Por que Patrick não respondeu alguma coisa vaga e pronto?

— Na verdade, quando Lou disse que você vinha, pensei em dar uma olhada nos meus livros e ver se há algum exercício que eu possa recomendar.

Engasguei com meu champanhe.

— Isso é um tanto específico, Patrick. Não sei se você é a pessoa certa para isso.

— Eu posso fazer treinos específicos. Sei trabalhar com lesões causadas pelo esporte. Tenho treinamento médico.

— Não se trata de uma torção no joelho, Pat. Mesmo.

— Há alguns anos, trabalhei com um homem que tinha um cliente paraplégico. Ele disse que hoje o cliente está quase totalmente recuperado. Participa de triatlos e tudo.

— Interessante — disse minha mãe.

— Ele me mostrou uma nova pesquisa feita no Canadá, segundo a qual os músculos podem ser treinados para lembrar as atividades que realizavam anteriormente. Se você os trabalhar o suficiente todos os dias, é como uma sinapse cerebral, eles voltam a funcionar. Aposto que, se fizéssemos uma boa tabela de atividades, você notaria diferença em sua memória muscular. Afinal, Lou me disse que você era um sujeito bastante ativo.

— Patrick — disse eu, alto. — Você não entende nada disso.

— Eu só estava tentando...

— Bom, *não*. De verdade.

A mesa ficou em silêncio. Papai tossiu e se desculpou. Vovô deu uma olhada geral, num silêncio precavido.

Mamãe fez que ia oferecer mais pão a todos, mas pareceu ter mudado de ideia.

Quando Patrick voltou a falar, havia um leve tom de martírio em sua voz.

— Era só uma pesquisa que eu pensei que pudesse ajudar. Não falo mais nisso.

Will olhou e sorriu, o rosto inexpressivo, educado.

— Com certeza vou pensar nessa pesquisa.

Eu me levantei para recolher os pratos, querendo fugir da mesa. Mas mamãe mandou que eu me sentasse, repreendendo-me.

— Você é a aniversariante — disse, como se algum dia permitisse que alguém fizesse alguma coisa. — Bernard, por que não traz o frango?

— Rá-rá. Tomara que ele não tenha batido asas, não? — Papai sorriu, mostrando os dentes numa espécie de careta.

O jantar seguiu sem qualquer outro incidente. Pude ver que meus pais ficaram completamente encantados com Will. Patrick, menos. Ele e Will mal trocaram outras palavras. A certa altura, mais ou menos quando mamãe servia as batatas assadas (e papai, como sempre, tentava roubar batatas extras), parei de me preocupar. Papai estava perguntando de tudo para Will: sobre a vida que tinha antes do acidente e até como tinha sido o acidente; Will parecia estar à vontade o suficiente para respondê-lo sem rodeios. Na verdade, fiquei sabendo de muita coisa que ele nunca tinha me contado. O trabalho dele, por exemplo, parecia muito importante, apesar de ele não levá-lo muito a sério. Ele comprava e vendia empresas e garantia lucrar com isso. Acho que papai demorou um pouco para entender que, para Will, a ideia de lucro envolvia seis ou sete dígitos. Peguei a mim mesma olhando para Will, tentando ajustar o homem que eu conhecia ao que ele descrevia, um implacável executivo da City, em Londres. Papai comentou com ele sobre a empresa que estava prestes a comprar a fábrica de móveis e, quando deu o nome, Will fez que sim com a cabeça, quase se desculpando, e disse que sim, conhecia a empresa. E que sim, ele provavelmente faria o mesmo também. O jeito como ele disse isso não soou muito promissor para o emprego de papai.

Mamãe apenas arrulhava para Will, toda cheia de preocupações com ele. Percebi, ao ver o sorriso dela, que, à certa altura do jantar, ele tinha se tornado apenas um jovem elegante à sua mesa. Como era de se esperar, Patrick estava irritado.

— Tem bolo de aniversário? — perguntou vovô, quando mamãe começou a tirar os pratos.

A pergunta foi tão clara e inesperada que papai e eu nos entreolhamos, pasmos. A mesa inteira ficou quieta.

— Não. — Dei a volta na mesa e dei um beijo nele. — Não tem, vovô. Sinto muito. Mas tem mousse de chocolate. Você gosta.

Ele concordou, satisfeito. Mamãe sorriu radiante. Acho que nenhum de nós poderia ter recebido melhor presente.

A mousse chegou à mesa com um enorme presente quadrado, do tamanho de uma lista telefônica, embrulhado em papel colorido.

— Presentes, é? — perguntou Patrick. — Aqui. Eis o meu. — E sorriu para mim ao colocar o presente no meio da mesa.

Retribuí o sorriso. Afinal, não era hora de discussão.

— Vamos, abra o presente — disse papai.

Abri primeiro o deles, tirando o papel com cuidado para não rasgar. Era um álbum de fotos e cada página tinha uma fotografia de um ano da minha vida. Eu quando era bebê; eu e Treena meninas bochechudas; eu no primeiro dia de aula no ensino médio, todos aqueles prendedores de cabelo e com uma saia maior que meu número. Mais recentemente, uma foto minha com Patrick, aquela em que na verdade estou dizendo para ele não encher. E eu, de saia cinza, no primeiro dia do novo emprego. Entre as páginas, havia fotos da família tiradas por Thomas, cartas que mamãe guardou das excursões na escola, minha letra infantil contando sobre os dias na praia, sorvetes perdidos e das gaivotas que gostavam de levar nossas coisas. Folheei o álbum, e apenas hesitei brevemente quando vi a garota com o cabelo preto, comprido, preso para trás. Virei a página.

— Posso ver? — perguntou Will.

— Não foi... o melhor ano — respondeu mamãe, enquanto eu passava as páginas diante dele. — Quer dizer, estamos ótimos e tal. Mas, sabe, as coisas são assim mesmo. Outro dia vovô viu um programa na TV sobre fazer seus próprios presentes e achei que isso era algo que poderia... você sabe... realmente ter um significado.

— E tem, mãe. — Meus olhos se encheram de lágrimas. — Eu amei. Obrigada.

— Vovô escolheu algumas fotos — disse ela.

— Isso é lindo — disse Will.

— Eu amei — repeti.

O olhar de completo alívio que ela trocou com papai foi a coisa mais triste que já vi.

— O meu é o próximo. — Patrick empurrou a caixinha pela mesa. Abri-a devagar, sentindo-me levemente apavorada por aquilo poder ser um anel de noivado. Eu não estava preparada. Mal tinha conseguido um quarto só para mim. Abri a caixinha e, ali, no veludo azul-escuro, estava uma fina corrente dourada com um pingente de estrelinha. Era doce, delicado e não tinha nada a ver comigo. Eu não usava aquele tipo de bijuteria, nunca usei.

Pousei meus olhos ali enquanto pensava no que dizer.

— É adorável — falei, e ele se inclinou sobre a mesa e prendeu o colar no meu pescoço.

— Estou feliz que você tenha gostado — disse Patrick, e me beijou na boca.

Juro que ele nunca tinha me beijado daquele jeito na frente dos meus pais.

Will ficou olhando, o rosto impassível.

— Bom, acho que agora podemos comer a mousse — disse papai. — Antes que esquente. — Riu alto da própria piada. O champanhe o tinha animado incomensuravelmente.

— Também tem uma coisa para você na minha bolsa — disse Will, baixo. — Está na parte de trás da minha cadeira. É um embrulho laranja.

Puxei o presente de dentro da mochila de Will.

Minha mãe parou, a colher de servir na mão.

— Will, você tem um presente para Lou? Isso é tão gentil de sua parte. Não é gentil, Bernard?

— Sem dúvida.

O papel de embrulho tinha coloridos quimonos chineses estampados. Nem precisei olhar para saber que eu deveria guardá-lo. Talvez até inventar alguma coisa de vestir inspirada nele. Tirei o laço de fita, colocando-o de lado. Abri o papel, tirei o papel de seda que vinha dentro e, ali, olhando para mim, havia as estranhamente familiares listras pretas e amarelas.

Tirei o papel de dentro do embrulho e, nas minhas mãos, estavam dois pares de meias-calças listradas de preto e amarelo. Tamanho adulto, opacas, de uma lã tão macia que quase escorregaram pelos meus dedos.

— Não acredito — falei. Comecei a rir, aquilo era uma coisa inesperada e alegre. — Céus! Onde você conseguiu isso?

— Encomendei pela internet. Você vai gostar de saber que dei as orientações para a moça pelo novo software de reconhecimento de voz.

— Meia-calça? — perguntaram papai e Patrick em coro.

— Apenas a melhor meia-calça do mundo.

Minha mãe deu uma olhada nelas.

— Sabe, Louisa, tenho certeza que você teve uma exatamente igual quando era bem pequena.

Will e eu trocamos um olhar. Eu não conseguia parar de sorrir.

— Quero vestir agora — falei.

— Céus, ela vai ficar parecida com o humorista Max Wall numa colmeia — disse papai, balançando a cabeça.

— Ah, Bernard, é aniversário dela. Claro que ela pode vestir o que quiser.

Corri e vesti uma delas no corredor. Estiquei o pé em ponta, admirando a simplicidade daquilo. Nunca um presente me deixou tão feliz.

Voltei para a sala. Will deixou escapar uma pequena aclamação. Vovô batucou com as mãos na mesa. Meus pais riram sem parar. Patrick apenas ficou olhando.

— Não consigo nem começar a dizer o quanto gostei — agradeci. — Obrigada. Obrigada. — Estiquei o braço e toquei atrás de um de seus ombros. — Mesmo.

— Tem um cartão junto — disse ele. — Abra em outro momento.

Meus pais fizeram um grande alvoroço a respeito de Will quando ele foi embora.

Papai, que estava bêbado, continuara a agradecer Will por me empregar e o fez prometer que voltaria.

— Se eu ficar desempregado, talvez apareça para ver futebol com você dia desses — falou.

— Eu gostaria disso — disse Will, embora eu nunca o tivesse visto assistir a uma partida de futebol.

Mamãe empurrou para ele uma sobra da mousse dentro de um Tupperware.

— Já que você gostou tanto.

Que cavalheiro, eles diziam mais de uma hora depois de ele ter saído. Um autêntico cavalheiro.

Patrick veio para o corredor, as mãos enfiadas fundo nos bolsos, talvez para impedir a vontade de apertar a mão de Will. Foi essa a minha conclusão mais generosa.

— Prazer em conhecê-lo, Patrick — disse Will. — E obrigado pelo... conselho.

— Ah, estou apenas tentando fazer com que minha namorada tenha bons resultados no trabalho — disse ele. — Só isso. — Dando grande ênfase no *minha namorada*.

— Bom, você é um cara de sorte — disse Will, quando Nathan empurrou a cadeira de rodas para fora. — Ela sabe dar um bom banho de gato. — Disse isso tão rápido que a porta se fechou antes que Patrick entendesse o que ele tinha dito.

— Você nunca me disse que dava banho de gato nele.

Tínhamos ido para o apartamento de Patrick, num prédio novo, nos arredores da cidade. Fora anunciado como uma "vista livre" embora as janelas abrissem para uma vendedora de carros e o prédio não tivesse mais que três andares.

— Isso quer dizer que... você lava o pau dele?

— Não lavo o pau dele. — Peguei o demaquilante, uma das poucas coisas que eu tinha sido autorizada a deixar na casa de Patrick, e comecei a esfregar o rosto para tirar a maquiagem.

— Ele acabou de dizer que você lava.

— Ele estava só provocando. Depois que você repetiu sem parar que ele *costumava ser* um homem ativo, eu não o culpo por isso.

— Então o que você faz? Está óbvio que você não me contou tudo.

— Às vezes, dou banho nele, mas ele fica de cueca.

A cara de Patrick disse tudo. Por fim, desviou o olhar, arrancou as meias dos pés e atirou-as no cesto de roupas sujas.

— Seu trabalho não devia incluir isso. O contrato dizia não envolver cuidados médicos. Sem coisas íntimas. Não era parte das suas atribuições. — De repente, ele teve uma ideia. — Você pode processá-los. Alteração contratual, acho que é isso, quando eles mudam os termos de sua função.

— Não seja ridículo. E eu faço isso porque Nathan nem sempre pode estar lá e é horrível para Will ter uma pessoa totalmente estranha, de uma agência, lidando com ele. Além do mais, já me acostumei. Isso realmente não me incomoda.

Como eu poderia explicar para ele... que um corpo pode ficar conhecido? Eu era capaz de trocar os tubos de Will com hábil profissionalismo e passar esponja de banho na metade superior de seu corpo sem interromper a conversa. Eu nem sequer vacilava diante das cicatrizes. Durante algum tempo, fui capaz apenas de vê-lo como um suicida em potencial. Agora, ele era só Will — o enlouquecedor, instável, inteligente e engraçado Will —, que era meu patrão e gostava de interpretar o professor Higgins para a minha Eliza Doolittle. Seu corpo era apenas uma parte do pacote completo, algo para se lidar de vez em quando, em intervalos, antes de voltarmos a conversar. Para mim, tinha se tornado a parte menos interessante dele.

— Eu realmente não posso acreditar... depois de tudo o que passamos... como você demorou a deixar que eu me aproximasse... e agora tem um estranho de quem você gosta de chegar perto e ser íntima...

— Podemos não falar disso hoje, Patrick? É meu aniversário.

— Não fui eu quem começou, falando em banhos de gato e coisas assim.

— É por que ele é bonito? — perguntei. — É isso? Seria bem mais fácil para você se ele parecesse um, você sabe, um *verdadeiro* vegetal?

— Quer dizer que você o *acha* bonito.

Tirei o vestido pela cabeça e comecei a despir cuidadosamente a meia-calça, os resquícios do meu bom humor finalmente evaporando. — Não acredito que você esteja fazendo isso. Não acredito que esteja com ciúme dele.

— Não estou com ciúme. — O tom era de desprezo. — Como posso ter ciúme de um aleijado?

Patrick fez amor comigo naquela noite. Talvez "fazer amor" seja um pouco forçado. Fizemos sexo, uma maratona na qual ele parecia decidido a mostrar seus dotes atléticos, sua força e vigor. Durou horas. Se ele pudesse se balançar num candelabro no teto, acho que teria feito isso. Foi ótimo me sentir tão desejada, ser o foco de Patrick após meses de certo desinteresse. Mas um pedacinho de mim ficou distante o tempo todo. Desconfiei que aquilo não era para mim, afinal de contas. Entendi logo. A pequena exibição era por causa de Will.

— Que tal, hein? — Ele se enroscou em mim depois, nossa pele grudando um pouco com suor, e beijou minha testa.

— Ótimo — falei.

— Eu te amo, querida.

E, satisfeito, ele virou de lado, colocou um braço por baixo da cabeça e dormiu em minutos.

Enquanto o sono não vinha, levantei-me e fui ao andar de baixo até minha bolsa. Remexi, procurando o livro de contos de Flannery O'Connor. Quando tirei-o da bolsa, o envelope caiu.

Olhei bem para ele. Era o cartão de Will. Eu não o abrira na mesa. Abri-o então, sentindo um estranho volume no envelope. Tirei o cartão cuidadosamente. Dentro, dez notas novinhas de cinquenta libras. Contei-as duas vezes, sem acreditar no que via. O cartão dizia:

Gratificação de aniversário. Não se anime. É exigência contratual. W.

14

Maio foi um mês estranho. Os jornais e a TV veiculavam várias notícias sobre o que chamavam de "direito de morrer". Uma mulher que tinha uma doença degenerativa pediu que o marido fosse protegido por lei, caso a levasse para a Dignitas quando o sofrimento dela se tornasse insuportável. Um jovem jogador de futebol cometeu suicídio depois de convencer os pais a levá-lo até lá. A polícia estava investigando o caso. O assunto seria debatido no Parlamento.

Eu assistia aos noticiários e ouvia os argumentos legais de pessoas a favor da vida, avaliava os argumentos morais e não sabia muito bem de que lado ficar. Por mais estranho que fosse, nada daquilo parecia ter a ver com Will.

Enquanto isso, Will e eu passamos a sair de casa com mais frequência e a distância dos passeios também aumentou. Fomos ao teatro, pegamos a estrada para assistir a um ensaio de dança tradicional Morris (Will tentou olhar sério para os sinos e lenços que eles agitavam mas acabou ficando vermelho por causa do esforço). Uma noite, fomos a um concerto ao ar livre numa imponente residência (o que tinha mais a ver com ele do que comigo) e, certa vez, no cinema, por eu não ter pesquisado direito, assistimos a um filme sobre uma menina que sofria de uma doença terminal.

Mas eu sabia que ele também estava vendo aquelas notícias. Depois que instalamos um novo software, ele passou a usar mais o computador e conseguiu até mexer no mouse passando o dedo no *trackpad*. Esse esforço permitia que lesse os jornais na internet. Certa manhã, ao levar uma xícara de chá para ele, vi que estava lendo uma reportagem sobre o jovem jogador de futebol, repleta de detalhes sobre tudo o que aconteceu até ele se matar. Will minimizou a tela quando percebeu que eu estava atrás dele e isso me deu um nó no peito que demorou mais de meia hora para passar.

Procurei na biblioteca essa mesma reportagem sobre o jogador. Eu vinha lendo os jornais. Vi quais argumentos eram mais sólidos: nem sempre as informações mais difíceis, mais duras, eram as mais úteis.

Os tabloides arrasaram com os pais do jogador. As manchetes gritavam: *Como o deixaram morrer?* Eu também me perguntava isso. Leo McInerney tinha 24 anos e estava doente havia três, portanto, não muito mais tempo que Will. Ele não era jovem demais para ter certeza de que não tinha mais razão para viver? Só então li a mesma matéria que Will lera: não era um texto opinativo, mas um amplo histórico sobre o que acontecera com o rapaz. Dava a entender que o repórter tinha conseguido falar com os pais dele.

O texto dizia que Leo jogava futebol desde os três anos. Vivia para o esporte. Sofreu um acidente que, segundo eles, "ocorre uma vez em um milhão" quando outro jogador deu um carrinho nele. Os pais fizeram de tudo para animar o rapaz, mostrar que a vida ainda valia a pena. Mas ele entrou em depressão. Era um atleta que não só estava fora do esporte, mas que não podia se mexer e, às vezes, nem respirar sem ajuda. Não sentia prazer em mais nada. Sentia dores, tinha infecções e dependia totalmente de outras pessoas. Sentia falta dos amigos, mas se recusava a vê-los. Dispensou a namorada. Todos os dias, dizia aos pais que não queria mais viver. E que era insuportável, quase uma tortura, ver outras pessoas terem nem que fosse a metade da vida que ele pretendia ter.

Tentou se suicidar duas vezes fazendo greve de fome, mas acabou sendo hospitalizado e, quando voltou para casa, implorou que os pais o sufocassem enquanto dormia. Quando li isso, fiquei sentada na biblioteca esfregando os olhos até parar de soluçar.

Papai foi demitido. Mas reagiu de maneira bastante corajosa. Chegou em casa à tarde, vestiu terno e gravata e voltou para a cidade no ônibus seguinte para se inscrever no Centro de Trabalho.

Disse a mamãe que já tinha decidido que se ofereceria para qualquer emprego, apesar de ser um ótimo artesão, com anos de experiência.

— Acho que não podemos ser muito exigentes no momento — falou, sem ligar para os protestos de mamãe.

Se para mim tinha sido difícil conseguir um emprego, imagina para um homem de cinquenta e cinco anos que só fez uma coisa a vida toda. Papai voltou para casa após uma série de entrevistas e contou, desanimado, que não servia nem para almoxarife ou vigia. Eles preferiram um rapaz bobo e inseguro, de dezessete anos, porque o governo daria mais incentivos, e não podiam aceitar um homem maduro, com um currículo extenso. Após duas semanas de recusas, meus pais decidiram pedir o auxílio-desemprego e passaram as tardes decifrando formulários incompreensíveis, de cinquenta páginas, que perguntavam quantas pessoas usavam a máquina de lavar deles e quando foi a última vez que viajaram para o exterior (papai achava que tinha sido em 1988). Coloquei a quantia que Will me deu de presente na latinha no armário da cozinha onde eles guardavam o dinheiro. Achei que se sentiriam melhor sabendo que tinham uma pequena reserva.

Quando acordei de manhã, o dinheiro havia sido colocado em um envelope e jogado por debaixo da minha porta.

Os turistas começaram a chegar e a cidade foi ficando cheia. O Sr. Traynor aparecia cada vez menos em casa; o trabalho dele no castelo era proporcional à quantidade de visitantes. Numa quinta-feira à tarde, quando eu voltava para casa depois de passar na lavanderia, vi-o na rua. Não era nada fora do comum, a não ser pelo fato de que ele estava envolvendo com o braço uma mulher ruiva que claramente não era a Sra. Traynor. Quando me viu, soltou-a como se fosse uma batata quente.

Virei-me, fingindo olhar uma vitrine, sem saber se queria que ele soubesse que eu os vira, e me esforcei para não pensar mais nisso.

Na sexta-feira seguinte à demissão de papai, Will recebeu o convite para o casamento de Alicia e Rupert. Bom, tecnicamente, era o Coronel e a Sra. Timothy Dewar, pais de Alicia, que convidavam Will para participar do casamento da filha deles com Rupert Freshwell. Veio num pesado envelope de pergaminho com toda a programação da festa e, num papel dobrado, havia uma extensa lista de presentes que as pessoas podiam comprar em lojas das quais eu nunca tinha ouvido falar.

— Ela é muito cara de pau — comentei, observando as letras douradas e o papel grosso de bordas igualmente douradas. — Quer que eu jogue fora?

— Tanto faz. — O corpo de Will era um perfeito exemplo de indiferença forçada.

Conferi a lista de presentes.

— Que diabo é um *couscoussier*?

Não sei se foi por causa da rapidez com que Will se virou e passou a dedicar sua atenção ao teclado do computador. Ou pelo tom de voz dele. Mas, por alguma razão, não joguei o convite fora. Guardei com cuidado na agenda dele na cozinha.

Will me deu outro livro de contos, que tinha encomendado pela Amazon, e um exemplar de *A Rainha Vermelha*. Logo vi que não era o tipo de livro que eu gostava.

— Não tem nem história — falei, depois de olhar a contracapa.

— E daí? — questionou Will. — É um novo desafio para você.

Aceitei, não por ter algum interesse em genética, mas porque, se dissesse não, sabia que Will ficaria insistindo. Ele agora andava assim. Na verdade, era um pouco tirano. O pior era que perguntava em que ponto do livro eu estava só para ter certeza de que eu estava lendo mesmo.

— Você não é meu professor — eu reclamava.

— Graças a Deus — dizia ele, ofendido.

O livro — que era surpreendentemente interessante — era sobre uma espécie de luta pela sobrevivência. Afirmava que as mulheres não escolhiam os homens por amor. Segundo o livro, a fêmea da espécie sempre escolheria o macho mais forte para aumentar as chances de sobrevivência da prole. Ela não tinha culpa. É a natureza.

Eu discordava. E não gostava do argumento usado. Havia uma desconfortável segunda intenção na escolha do tema, da qual Will estava querendo me convencer. Sob o olhar do autor do livro, Will era fisicamente fraco, prejudicado. Por isso era irrelevante biologicamente. A vida dele não valia nada.

Ele ficou falando sobre o assunto quase uma tarde inteira, até eu interrompê-lo:

— Tem uma coisa que esse Matt Ridley não levou em consideração.

Will levantou os olhos da tela do computador.

— Ah, é?

— E se o macho geneticamente superior for uma besta quadrada?

No terceiro sábado de maio, Treena e Thomas voltaram para casa. Minha mãe abriu a porta e atravessou o jardim antes que eles chegassem na metade da rua. Ela jurou, agarrada a Thomas, que ele tinha crescido vários centímetros durante o tempo em que ficaram longe. Estava mudado, tão crescido, parecia um homenzinho. Treena cortara o cabelo e tinha uma aparência estranhamente sofisticada. Usava uma jaqueta que eu nunca tinha visto antes e sandálias de tiras. Sendo mesquinha, pensei onde ela havia arrumado dinheiro para pagar por tudo aquilo.

— Então, como é tudo lá? — perguntei, enquanto mamãe andava com Thomas pelo jardim, mostrando os sapos no laguinho. Papai assistia ao jogo de futebol na TV com vovô, levemente frustrado com um suposto lance perdido.

— Ótimo. Lá é muito bom. Quer dizer, é difícil não ter ninguém para me ajudar a cuidar de Thomas e ele demorou um pouco para se adaptar à nova creche. — Ela se inclinou na minha direção. — Mas não conte isso para mamãe... eu disse que ele estava bem.

— O curso é bom?

Treena abriu um sorriso.

— É excelente. Não consigo nem explicar, Lou, como é bom voltar a usar a cabeça. Tenho a impressão de ter perdido um tempo enorme... e agora é como se o tivesse recuperado. Isso parece bobagem?

Balancei a cabeça. Na verdade, fiquei contente por ela. Queria contar da biblioteca, dos computadores e do que eu tinha feito por Will. Mas achei que aquele era o momento dela. Sentamos nas cadeiras dobráveis, embaixo do toldo rasgado, e tomamos nosso chá. Notei que ela tinha pintado as unhas com a cor da moda.

— Mamãe sente sua falta — falei.

— A partir de agora, viremos quase todo fim de semana. Eu precisava... Lou, não foi só uma questão de Thomas se adaptar. Eu precisava de um tempo longe de tudo isso. Eu queria um tempo para ser outra pessoa.

Ela parecia um pouco diferente. O que era estranho. Só algumas semanas longe de casa podiam acabar com a familiaridade de alguém. Parecia que ela estava prestes a se tornar uma pessoa que eu não conhecia direito. Foi um pouco estranho, como se eu estivesse ficando para trás.

— Mamãe contou que o seu amigo deficiente veio jantar aqui.

— Ele não é meu amigo deficiente. O nome dele é Will.

— Desculpe. Will. Quer dizer que a velha lista de programas antissuicídio está funcionando?

— Mais ou menos. Uns programas foram melhores que outros. — Contei do desastre da corrida de cavalos, do sucesso inesperado do concerto e dos nossos piqueniques. E ela riu quando falei do meu jantar de aniversário.

— Você acha...? — Vi que ela estava pensando na melhor maneira de formular a pergunta. — Acha que você vai vencer?

Como se fosse uma espécie de campeonato.

Peguei uma madressilva e comecei a desfolhá-la.

— Não sei. Acho que preciso me esforçar ainda mais. — Contei o que a Sra. Traynor pensava a respeito de viajar para o exterior.

— Não acredito que você foi a um concerto. Logo você!

— E eu gostei.

Ela levantou uma sobrancelha.

— Gostei de verdade. Foi... emocionante — insisti.

Treena olhou bem para mim.

— Mamãe disse que ele é uma simpatia.

— É, mesmo.

— E muito bonito.

— Uma lesão na espinha não transforma ninguém no Quasímodo.— *Por favor, não diga que é um tremendo desperdício*, pedi a ela em pensamento.

Talvez minha irmã fosse mais esperta do que eu imaginava.

— Enfim, mamãe ficou muito surpresa. Acho que esperava encontrar o Quasímodo.

— O problema é esse, Treen — falei, jogando o resto do meu chá no canteiro. — As pessoas sempre esperam.

Mamãe estava animada durante o jantar. Tinha feito lasanha, o prato preferido de Treena, e Thomas teve permissão de ficar acordado até mais tarde, como prêmio. Comemos, conversamos, rimos e falamos de assuntos que não eram perigosos, como futebol, meu trabalho e os colegas de Treena. Mamãe deve ter perguntado umas cem vezes se ela tinha certeza de que estava se virando realmente bem e se Thomas precisava de alguma coisa, como se meus pais tivessem dinheiro sobrando para dar a ela. Foi bom eu ter avisado antes que eles estavam sem um tostão. Por isso, Treena respondeu, de um jeito firme e delicado, que não precisava de nada. Mais tarde, perguntei se não precisava mesmo.

Naquela noite, acordei por volta da meia-noite com um choro. Era Thomas, no quartinho. Ouvi Treena tentando consolá-lo e acalmá-lo, a luz sendo acesa e apagada, a cama sendo ajeitada. Fiquei deitada no escuro, observando a luz da rua passar pelas cortinas e iluminar o meu teto recém-pintado. Esperei até o choro parar, mas tudo se repetiu às duas da manhã. Desta vez, ouvi mamãe andar de chinelos pelo corredor e murmurar alguma coisa. Então, finalmente, Thomas se aquietou.

Às quatro, acordei com minha porta rangendo ao ser aberta. Pisquei, tonta, olhando na direção de onde vinha a luz. Podia ver a silhueta de Thomas na porta, as pernas do pijama compridas demais, o cobertorzinho de estimação arrastando um pouco no chão. Não conseguia ver seu rosto, mas ele ficou em pé ali, inseguro, como se não soubesse o que fazer.

— Venha cá, Thomas — sussurrei. Quando ele veio na minha direção, vi que ainda estava meio dormindo. Os passos eram hesitantes, o dedo enfiado na boca, o precioso cobertor sendo agarrado. Puxei o edredom e ele subiu ao meu lado na cama, deitando no outro travesseiro, e se encolheu todo. Cobri-o e fiquei olhando para ele, encantada com o seu sono profundo e imediato.

— Durma bem, querido — sussurrei e dei um beijo na testa dele; uma mãozinha gorda agarrou a minha camiseta como para garantir que eu não iria embora.

— Qual o melhor lugar onde você já foi?

Will e eu estávamos sentados no abrigo, esperando que uma chuvinha repentina parasse para darmos uma volta nos jardins atrás do castelo. Will não gostava de andar pelas áreas principais, pois lá muita gente ficava olhando para ele. Mas a horta era um dos tesouros ocultos do castelo, aonde poucos iam. Os pomares escondidos ficavam separados por trilhas de seixos, por onde a cadeira de rodas passava facilmente.

— Melhor de que forma? Por que essa pergunta?

Despejei um pouco de sopa de uma garrafa térmica e segurei a colher próximo à sua boca.

— É de tomate.

— Certo. Meu Deus, está quente. Espere um instante. — Ele olhou para longe. — Escalei o monte Kilimanjaro quando fiz trinta anos. Foi incrível.

— Que altura?

— Mais de cinco mil metros até o pico Uhuru. Nos últimos metros já estava engatinhando. A altitude prejudica muito.

— Estava frio?

— Não... — Ele sorriu. — Não é como o Everest. Pelo menos, na época do ano em que fui. — Ele olhou ao longe, imerso na lembrança. — Foi lindo. É considerado o teto da África. Lá de cima dá para ver quase até o fim do mundo.

Will ficou calado por um instante. Olhei para ele, pensando onde realmente estaria. Quando tínhamos essas conversas, ele parecia o meu colega de escola que se distanciou de nós depois que se aventurou pelo mundo.

— Que outros lugares você gostou de conhecer?

— A Baía Eau Douce, nas Ilhas Maurício. A população de lá é muito simpática, as praias são lindas, ótimas para mergulhos. Hum... o Parque Nacional de Tsavo, no Quênia, com toda a sua terra vermelha e os animais selvagens. O Parque Nacional Yosemite, na Califórnia. Montanhas tão altas que o cérebro da gente não consegue processar tamanha imensidão.

Contou de uma noite que passou escalando, pendurado num penhasco a muitos metros do chão, e precisou prender o saco de dormir no rochedo, pois, caso rolasse o corpo durante o sono, aconteceria um desastre.

— Você acabou de descrever o meu pior pesadelo.

— Gosto de grandes cidades também. Adorei Sydney. E as terras ao norte da Islândia. Lá tem um lugar perto do aeroporto onde se pode tomar banho em fontes vulcânicas. É uma paisagem um pouco estranha, nuclear. Ah, gostei também de andar a cavalo na planície central da China. Cheguei lá após dois dias a cavalo, partindo da capital da província de Sichuan; os moradores cuspiram em mim, pois nunca tinham visto um homem branco antes.

— Tem algum lugar que você não conhece?

Ele tomou mais um pouco de sopa.

— Coreia do Norte? — Ele pensou. — Ah, nunca fui à Disneylândia. Será que vale a pena? Nem à Eurodisney.

— Uma vez, comprei uma passagem para a Austrália. Mas nunca fui.

Ele virou-se para mim, surpreso.

— Acontece. Tudo bem. Talvez eu vá um dia — acrescentei.

— Nada de "talvez". Você precisa sair daqui, Clark. Prometa que não vai passar o resto da vida enfiada nesta cidade que mais parece uma maldita estampa de jogo americano.

— Prometer? Por quê? — Tentei fazer uma voz suave. — Aonde você vai?

— É que... não aguento pensar que você vai ficar aqui pelo resto da vida. — Ele engoliu em seco. — Você é muito inteligente. Muito interessante. — Ele desviou os olhos de mim. — Você só vive uma vez. É sua obrigação aproveitar a vida da melhor forma possível.

— Está bem — concordei, com cuidado. — Então me diga para onde eu devia ir. Aonde você iria, se pudesse ir para qualquer lugar?

— Agora?

— Sim, agora. E não me venha com Kilimanjaro. Tem de ser um lugar onde eu possa me imaginar — expliquei.

O rosto de Will relaxou e ele ficou parecendo outra pessoa. Naquele momento, um sorriso brotou em seu rosto, seus olhos apertados de satisfação.

— Eu iria a Paris. Sentaria numa mesa na calçada do Café Marais, tomaria uma xícara de café e comeria croissants quentes com manteiga sem sal e geleia de morango.

— Marais?

— É um pequeno bairro no centro de Paris. Com ruas de pedras, prédios residenciais que parecem balançar; gays, judeus ortodoxos e mulheres de certa idade que já foram parecidas com Brigitte Bardot. É o melhor lugar para ficar.

Virei-me para ele e disse baixinho:

— Podíamos ir. De Eurostar. É simples, acho que nem precisaríamos que Nathan fosse junto. Nunca fui a Paris. Adoraria ir. De verdade. Principalmente com alguém que já conhece. O que acha, Will?

Eu já me imaginava naquele café. Sentada àquela mesa, talvez admirando meus novos sapatos franceses comprados em alguma butique chique, ou escolhendo um doce com os dedos pintados de esmalte parisiense vermelho. Podia sentir o gosto do café, o cheiro dos Gauloises que alguém fumava na mesa ao lado.

— Não.

— O que disse? — Levei um instante para deixar aquela mesa na calçada de Paris.

— Não.

— Mas você acabou de dizer...

— Você não entendeu, Clark. Não quero ir lá nessa... nessa coisa. — Ele apontou para a cadeira, a voz sumindo. — Quero ir a Paris como eu era. Quero sentar, recostar-me nas cadeiras, usando minhas roupas preferidas, com lindas garotas francesas me olhando ao passar como fariam com qualquer outro cara sentado ali. Não quero vê-las desviar o olhar, rápido, ao perceber que sou um homem numa enorme e maldita cadeira de rodas.

— Mas podemos tentar. Não precisa... — arrisquei.

— Não, não podemos. Pois ao fechar os olhos consigo saber exatamente como é estar na Rue des Francs Bourgeois, fumando um cigarro, o suco de tangerina num copo alto e gelado na minha frente, o cheiro do rosbife com fritas que alguém pediu, o pipocar de uma lambreta ao longe. Conheço todas essas sensações.

Engoliu em seco.

— Se formos lá e eu estiver nesta maldita geringonça, todas essas lembranças, essas sensações boas, vão desaparecer, apagadas pela dificuldade de chegar à mesa, de subir e descer nas calçadas parisienses, pelos táxis que se recusam a nos levar, pela maldita bateria da cadeira de rodas que não pode ser recarregada numa tomada francesa. Entendeu?

A voz dele tinha endurecido. Tampei a garrafa térmica. Ao fazer isso, fixei o olhar nos meus sapatos para que Will não visse a minha expressão.

— Entendi — respondi.

— Certo. — Ele respirou fundo.

Um ônibus parou perto de nós e descarregou mais um bando de turistas nos portões do castelo. Observamos em silêncio eles descerem do veículo e entrarem na velha fortaleza formando uma única e civilizada fila, prontos para ver as ruínas de outros tempos.

Will decerto notou que fiquei desapontada, pois inclinou-se um pouco para o meu lado. Seu rosto se suavizou.

— Então, Clark. Acho que a chuva passou. Aonde vamos esta tarde? Percorrer o labirinto do jardim?

— Não — respondi mais rápido do que pretendia, e vi o olhar que Will me lançou.

— Você sente claustrofobia lá?

— Quase isso. — Juntei nossas coisas. — Vamos voltar para casa.

No fim de semana seguinte, levantei no meio da noite para beber água. Estava com dificuldade para dormir e percebi que levantar era melhor do que ficar deitada tentando afastar os pensamentos confusos que passavam pela minha cabeça.

Não gostava de ficar acordada à noite. Acabei me perguntando se Will também estaria acordado, lá do outro lado do castelo, e imaginei no que ele estaria pensando. O que não foi uma boa ideia.

A verdade é a seguinte: eu não estava conseguindo nada. O tempo estava se esgotando. Não conseguia nem convencê-lo a ir a Paris. E quando ele disse o motivo, foi difícil contra-argumentar. Ele tinha um bom motivo para recusar todas as viagens mais longas que sugeri. Como eu não podia dizer por que queria tanto levá-lo, eu tinha pouco poder de persuasão.

Ao passar pela sala, ouvi um barulho — uma tosse abafada, ou talvez uma exclamação de susto de alguém. Parei, dei alguns passos para trás e fiquei na porta. Empurrei-a com cuidado. Meus pais estavam deitados no chão da sala, as almofadas do sofá formavam uma espécie de cama, estavam cobertos com a colcha de visitas, a cabeça na altura da lareira elétrica. Ficamos nos olhando por um instante à meia-luz, eu com o copo na mão.

— O que... o que estão fazendo aqui? — perguntei.

Minha mãe se apoiou no cotovelo.

— Psiu, fale baixo. Nós... — ela olhou para o meu pai. — Fizemos uma mudança.

— O quê?

— Fizemos uma mudança. — Mamãe olhou para meu pai, como se pedisse seu apoio.

— Demos nossa cama para Treena — disse papai. Ele vestia uma velha camiseta azul com um rasgo no ombro e o cabelo estava grudado de um lado da cabeça. — Ela e Thomas não estavam se sentindo bem no quartinho. Então, demos o nosso quarto para eles.

— Mas não podem dormir aí! É desconfortável.

— Estamos ótimos, querida — disse papai. — Eu garanto.

Como continuei parada ali, meio boba, tentando entender, ele acrescentou:

— É só nos fins de semana. E você não pode voltar para aquele quartinho. Precisa dormir, ainda mais... — Engoliu em seco. — Ainda mais que é a única da casa que trabalha.

Meu pai, com sua eterna falta de jeito, não conseguiu olhar para mim.

— Volte para a cama, Lou. Ande. Estamos ótimos. — Mamãe praticamente me enxotou.

Subi a escada, os pés descalços sem fazer barulho no carpete, mal ouvindo os murmúrios de conversa vindo lá de baixo.

Hesitei diante da porta do quarto de meus pais, e ouvi algo que não tinha escutado antes — Thomas ressonava. Voltei devagar para o meu quarto e fechei a porta com cuidado. Deitei na minha enorme cama e olhei pela janela os postes de luz na rua até o amanhecer, quando — finalmente, graças aos céus — consegui algumas preciosas horas de sono.

No meu calendário, faltavam setenta e nove dias. Fiquei preocupada outra vez.

E eu não era a única.

A Sra. Traynor esperou até a hora do almoço, quando Nathan ficava com Will, para pedir que eu a acompanhasse até a casa principal. Fez eu me sentar na sala e perguntou como estavam as coisas.

— Bom, estamos saindo com mais frequência — respondi.

Ela balançou a cabeça, como se concordasse.

— Ele tem conversado bem mais — acrescentei.

— Com você, pode ser. — Ela deu uma risada que não era bem uma risada. — Já comentou com ele sobre viajar para o exterior?

— Ainda não. Vou falar. É que... sabe como ele é.

— Não me importo se você quer ir a algum lugar. Sei que não ficamos muito entusiasmados com a sua ideia, mas meu marido e eu temos conversado bastante e achamos que...

Ficamos ali, em silêncio. Ela me ofereceu uma xícara de café. Tomei um gole. Sempre me sinto com sessenta anos quando tenho que equilibrar um pires de café no colo.

— Então... Will me contou que foi à sua casa.

— Sim, no meu aniversário. Meus pais prepararam um jantar especial.

— Como ele estava?

— Bem. Muito bem. Foi bastante simpático com minha mãe. — Não consegui evitar um sorriso quando me lembrei. — Quer dizer, mamãe está meio triste porque minha irmã e o filho saíram de casa. Minha mãe sente falta deles. Acho que... Will quis distraí-la.

A Sra. Traynor pareceu surpresa.

— Que... que simpático da parte dele.

— Minha mãe também achou.

Ela mexeu o café com a colher.

— Não lembro a última vez que Will quis jantar conosco.

Ela fez mais algumas perguntas. Nada direto, claro, não era seu estilo. Mas não pude dar as respostas que ela queria. Alguns dias, achava Will mais feliz — saía comigo sem reclamar, me provocava, incitava minhas ideias, parecia um pouco mais atento ao mundo do lado de fora do anexo —, mas o que eu realmente sabia? Ele parecia ter um imenso mundo interior sobre o qual não me dava qualquer pista. Nas duas últimas semanas tive a desagradável impressão de que esse mundo interior estava crescendo.

— Ele parece um pouco mais feliz — disse ela. Dava a impressão de querer se convencer disso.

— Acho que sim.

— Foi... — ela passou os olhos por mim — ...muito gratificante vê-lo um pouco mais parecido com o que era antes. Tenho certeza de que tudo isso é graças a você.

— Nem tudo.

— Eu não conseguia me aproximar dele, nem um pouco. — Ela apoiou o pires e a xícara em cima do joelho. — Will é uma pessoa única. Desde adolescente, ele sempre me olhava de uma forma que me dava a impressão de que eu tinha feito algo errado. Nunca soube bem o que era. — Tentou rir, mas o que saiu não foi de forma alguma um riso, então olhou para mim por um breve instante, mas logo desviou o olhar.

Fingi tomar um gole de café, embora a xícara já estivesse vazia.

— Você se dá bem com sua mãe, Louisa?

— Sim. Minha irmã é que me deixa louca — disse.

A Sra. Traynor olhou pela janela, onde seu precioso jardim começava a florir em pálidas e perfumadas misturas de tons de rosa, roxo e azul.

— Só nos restam dois meses e meio — disse ela, sem virar a cabeça.

Coloquei minha xícara na mesa. Com cuidado, para não fazer barulho.

— Estou fazendo o possível, Sra. Traynor.

— Eu sei, Louisa. — Ela concordou com a cabeça.

Saí da sala.

Leo McInerney morreu no dia vinte e dois de maio, em um quarto anônimo de um apartamento na Suíça, usando sua camisa preferida do time de futebol e ao lado dos pais. O irmão caçula se recusou a ir com eles, mas divulgou uma nota dizendo que ninguém foi mais amado ou recebeu mais apoio do que seu irmão. Leo tomou o líquido leitoso de sedativos letais às três e quarenta e sete da tarde e os pais disseram que, alguns minutos depois, ele pareceu cair em um sono profundo. Foi declarado morto pouco depois das quatro da tarde por uma testemunha que registrou tudo, além da câmera de vídeo instalada para evitar qualquer alegação de mau procedimento.

"Ele parecia em paz", consta na declaração da mãe. "É o que me consola."

Ela e o pai de Leo foram interrogados três vezes pela polícia e ameaçados de processo. Receberam cartas indignadas. A mãe parecia, no mínimo, vinte anos mais velha do que era. Mesmo assim, quando ela falava havia algo em sua expressão que, além da tristeza, da raiva, da preocupação e do cansaço, mostrava um profundo alívio.

— Ele finalmente pareceu o Leo de antes.

15

— Então, vamos lá, Clark. Que programas animados você planejou para esta noite?

Estávamos no jardim. Nathan fazia fisioterapia em Will, levantando as pernas dele até o peito e abaixando-as enquanto Will estava deitado em um cobertor, seu rosto voltado para o sol, seus braços estendidos, como se estivesse tomando banho de sol. Eu me sentei no gramado perto deles e comi meus sanduíches. Agora, eu raramente saía para almoçar.

— Por quê?

— Curiosidade. Quero saber como passa seu tempo quando não está aqui.

— Bom... esta noite participarei de uma pequena luta de artes marciais avançadas, depois vou de helicóptero jantar em Monte Carlo. E então, no caminho de volta para casa, talvez tome um drinque em Cannes. Se você olhar para cima às... aah... lá pelas duas da manhã, acenarei para você quando passar — respondi. Abri o meu sanduíche e olhei o recheio. — Acho que vou terminar de ler meu livro.

Will deu uma olhada para Nathan.

— Dez pratas — disse ele, sorrindo.

Nathan enfiou a mão no bolso para pegar o dinheiro e falou:

— Sempre assim.

Olhei para os dois e perguntei:

— Sempre assim o quê?

Nathan pôs o dinheiro na mão de Will.

— Ele disse que você ia ler um livro, eu disse que ia ver TV. Ele sempre ganha a aposta.

O sanduíche grudou nos meus lábios.

— Sempre? Vocês têm apostado quão chata é a minha vida?

— Não usamos essa palavra — respondeu Will. O olhar levemente culpado me fez pensar em outra coisa.

Empertiguei-me.

— Deixe-me ver se entendi. Vocês estão apostando dinheiro se numa noite de sexta-feira eu vou estar em casa para ler um livro ou ver TV?

— Não — respondeu Will. — Teve uma rodada em que apostei que você iria ver o Corredor na pista.

Nathan soltou a perna de Will. Pegou o braço, esticou-o e começou a massageá--lo a partir do pulso.

— E se eu dissesse que ia fazer uma coisa totalmente diferente?

— Mas você nunca faz — disse Nathan.

— Na verdade, vou ficar com o dinheiro — falei, tirando a nota de dez da mão de Will. — Porque esta noite vocês erraram.

— Você disse que ia ler! — protestou Will.

— Agora que tenho isto — continuei, mostrando a cédula de dez libras —, vou ao cinema. Pronto. Pode acionar o Juizado de Pequenas Causas ou seja lá como se chame.

Levantei, guardei o dinheiro no bolso e joguei o resto do meu almoço no saco de papel pardo. Sorri ao me afastar deles mas, estranhamente, e sem qualquer razão aparente, meus olhos se encheram de lágrimas.

Naquela manhã, fiquei uma hora trabalhando no calendário antes de ir para a Granta House. Em alguns dias, eu apenas me sentava na cama e, de lá, olhava o calendário, a caneta na mão, pensando para onde eu poderia levar Will. Ainda não estava convencida de que poderia levá-lo para muito mais longe e, mesmo com a ajuda de Nathan, pensar em passar a noite em algum lugar parecia uma ideia assustadora.

Olhei o jornal da cidade, à procura de jogos de futebol e festas regionais, mas, após o fracasso das corridas, tive medo de que a cadeira de Will atolasse na grama. E ficava preocupada que multidões o fizessem se sentir exposto. Tinha de excluir todos os eventos relacionados com cavalos, o que, na nossa região, significava uma quantidade surpreendente de atividades ao ar livre. Sabia que Will não gostaria de ir ver Patrick numa corrida e que detestava críquete e rúgbi. Às vezes, eu ficava pasma com minha incapacidade de pensar novas coisas.

Talvez Will e Nathan tivessem razão. Talvez eu fosse chata. Talvez eu fosse a pessoa menos capacitada do mundo para inventar coisas que pudessem instigar a vontade de viver em Will.

Um livro, ou a televisão.

Posto assim, era difícil concluir outra coisa a meu respeito.

Depois que Nathan saiu, Will foi me encontrar na cozinha. Eu estava sentada à mesinha, descascando batatas para o jantar, e não olhei para ele quando chegou e posicionou a cadeira no vão da porta. Examinou-me por tempo suficiente para que minhas orelhas ficassem vermelhas com o escrutínio.

— Sabe — falei, finalmente. — Eu poderia ter sido malvada com você. — Poderia ter dito que você também não faz nada.

— Não sei se Nathan teria apostado que eu iria sair para dançar — disse Will.

— Eu sei que é brincadeira — prossegui, descartando uma comprida tira de casca de batata. — Mas vocês fizeram com que eu me sentisse muito mal mesmo. Se vocês vão fazer apostas com a minha vida sem graça, precisam me avisar? Não poderiam fazer disso uma espécie de piada particular?

Ele não disse nada por um tempo. Quando, finalmente, olhei para ele, estava me observando.

— Desculpe — disse.

— Você não me parece arrependido.

— Bom... está bem... talvez eu quisesse que você escutasse isso. Talvez eu quisesse mostrar o que você está fazendo da sua vida.

— Acha que estou desperdiçando minha vida...?

— Acho, na verdade.

— Meu Deus, Will. Eu gostaria que você parasse de me dizer o que eu devo fazer. E daí se eu gosto de ver televisão? E daí se eu não quero muito mais que ler um livro? — Minha voz tinha ficado esganiçada. — E daí se estou cansada quando chego em casa? E daí se não preciso preencher meus dias com atividades frenéticas?

— Mas um dia pode se arrepender — disse ele, em voz baixa. — Sabe o que eu faria, se fosse você?

Larguei o descascador.

— Acho que você vai me dizer.

— É. E fico bastante constrangido de dizer isso a você. Eu faria um curso noturno. De costureira ou estilista de moda, ou seja lá o que for esses remendos de que você realmente gosta. — Fez um gesto em direção ao meu minivestido, inspirado no estilo Pucci dos anos 1960, feito com o tecido que, uma vez, tinha sido uma das cortinas do meu avô.

A primeira vez que papai viu, ele apontou para mim e gritou:

— Ei, Lou, controle-se! — E levou cinco minutos para parar de rir.

— Eu procuraria o que pudesse fazer e que fosse mais barato: aulas de ginástica, natação, voluntariado, qualquer coisa. Daria aulas de música, ou passearia com o cachorro de alguém, ou... — sugeriu Will.

— Certo, certo entendi o recado — falei, irritada. — Mas não sou você, Will.

— Sorte sua.

Ficamos ali por um tempo. Will entrou na cozinha e levantou o assento da cadeira de maneira a nos vermos por cima da mesa.

— Certo — falei. — Então, o que você fazia depois do trabalho? Era algo tão precioso assim?

— Bom, não me sobrava muito tempo depois do trabalho, mas eu tentava fazer alguma coisa todos os dias. Praticava escalada indoor em um centro esportivo, jogava squash, ia a concertos, experimentava restaurantes novos...

— Tudo isso é fácil com dinheiro — reclamei.

— E eu corria. É verdade — disse, e levantei uma sobrancelha. — Tentava aprender a língua de lugares que eu poderia visitar um dia. E encontrava meus amigos... ou quem eu achava que eram meus amigos... — Ele hesitou por um instante. — E planejava viagens. Procurava por lugares em que eu nunca tinha estado, coisas que me assustassem ou me levassem ao limite. Uma vez, atravessei o Canal da Mancha a nado. Pratiquei parapente. Subi montanhas e as desci esquiando. É — falou, quando fiz menção de interromper. — Sei que muitas dessas coisas exigem dinheiro, mas muitas outras, não. Além do mais, como você acha que eu ganhava dinheiro?

— Explorando as pessoas na City?

— Eu fazia o que me faria feliz e o que eu queria fazer; me preparei para trabalhar no que me permitisse fazer as duas coisas.

— Você faz isso parecer tão simples.

— E é — disse ele. — O problema é que ainda assim é muito trabalho. E ninguém quer trabalhar muito.

Terminei com as batatas. Joguei as cascas no lixo e coloquei a panela no fogão, pronta para mais tarde. Virei-me e, apoiando os braços na mesa, sentei-me ali, com as pernas balançando.

— Você teve uma boa vida, não?

— É, tive. — Ele chegou um pouco mais perto e elevou o assento até quase ficar na altura dos meus olhos. — Por isso é que você me irrita, Clark. Vejo todo esse talento, toda essa... — Ele deu de ombros. — Essa energia e inteligência e...

— Não diga potencial...

— ...potencial. Sim. Potencial. Não consigo entender como se contenta com essa vidinha. Essa vidinha que será passada quase toda num raio de quinze quilômetros, sem ninguém que a surpreenda, incentive ou mostre coisas que façam sua cabeça girar e você perder o sono à noite.

— É uma forma de dizer que eu deveria estar fazendo coisas melhores do que descascar batatas para você.

— Estou avisando que existe um mundo inteiro lá fora. Mas eu gostaria muito que, antes de conhecer esse mundo, você fizesse umas batatas para mim. — Ele me lançou um sorriso e não pude evitar retribuir.

— Você não acha... — comecei a dizer, mas desisti.

— Continue.

— Não acha que é mais difícil para você... se adaptar, digamos assim... Porque você fez todas essas coisas?

— Está perguntando se eu preferia não ter feito nada?

— Estava pensando se não seria mais fácil para você. Se tivesse tido uma vida menos rica antes. Viver assim, como você vive agora, quero dizer.

— Jamais me arrependerei do que fiz. Porque, quase sempre, se você está enfiado numa cadeira assim, só pode ir aos lugares da lembrança. — Sorriu. Um sorriso duro, como se lhe custasse. — Então, se você está me perguntando se prefiro me lembrar da vista que se tem do castelo quando se está no minimercado, ou daquela linda fileira de lojas por ali, então, não. Minha vida foi ótima. Obrigado.

Desci da mesa. Não tinha muita certeza, mas me senti mais uma vez como uma pessoa colocada contra a parede. Peguei a tábua de cortar no escorredor.

— E Lou, me desculpe. Sobre aquela história da aposta.

— Tudo bem. — Virei-me e comecei a enxaguar a tábua. — Mas não pense que isso vai lhe trazer de volta aquelas dez libras.

Dois dias depois, Will teve uma infecção e acabou no hospital. Era uma medida de precaução, foi o que eles disseram, mas era óbvio para todos que ele sentia muita dor. Alguns tetraplégicos não têm sensibilidade física, mas, apesar de não sentir calor ou frio, do peito para baixo ele podia sentir dor e o toque. Fui visitá-lo duas vezes, levando músicas e coisas gostosas para comer, me ofereci para fazer companhia mas, particularmente, senti como se eu estivesse atrapalhando, e logo percebi que ele não queria mais atenção. Disse para eu ir para casa e aproveitar o tempo que teria para mim mesma.

Um ano antes, eu teria aproveitado mesmo, percorreria as lojas, talvez até fosse almoçar com Patrick. Eu provavelmente teria visto um pouco de TV à tarde e faria uma vaga tentativa de arrumar minhas roupas. Teria dormido à beça.

Agora, no entanto, eu estava estranhamente agitada e perturbada. Sentia falta de um motivo para me levantar cedo, de um propósito para o dia.

Levei a metade de uma manhã para concluir que esse tempo poderia ser útil. Fui à biblioteca e comecei a pesquisar. Olhei todos os sites sobre tetraplégicos que pude encontrar e descobri coisas que poderíamos fazer quando Will estivesse melhor. Fiz listas e acrescentei o equipamento ou as coisas que seriam necessárias para cada programa.

Encontrei salas de bate-papo para portadores de lesão na coluna e descobri que havia centenas de pessoas iguais a ele lá fora — vivendo vidas escondidas em Londres, Sydney, Vancouver ou até ali naquela rua —, ajudadas por amigos ou familiares e, às vezes, sozinhos, o que era de cortar o coração.

Eu não era a única cuidadora interessada naqueles sites. Havia namoradas perguntando como ajudar seus parceiros a terem confiança para sair de casa de novo, maridos querendo saber opiniões sobre os equipamentos médicos mais novos. Tinha anúncios de cadeiras de roda que podiam enfrentar areia ou terra; içadores inteligentes e acessórios infláveis para banho.

As pessoas usavam muitas siglas nos bate-papos. Descobri que LME era lesão na medula espinhal; ITU, infecção do trato urinário; FS, forte e saudável. Vi também que uma lesão em C4 e C5 era bem mais grave do que em C11 e C12, pois muitos dos lesionados nessa última localização usavam os braços ou o torso. Havia história de amor e perda, de homens lutando para lidar com esposas deficientes físicas e também com filhos pequenos. Havia esposas que se sentiam culpadas por terem rezado para que o marido parasse de espancá-las; agora ele nunca mais faria isso. Havia maridos que queriam se separar da esposa deficiente, mas tinham medo de como a comunidade reagiria. Havia exaustão e desespero e muito humor negro — piadas sobre bolsas de coleta que explodiam; atitudes bem-intencionadas, mas burras; desventuras de bêbados. Cair da cadeira parecia um tema corriqueiro. E havia ameaças de suicídio: os que queriam se matar; outros que os encorajavam a esperar, a aprender a olhar a vida de outra maneira. Li cada uma delas e me senti como se estivesse olhando para um panorama secreto de como o cérebro de Will funcionava.

No almoço, saí da biblioteca e fui andar pela cidade para desanuviar a cabeça. Dei-me o luxo de um sanduíche de camarão e sentei-me no muro, observando os cisnes no lago abaixo do castelo. Estava quente o suficiente para que eu tirasse o casaco, e voltei meu rosto na direção do sol. Havia um curioso sossego em olhar o restante do mundo cuidar de suas vidas. Depois de passar a manhã inteira enfiada no mundo dos paralíticos, só o fato de poder andar e comer meu sanduíche ao sol já me dava uma sensação de liberdade.

Quando terminei, voltei para a biblioteca e solicitei o computador que estava usando. Tomei fôlego e digitei uma mensagem.

> Olá, sou amiga e cuidadora de um tetraplégico de trinta e cinco anos, com lesão em C4 e C5. Ele era muito bem-sucedido e dinâmico em sua vida anterior e está tendo dificuldades para se adaptar à nova realidade. Na verdade, sei que ele não quer mais viver e estou tentando pensar em maneiras de fazê-lo mudar de ideia. Alguém pode, por favor, me dizer como posso fazer isso? Alguma ideia de coisas de que ele possa gostar, ou meios de eu conseguir fazer com que ele pense de maneira diferente? Todas as opiniões são bem-vindas.

Assinei Abelha Atarefada. Então, recostei-me na cadeira, mordisquei um pouco meu dedão e finalmente apertei "Enviar".

* * *

Na manhã seguinte, quando me sentei no terminal, havia quatorze respostas. Entrei no bate-papo e fiquei surpresa com a lista de nomes. Pessoas do mundo inteiro haviam respondido dia e noite. O primeiro dizia:

> Cara Abelha Atarefada
> Seja bem-vinda. Tenho certeza que seu amigo terá muito consolo por ter alguém cuidando dele.

Eu não estou muito certa disso, pensei.

> Quase todos nós enfrentamos um obstáculo definitivo na vida. Talvez o seu amigo tenha chegado ao obstáculo dele. Não deixe que ele afaste você. Mantenha-se positiva. E lembre-o de que não compete a ele decidir quando chegamos e saímos desse mundo, mas ao Senhor. Com Sua Sabedoria, Ele resolveu mudar a vida do seu amigo, o que pode ser uma mostra de que Ele...

Passei para a mensagem seguinte.

> Cara Abelha,
> Não tem jeito, ser tetra pode ser um saco. Se o seu amigo ainda por cima gostava de esportes, vai achar mais duro ainda. Eis as coisas que me ajudaram: muita companhia, mesmo quando eu não estava querendo. Boa comida. Bons médicos. Bons remédios, antidepressivos, quando necessário. Você não disse onde vocês estão, mas se conseguir que ele converse com outras pessoas na comunidade de LME, isso pode ajudar. No começo, eu era muito relutante (acho que uma parte minha não queria admitir que eu era um tetra), mas ajuda saber que não se está só.
> Ah, e NÃO DEIXE que ele assista a nenhum filme como *O escafandro e a borboleta*. Mó deprê!
> Dê notícias.
> Sinceramente,
> Ritchie

Pesquisei por *O escafandro e a borboleta*. "A história de um homem que fica paralisado devido a um derrame e suas tentativas de se comunicar com o mundo externo", dizia o resumo do filme. Anotei o título no meu bloco, sem saber se eu estava fazendo aquilo para garantir que Will não o assistiria ou para me lembrar de ver depois.

As outras duas mensagens eram de um Adventista do Sétimo Dia e de um homem que sugeria coisas para levantar o ânimo de Will que certamente não estavam no meu contrato de trabalho. Enrubesci e passei rápido para outra mensagem, com medo de que alguém desse uma olhada na tela por trás de mim. E então eu fiquei indecisa quanto à próxima mensagem.

Olá Abelha Atarefada,
Por que acha que o seu amigo/paciente/o que for precisa mudar de ideia? Se eu conseguisse um jeito de morrer com dignidade e se eu soubesse que isso não devastaria minha família, eu me mataria. Estou confinado a esta cadeira há oito anos e minha vida consiste numa série de humilhações e frustrações. Você consegue mesmo se colocar no lugar dele? Sabe o que é não conseguir nem evacuar sem ajuda? Saber que ficará de cama para sempre; sem poder comer, se vestir ou se comunicar com o mundo exterior sem que alguém o ajude? Nunca mais transar? Encarar a possibilidade de ter escaras, adoecer e até precisar de respiradores? Você parece uma pessoa ótima, e tenho certeza que tem boas intenções. Mas talvez você não cuide dele na semana que vem. Talvez no futuro seja alguém que o deixe deprimido, ou até que não goste muito dele. Isso, como todas as outras coisas, está fora do controle dele. Nós, portadores de LME, sabemos que muito pouco está sob nosso controle — quem nos alimenta, quem nos veste, quem nos lava, quem prescreve nosso remédio. Viver consciente disso é muito duro.

Por isso, acho que você está fazendo a pergunta errada. Quem são os fortes e sadios para decidir como deve ser a nossa vida? Se essa não é a vida certa para o seu amigo, a questão deveria ser: como posso ajudá-lo a acabar com isso?
Sinceramente,
Gforce, Missouri, Estados Unidos

Fiquei olhando para a mensagem, meus dedos parados sobre o teclado. Depois, passei para as mensagens restantes. Eram de outros tetraplégicos criticando as palavras desanimadoras de Gforce, afirmando que eles conseguiram um jeito de seguir em frente, que a vida deles valia a pena. Houve uma pequena discussão que parecia não ter nada a ver com Will.

A seguir, voltaram a comentar o meu pedido. Havia sugestões de antidepressivos, massagens, recuperações miraculosas, histórias de como a vida dos próprios membros da comunidade passou a ter um novo valor. Havia algumas sugestões práticas: degustação de vinho, música, exposições de arte, teclados de computador especialmente adaptados.

"Sugiro uma companheira", escreveu Grace31, de Birmigham. "Se ele amar, sentirá que pode seguir em frente. Sem amor, eu já teria afundado várias vezes."

Essa frase ecoou na minha cabeça até bem depois de eu sair da biblioteca.

Will saiu do hospital na quinta-feira. Fui buscá-lo com o carro adaptado e trouxe-o para casa. Estava pálido e exausto; ficou olhando distraidamente pela janela durante todo o trajeto.

— Não dá para dormir nesses lugares — explicou, quando perguntei se estava bem. — Tem sempre alguém gemendo na cama ao lado.

Eu disse que ele teria o fim de semana para se recuperar, mas que depois eu tinha planejado vários passeios. Disse também que estava seguindo o conselho dele e tentando fazer coisas novas e ele teria de me acompanhar. Era uma mudança sutil no enfoque, mas eu sabia que era a única forma de conseguir com que ele fosse comigo.

Na verdade, eu tinha planejado uma programação detalhada para as próximas semanas. Cada programa foi cuidadosamente marcado em preto no meu calendário; em vermelho, os cuidados que eu deveria ter, e, em verde, os acessórios de que poderia precisar. Toda vez que eu olhava atrás da porta do meu quarto, sentia certa animação por ser tão organizada e também porque um daqueles programas poderia realmente mudar a visão que Will tinha do mundo.

Como papai sempre diz, minha irmã é o cérebro da família.

A visita à galeria de arte durou pouco menos de vinte minutos. Incluindo contornar o quarteirão três vezes à procura de uma vaga que servisse. Chegamos e, antes mesmo de eu fechar a porta, Will disse que todas as obras eram horríveis. Perguntei por quê, ele respondeu que, se eu não conseguia ver, não dava para explicar. Tivemos de desistir do cinema após o funcionário, desculpando-se, explicar que o elevador estava quebrado. Outros programas, como a tentativa fracassada de nadar, exigiam mais tempo e organização — ligar antes para a piscina, combinar com Nathan para ele ficar depois do horário. E, quando chegamos, Will bebeu o chocolate quente em silêncio no estacionamento do centro de lazer e se recusou a entrar.

Na quarta-feira seguinte, à noite, fomos ao show de um cantor que ele tinha visto uma vez em Nova York. Foi uma boa viagem. Quando ouvia música, sua expressão ficava bastante concentrada. Era como se, na maior parte do tempo, ele não estivesse totalmente presente, como se uma parte dele lutasse com dores, lembranças ou pensamentos sombrios. Mas com a música tudo era diferente.

No dia seguinte, eu o levei a uma degustação de vinhos promovida por uma vinícola numa loja especializada. Tive de prometer a Nathan que não deixaria Will se embriagar. Segurei cada taça para Will sentir o aroma do vinho e ele sabia qual era cada um deles antes mesmo de provar. Eu me esforcei para não rir quando Will cuspiu a prova na cuspideira (era mesmo muito engraçado), e ele me olhou sério e disse que eu era uma criança. O dono da loja passou de um estado de desconcerto esquisito por ter um cadeirante ali para outro muito impressionado. À medida que a tarde correu, ele se sentou e começou a abrir outras garrafas, discutindo com Will sobre cada região produtora e cada tipo de uva, enquanto eu andava de um lado para outro olhando os rótulos e ficando, para ser sincera, meio entediada.

— Vamos lá, Clark. Eduque-se — incitou Will, acenando com a cabeça para que eu me sentasse ao seu lado.

— Não posso. Mamãe me ensinou que cuspir é falta de educação.

Os dois homens se entreolharam como se eu fosse louca. Mas nem sempre ele cuspia. Fiquei observando. E ficou estranhamente falante pelo resto da tarde — com o riso fácil e até mais briguento do que o normal.

Então, a caminho de casa, passamos por uma cidade a que não costumávamos ir e, como estávamos parados no trânsito, olhei pela janela do carro e vi um estúdio de tatuagem e piercing.

— Sempre quis fazer uma tatuagem — comentei.

Eu deveria saber depois de tudo que não se podia dizer uma coisa dessas na frente de Will. Ele não era do tipo que ficava enrolando, nem jogando conversa fora. Quis imediatamente saber por que nunca fiz uma.

— Ah... não sei. Por medo do que as pessoas iam dizer, acho.

— Por quê? O que elas iam dizer?

— Meu pai detesta tatuagem.

— Quantos anos você tem mesmo?

— Patrick também detesta.

— E ele *nunca* faz nada de que você pode não gostar.

— Posso ficar nervosa. Posso mudar de ideia depois de fazer.

— Aí é só removê-la com laser, certo?

Examinei-o pelo espelho retrovisor. Os olhos estavam alegres.

— Então, vamos — disse ele. — O que você quer tatuar?

Percebi que eu estava sorrindo.

— Não sei. Nada de cobras, nem nomes de pessoas.

— Não esperava que você quisesse um coração com uma faixa dizendo "mãe".

— Promete não rir?

— Sabe que não posso. Ah, Deus, não vai tatuar um provérbio indiano em sânscrito ou algo assim, vai? *O que não me mata, me fortalece.*

— Não. Eu queria uma abelha. Uma abelhinha preta e amarela. Adoro abelhas.

Ele concordou com a cabeça, como se fosse algo perfeitamente razoável.

— E onde quer tatuar? Ou não devo perguntar?

Dei de ombros.

— Não sei. No ombro? No quadril?

— Pare o carro — disse ele.

— Por quê, você está bem?

— Apenas pare. Tem uma vaga ali. Olhe, à sua esquerda.

Parei o carro no meio-fio e dei uma olhada para trás, na direção dele.

— Vamos lá, então — disse ele. — Hoje não temos mais nada para fazer.

— Vamos lá onde?

— No estúdio de tatuagem.

Comecei a rir.

— Ah, está bem.

— Por que não?

— Você engoliu o vinho, em vez de cuspir.

— Não respondeu a minha pergunta.

Virei-me no banco do carro. Ele estava sério.

— Não posso simplesmente entrar e fazer uma tatuagem. Assim, desse jeito.

— Por que não?

— Porque...

— Porque o seu namorado diz que não. Porque você precisa continuar sendo uma boa moça, mesmo aos vinte e sete anos. Porque é *muito assustador*. Vamos lá, Clark. Viva um pouco. O que a impede?

Fiquei parada na rua, vendo a fachada da loja de tatuagem. A vidraça meio embaçada tinha um grande coração de néon e fotos emolduradas de Angelina Jolie e Mickey Rourke.

A voz de Will penetrou nas minhas avaliações.

— Certo, se você fizer, eu também faço.

Virei-me para ele.

— Faria uma tatuagem?

— Se isso convencê-la, ao menos uma vez, a sair da sua casca.

Desliguei o motor. Ficamos ali ouvindo a engrenagem diminuir, o murmúrio enfadonho dos carros enfileirados na rua, ao nosso lado.

— É um pouco permanente.

— Não existe "pouco" em relação a isso.

— Patrick vai detestar.

— É o que você diz.

— E provavelmente contrairemos hepatite com as agulhas sujas. E teremos uma morte lenta, horrível e dolorosa. — Virei-me para Will. — Não devem tatuar na hora. Não imediatamente.

— É possível que não. Mas vamos entrar e ver?

* * *

Duas horas depois, saímos da loja de tatuagens: eu, com menos oitenta libras na carteira e um curativo no quadril, onde a tinta ainda estava secando. O tatuador disse que, como o desenho era relativamente pequeno, podia ser feito e colorido na mesma sessão, então ali estava. Pronto. Tatuada. Ou, como Patrick certamente diria depois, marcada para sempre. Embaixo do curativo de gaze branca tinha uma gorda abelhinha, escolhida no arquivo de plástico separado com argolas de metal que trazia os modelos e que o tatuador nos entregou quando chegamos. Fiquei quase histérica de nervoso. Tentava alcançar com a vista, girando a cabeça para olhar o trabalho do tatuador até Will mandar eu parar, senão eu ia deslocar algum osso.

Will ficou descansado e contente, o que era bastante estranho. Não deram tempo para ele pensar. Já tinham tatuado alguns tetraplégicos, disseram, o que explicava porque lidaram com ele tão facilmente. Ficaram surpresos quando Will disse que sentia a agulha na pele. Seis semanas antes, eles tinham feito o desenho em *tromp l'œil* de uma prótese biônica em toda a lateral da perna de um tetraplégico.

O tatuador, de piercing na orelha, levou Will para a sala ao lado e, com a ajuda do meu tatuador, deitou-o numa mesa especial, de modo que, pela porta entreaberta, só dava para eu ver a parte de baixo das pernas dele. Eu podia escutar os dois falando baixo e rindo junto com o zunido da agulha, o cheiro de antisséptico penetrante no meu nariz.

Quando a agulha entrou na minha pele, mordi o lábio determinada a não deixar que Will ouvisse meu grunhido. Pensei em como ele estaria na sala ao lado, tentando ouvir o que os dois falavam, imaginando o que Will tatuaria. Quando ele finalmente apareceu, depois que a minha tatuagem já estava terminada, não deixou que eu visse o que era. Achei que era algo relacionado a Alicia.

— Você é uma péssima influência para mim, Will Traynor — disse eu, abrindo a porta do carro e abaixando a rampa. Não conseguia parar de sorrir.

— Mostre-me a sua.

Olhei a rua, virei-me e levantei um pouquinho a blusa na cintura.

— Lindo. Gostei da sua abelhinha. De verdade.

— Terei de usar calças de cintura alta quando estiver perto de meus pais pelo resto da vida. — Ajudei-o a manobrar a cadeira na rampa e levantei-a. — Cuidado, se a sua mãe souber que você também fez uma...

— Vou dizer que a garota do Centro de Trabalho me deixou louco.

— Certo, Traynor, me mostre a sua.

Ele me olhou firme, meio sorridente.

— Terá de trocar o curativo quando chegarmos em casa.

— Sei. Como se eu nunca tivesse feito isso. Vamos. Não tiro o carro daqui se você não mostrar a tatuagem.

— Então levante a minha camisa. Do lado direito. A sua direita.

Debrucei-me nos bancos da frente, levantei a camisa dele e tirei a gaze. Ali, tinta escura sobre a pele clara, tinha um retângulo listrado de preto e branco tão pequeno que precisei olhar duas vezes antes de entender o que dizia.

Validade: 19 de março de 2007

Fiquei olhando. Meio que ri, e meus olhos se encheram de lágrimas.

— Essa é a data...

— Data do acidente. Sim. — Ele olhou para o céu. — Ah, pelo amor de Deus, Clark, não se comova. Era para ser engraçado.

— É engraçado. De um jeito horrível.

— Nathan vai gostar. Ah, não faça essa cara. Não é como se eu tivesse estragado meu corpo perfeito, certo?

Desci a camisa de Will, virei-me para a frente e liguei a ignição. Não sabia o que dizer. Não sabia o que aquilo significava. Ele estava aceitando seu estado? Ou era apenas outra maneira de mostrar desprezo pelo próprio corpo?

— Ei, Clark, faça-me um favor — disse ele, assim que eu saí com o carro. — Alcance minha mochila para mim. O bolso com zíper.

Olhei no retrovisor e puxei o freio de mão novamente. Debrucei-me nos bancos da frente e enfiei a mão na mochila, vasculhando lá dentro conforme ele pediu.

— Quer analgésicos? — Eu estava a poucos centímetros do rosto dele. Seu rosto estava mais corado do que jamais estivera desde que saiu do hospital. — Tenho alguns na minha...

— Não, continue procurando.

Tirei um pedaço de papel e recostei-me no banco. Era uma nota de dez libras.

— Pronto. As dez libras de emergência.

— E então?

— São suas.

— Por quê?

— Por essa tatuagem. — Ele sorriu. — Até você se sentar naquela cadeira, não acreditei que fosse fazer.

16

Não tinha jeito. A divisão dos quartos na hora de dormir não estava dando certo. Todo fim de semana que Treena passava em casa, a família Clark fazia um longo troca-troca de camas. Depois do jantar de sexta-feira, meus pais ofereciam o quarto deles, e Treena aceitava após eles garantirem que não, não estavam sendo expulsos, e que Thomas se sentiria melhor num quarto que lhe era familiar. Assim, segundo eles, todo mundo conseguia dormir bem.

Mas o fato de mamãe dormir na sala com papai exigia que eles levassem sua própria coberta, os travesseiros e o lençol, pois ela não dormia direito se a cama não estivesse exatamente do jeito como gostava. Então, após o jantar, ela e Treena tiravam as roupas de cama do quarto de casal e colocavam lençóis novos, além de um protetor de colchão, caso Thomas fizesse xixi. Enquanto isso, a roupa de cama dos dois era dobrada e deixada no canto da sala, onde Thomas pegava o lençol, amarrava as pontas nas cadeiras da sala e erguia uma tenda.

Vovô ofereceu o quarto dele, mas ninguém aceitou. Cheirava a tabaco e jornal velho, e levaria o fim de semana inteiro para ser limpo. Eu quase sempre me sentia culpada — afinal, era tudo por minha causa — mas sabia que não podia me oferecer para voltar ao quartinho. Aquele lugar abafado e sem janelas tinha se tornado uma espécie de assombração para mim. Só de pensar em dormir lá outra vez, eu sentia um aperto no peito. Eu tinha vinte e sete anos. Era a principal provedora da família. Não podia dormir num lugar do tamanho de um armário.

Num fim de semana, falei que dormiria no apartamento de Patrick e, no fundo, todos ficaram bem aliviados. Mas, enquanto eu estava fora, Thomas passou a mãozinha suja pelas minhas cortinas novas e desenhou com tinta permanente no meu igualmente novo edredom. Por isso, meus pais decidiram que seria melhor *eles* dormirem no meu quarto; Treena e Thomas foram para o deles, que, pelo jeito, não se importavam com desenhos de caneta pilot.

Depois de avaliar a quantidade de roupa de cama extra e o custo de lavagem delas, mamãe concluiu que não adiantava muito eu passar as sextas e sábados na casa de Pat.

E também era preciso considerar a situação de Patrick. Ele era agora um homem obcecado. Comia, bebia e respirava o Norseman Xtreme. Seu apartamento, que antes continha poucos móveis e era perfeitamente limpo, agora estava cheio de planilhas de treinamento e dietas alimentares. Ele tinha uma nova bicicleta superleve que ficava no corredor e na qual eu não tinha permissão para tocar, para não interferir no delicado equilíbrio de sua capacidade de corrida.

E ele quase não ficava mais em casa, nem nas noites de sexta e sábado. Com os treinos de Will e o meu trabalho, nós nos acostumamos a passar menos tempo juntos. Eu podia ir com ele à pista e vê-lo dar voltas e voltas até completar os quilômetros necessários. Ou podia ficar em casa vendo TV sozinha, enroscada no canto de seu enorme sofá de couro. Não havia comida na geladeira, a não ser fatias de peito de peru e horríveis bebidas energéticas com a consistência de ovas de rã. Treena e eu provamos uma vez e cuspimos, engasgando de forma tão dramática quanto faria uma criança.

Na verdade, eu não gostava do apartamento de Patrick. Ele o comprara um ano antes, quando finalmente se convenceu de que a mãe ficaria bem sem ele. Estava num momento favorável no trabalho e disse que era importante um de nós ter uma casa própria. Achei que essa era a dica para discutirmos se pretendíamos morar juntos, mas, de qualquer forma, acabamos não conversando a respeito; não somos do tipo de casal que toca em assuntos que nos deixam desconfortáveis. Sendo assim, o apartamento dele não tinha nenhum toque pessoal meu, apesar de estarmos juntos há tanto tempo. Nunca consegui dizer a ele, mas preferia morar na minha casa, com todo o barulho e aperto, do que naquele apartamento de solteiro, sem alma, sem personalidade, com vagas marcadas na garagem e uma vista careta do castelo.

Além do mais, era um pouco solitário.

— Tenho que seguir as instruções do plano de treinamento, querida — ele diria, caso eu reclamasse. — Se, a essa altura do campeonato, eu não fizer no mínimo cinquenta quilômetros, jamais chegarei lá. — Então, ele me dava novas informações sobre o estado de sua inflamação na canela, ou pedia para eu passar o spray de proteção térmica.

Quando Patrick não estava treinando, participava de infindáveis reuniões com outros membros da equipe, comparando equipamentos e finalizando os acertos da viagem. Ficar com eles era a mesma coisa que estar com um grupo de pessoas que falam coreano. Eu não entendia nada do que diziam, nem tinha vontade de participar.

Eu pretendia acompanhá-los à Noruega, dali a sete semanas. Mas não consegui dizer-lhe que ainda não tinha pedido folga para os Traynor. Como poderia? O Norseman Xtreme se realizaria a menos de uma semana do fim do meu contrato. Era infantil da minha parte não enfrentar a situação mas, sinceramente, eu só pensava em Will e no tique-taque de um relógio. Não conseguia me concentrar em mais nada.

A maior ironia de tudo isso era que eu nem dormia direito no apartamento de Patrick. Não sei por quê, mas saía de lá para trabalhar com a impressão de estar dentro de uma redoma e parecendo que tinha levado um soco em cada olho. Passei a usar corretivo para disfarçar as olheiras com o mesmo apuro de quem decora um ambiente.

— O que está acontecendo, Clark? — perguntou Will.

Abri os olhos. Ele estava bem ao meu lado, a cabeça inclinada, me observando. Tive a impressão de que estava ali há algum tempo. Automaticamente, coloquei a mão na boca, para o caso de estar babando.

Os créditos do filme que eu devia ter assistido passavam na tela da TV lentamente.

— Nada, desculpe-me. É que está tão confortável aqui. — Eu me sentei, tentando me endireitar.

— Em três dias, é a segunda vez que você adormece. — Ele analisou o meu rosto. — E está com uma aparência horrível.

Então contei a ele. Falei da minha irmã, dos nossos arranjos para dormir e que eu não queria criar confusão, pois, toda vez que olhava para papai, ele mal conseguia disfarçar sua frustração por não poder dar à família uma casa onde todos conseguissem dormir direito.

— Ele ainda não encontrou outro emprego?

— Não. Acho que é por causa da idade. Mas não tocamos no assunto. É... — Encolhi os ombros. — É bem delicado para todos.

Esperamos os créditos terminarem, então fui até o aparelho, tirei o DVD e o guardei na caixa. Não achava certo contar os meus problemas para Will. Pareciam constrangedoramente bobos, comparados com os dele.

— Vou me acostumar. Não tem problema. Ficarei bem — falei.

Pelo resto da tarde, Will pareceu preocupado. Lavei o rosto, voltei e liguei o computador para ele. Quando trouxe um suco, ele manobrou a cadeira na minha direção.

— É bem simples — disse, como se ainda estivéssemos conversando. — Você pode dormir aqui nos finais de semana. Tem um quarto vazio que passará a ter utilidade.

Parei, segurando o copo de suco.

— Não posso fazer isso.

— Por que não? Não vou lhe pagar hora extra.

Coloquei o copo com canudo no porta-copo.

— E o que sua mãe vai pensar disso?

— Não faço ideia.

Devo ter parecido preocupada, pois ele acrescentou:

— Não tem problema. Sou fácil de controlar.

— O quê?

— Se está achando que eu tenho um plano secreto e desonesto para seduzi-la, basta me desligar da tomada.

— Engraçadinho.

— É sério. Pense a respeito. Este quarto pode ser a sua segunda opção. As coisas mudam mais rápido do que você imagina. Sua irmã pode resolver não voltar para casa todos os finais de semana, ou pode arranjar um namorado. Muita coisa pode mudar.

E você pode não estar mais conosco daqui a dois meses, pensei. E, imediatamente, me detestei por ter pensado isso.

— Explique uma coisa — disse ele, saindo da sala. — Por que o Corredor não oferece o apartamento dele para você ficar?

— Ah, ele ofereceu — respondi.

Ele olhou para mim como se fosse continuar a conversa.

Depois, pareceu mudar de ideia.

— Bom, já disse que o quarto está à disposição — avisou, dando de ombros.

Coisas que Will gostava de fazer.

1. Ver filmes, principalmente estrangeiros, com legendas. De vez em quando, aceitava ver um suspense ou até um romance épico, mas recusava-se terminantemente a ver comédias românticas. Se eu ousasse alugar uma, ele passava as duas horas do filme dando muxoxos de menosprezo, ou comentando todos os clichês do roteiro até o filme perder a graça.
2. Ouvir música clássica. Entendia muito disso. Também gostava de música moderna, mas considerava o jazz uma bobagem pretensiosa. Uma tarde, ao ver o que tinha no meu MP3, riu tanto que quase soltou um dos tubos que ficam presos ao seu corpo.
3. Ficar no jardim quando está calor. Às vezes, eu ficava observando-o da janela, a cabeça inclinada para trás, desfrutando o sol no rosto. Quando observei a capacidade que tinha de simplesmente curtir aquele momento (coisa que eu nunca soube), ele disse que, quando não se pode mexer braços e pernas, não há muita escolha.
4. Fazer com que eu lesse livros e revistas e depois os comentasse. *Conhecimento é poder, Clark*, ele dizia. No começo, eu detestava, parecia que estava sendo sabatinada na escola sobre minha capacidade de memorizar. Mas com o tempo percebi que, para Will, não havia resposta errada. Ele gostava de debater comigo. Perguntava minha opinião a respeito das notícias nos jornais, discordava de mim sobre personagens de livros. Parecia ter opinião sobre quase tudo: a atuação do governo; se uma empresa devia comprar outra; se alguém devia ser condenado à prisão. Se achava que eu estava desatenta ou repetindo a opinião dos meus pais ou de Patrick, ele dizia apenas: “Não. Nada disso.” E ficava muito

desapontado quando eu dizia que ignorava o tema. Por isso, passei a me prevenir e lia o jornal no ônibus para me preparar. "Bom argumento, Clark", ele diria, e eu abriria um sorriso. Depois, eu me xingava por deixar Will bancar o professor de novo.

5. Fazer a barba. A cada dois dias, eu ensaboava o rosto dele e deixava-o apresentável. Se ele estivesse de bom humor, recostava-se na cadeira de rodas, fechava os olhos e a expressão em seu rosto era a mais próxima que eu conhecia do prazer físico. Talvez eu esteja inventando isso. Vai ver eu enxergava o que gostaria de ver. Mas ele ficava em completo silêncio enquanto eu passava com cuidado a lâmina pelo seu queixo, escanhoando. Quando abria os olhos, sua expressão ficava mais suave, como quem acorda de um sonho particularmente agradável. O rosto de Will estava mais corado, graças ao tempo que passávamos ao ar livre, a sua pele se bronzeava com facilidade. Eu guardava as lâminas de barbear no alto do armário do banheiro, atrás de um grande vidro de condicionador.
6. Fazer coisas de homem. Principalmente com Nathan. De vez em quando, antes das atividades de rotina da noite, eles iam para os fundos do jardim e Nathan abria duas latas de cerveja. Às vezes, ouvia-os discutindo rúgbi ou falando de uma mulher que viram na TV e aquele homem nem parecia Will. Mas eu entendia que ele precisava disso, precisava de alguém com quem pudesse ser apenas um homem, com quem pudesse fazer coisas de homem. Era um pouco de "normalidade" na sua estranha e isolada vida.
7. Comentar sobre as minhas roupas. Na verdade, gostava de fazer cara feia para o que eu usava. Exceto as meias listradas amarelas e pretas. Nas duas vezes que as usei, ele não disse nada, apenas concordou com a cabeça, como se tudo estivesse nos seus devidos lugares.

— Você encontrou meu pai no centro da cidade, outro dia.

— Ah, é. — Eu estava estendendo roupa. O varal ficava escondido no que a Sra. Traynor chamava de horta. Acho que ela não queria coisas tão prosaicas quanto roupas lavadas poluindo a vista de seus canteiros de ervas. Minha mãe pendurava as roupas quase como se fossem uma insígnia de orgulho. Um desafio para as vizinhas: *Lavem melhor que isso, senhoras!* Papai teve trabalho para convencê-la a não colocar outro varal giratório na frente de casa.

— Meu pai perguntou se você comentou alguma coisa comigo.

— Ah. — Fiquei inexpressiva. Depois, como Will pareceu esperar que eu continuasse, afirmei: — Claro que não.

— Ele estava com alguém?

Devolvi o último prendedor ao cesto. Peguei o cesto de prendedores e guardei-o dentro do cesto vazio de roupa lavada. Virei-me para Will.

— Estava.

— Com uma mulher.

— É.

— Ruiva?

— É.

Will refletiu um instante.

— Peço desculpas se esperava que eu contasse — falei. — Mas... achei que não era da minha conta.

— Não é um assunto agradável.

— Não.

— Se serve de consolo, Clark, essa não é a primeira vez — acrescentou ao entrar no anexo.

Deirdre Bellows precisou me chamar duas vezes até eu olhar. Eu estava anotando em um bloquinho os possíveis lugares e as dúvidas, os prós e os contras, e até esqueci que estava dentro do ônibus. Tentava encontrar um jeito de levar Will ao teatro. Só que o mais próximo ficava a duas horas de carro e apresentava o musical *Oklahoma*! Não conseguia imaginar Will apreciando um personagem cantar *Oh what a beautiful morning*, mas todas as peças sérias em cartaz estavam em Londres. E chegar a Londres ainda era uma impossibilidade.

Eu agora conseguia tirar Will de casa, mas já tínhamos feito tudo o que era possível num raio de uma hora de distância e eu não tinha ideia de como convencê-lo a ir mais longe que isso.

— Perdida no seu mundinho, hein, Louisa?

— Ah, olá, Deirdre. — Cheguei um pouco para o lado para ela poder sentar.

Deirdre e mamãe eram amigas desde garotas. Ela era dona de uma loja de cortinas e almofadas e já havia se divorciado três vezes. Tinha tanto cabelo que parecia usar peruca e o rosto era triste e ansioso como se ainda sonhasse com o cavaleiro que viria buscá-la num cavalo branco.

— Não costumo pegar ônibus, mas meu carro está na oficina. Como você está? Sua mãe me contou sobre o seu trabalho. Parece *muito* interessante.

É isso que dá morar em cidade pequena. Todo mundo sabe da sua vida. Não há segredo: nem o fato de eu, aos quatorze anos, ter sido vista fumando no estacionamento de um supermercado fora da cidade; nem o fato de meu pai ter colocado telhado novo no banheiro de baixo. Os detalhes do cotidiano das pessoas eram tema de conversa de mulheres como Deirdre.

— O trabalho é bom, sim.

— E paga bem.

— É.

— Fiquei muito contente por você, depois de toda aquela história do café. Uma pena terem fechado. A cidade está perdendo os melhores estabelecimentos comerciais. Lembro que tínhamos uma mercearia, uma padaria e um açougue na avenida principal. Só faltava um fabricante de velas!

— Hum. — Vi que ela olhava a minha lista e fechei o bloco. — Bom, pelo menos ainda temos onde comprar cortinas. Como vai a sua loja?

— Ah, ótima... é. Mas o que tem nesse bloquinho? Alguma coisa de trabalho?

— Só estou pensando em coisas que Will possa gostar de fazer.

— Will é o seu deficiente?

— É. Meu patrão.

— Seu patrão. É um jeito simpático de dizer. — Ela me cutucou. — E como a sua inteligente irmã está na faculdade?

— Está bem. Thomas também.

— Ela vai acabar mandando no país, aquela menina. Mas preciso dizer uma coisa, Louisa, eu pensava que você sairia de casa antes dela. Sempre achamos você tão espertinha. Continuamos achando, claro.

Dei um sorriso educado. Não sabia o que mais podia fazer.

— Mas alguém tem de ficar, não é? E é ótimo para sua mãe que você goste de ficar por perto.

Tive vontade de discordar dela, mas depois lembrei que nada do que fiz nos últimos sete anos sugeria alguma ambição ou vontade minha de ir além do final da rua. Continuei sentada ali, enquanto o velho e cansado motor do ônibus rosnava e engasgava; de repente tive a sensação de ver o tempo passar e de perder grande parte dele nas pequenas idas e vindas pelo mesmo caminho. Contornando o castelo. Olhando Patrick dar uma volta na pista. As besteiras de sempre. A mesma rotina.

— Ah, vou descer nesse ponto. — Deirdre se levantou, pesada, pendurando no ombro a bolsa de verniz. — Mande um beijo para sua mãe. Diga que amanhã apareço por lá.

Olhei para ela, piscando.

— Fiz uma tatuagem. Uma abelha — falei, de repente.

Ela hesitou, segurando-se na beira do banco.

— No quadril. Uma tatuagem permanente — acrescentei.

Deirdre olhou para a porta do ônibus. Pareceu meio intrigada, depois me deu o que interpretei como um sorriso complacente.

— Ah, que ótimo, Louisa. Como eu disse, avise a sua mãe que apareço amanhã.

* * *

Todos os dias, enquanto Will assistia a TV ou estava ocupado com alguma outra coisa, eu usava o computador dele para procurar o programa mágico que Deixaria Will Feliz. Mas o tempo foi passando e vi que a lista de coisas que não podíamos fazer e de lugares a que não podíamos ir estava maior do que a lista do que podíamos efetivamente fazer. Com isso, voltei às salas de bate-papo virtual e pedi sugestões.

Olá!, escreveu Ritchie. *Bem-vinda ao nosso mundo, Abelha.*

Nos bate-papos seguintes, aprendi que ficar bêbado numa cadeira de rodas tem seus próprios riscos, pode-se inclusive enfrentar problemas com o cateter, cair na calçada e ser levado para a casa errada por outros bêbados. Aprendi também que não há um lugar onde os não cadeirantes sejam mais ou menos prestativos, mas que Paris era a cidade menos amigável do mundo para tetraplégicos. Isso me deixou um pouco decepcionada, pois um pedacinho otimista de mim ainda esperava que fossemos lá.

Comecei a preparar uma nova lista: coisas que não se pode fazer com um tetraplégico.

1. Andar de metrô (a maioria das estações não tem elevador), o que excluía metade dos programas em Londres, a menos que fôssemos de táxi.
2. Nadar sem ajuda e quando a temperatura estiver provocando arrepios minutos após sair da água. Os espaços para deficientes físicos trocarem de roupa não adiantam muito se a piscina não tiver um elevador. Mas claro que Will não aceitaria entrar numa piscina com elevador.
3. Ir ao cinema, a menos que reserve antes um lugar na frente, ou que os espasmos de Will não estejam frequentes no dia. Passei no mínimo vinte minutos de cócoras no chão durante *Janela indiscreta*, catando as pipocas que Will involuntariamente jogou para o alto após uma contração do joelho.
4. Ir à praia, a menos que a cadeira seja adaptada com "rodas gordas". A de Will não era.
5. Viajar de avião quando a "cota" para deficientes físicos estiver completa.
6. Fazer compras, a menos que todas as lojas estejam equipadas com as rampas obrigatórias. Muitas lojas ao redor do castelo argumentavam que não podiam instalar rampas por estarem em um prédio histórico. Em alguns casos, era verdade.
7. Ir a qualquer lugar que seja frio ou quente demais (devido aos problemas de temperatura de Will).
8. Ir a qualquer lugar sem se preparar antes (é preciso arrumar as bolsas e conferir o itinerário para saber se há acesso para deficientes).
9. Sair para jantar fora, se a pessoa se incomoda de ser alimentada por outra ou, conforme o estado do cateter, se o banheiro do restaurante tiver escada.

10. Fazer longas viagens de trem (é exaustivo e muito difícil entrar no vagão com uma cadeira motorizada sem ajuda.)
11. Cortar o cabelo depois de tomar chuva (o cabelo gruda nas rodas da cadeira de Will. Foi estranho quando isso ocorreu, e nós dois achamos nojento).
12. Ir à casa de amigos, a menos que tenha rampa de acesso para cadeira de rodas. A maioria das casas tem escada e nada de rampas. A nossa era uma rara exceção. Mas Will dizia que, de qualquer jeito, não havia ninguém que ele quisesse visitar.
13. Descer a colina do castelo com chuva forte (os freios às vezes falhavam e a cadeira era muito pesada para eu segurar).
14. Ir a qualquer lugar onde possa haver bêbados. Will atraía-os. Eles se agachavam ao lado da cadeira, jogavam fumaça de cigarro em cima dele e lançavam longos olhares condoídos. Às vezes, chegavam até a empurrar a cadeira dele para fora.
15. Ir a qualquer lugar onde haja uma multidão. Isso significa que, com a proximidade do verão, passear ao redor do castelo ficou mais difícil e quase todos os lugares aos quais eu planejava ir (feiras temáticas, peças ao ar livre, shows) acabaram sendo descartados.

Em busca de novas ideias, perguntei aos tetraplégicos dos chats o que eles mais gostariam de fazer e a resposta foi quase unânime: sexo. Deram até alguns detalhes não solicitados.

Mas, no fundo, não foi uma grande ajuda. Faltavam oito semanas e eu estava sem ideias.

Dois dias depois da nossa conversa embaixo do varal de roupas, cheguei em casa e encontrei papai em pé no corredor. O que já era estranho por si só, pois, nas últimas semanas, ele passava os dias recluso no sofá, com a desculpa de fazer companhia para o vovô. Mas ele vestia uma camisa passada, fizera a barba e o corredor cheirava a loção pós-barba Old Spice. Eu tinha certeza de que ele tinha esse vidro de loção desde 1974.

— Você chegou.

Fechei a porta de casa.

— Cheguei.

Estava cansada e ansiosa. Tinha passado todo o trajeto do ônibus falando no celular com um agente de viagens sobre possíveis lugares aonde ir com Will, mas ficamos frustrados. Precisava levá-lo para mais longe de casa. Mas parecia não haver um só lugar num raio de oito quilômetros do castelo ao qual ele realmente quisesse ir.

— Você pode preparar seu próprio chá esta noite? — perguntou papai.

— Claro. Devo encontrar Patrick no pub mais tarde. Por quê? — Pendurei meu casaco num gancho.

O armário ficava bem mais vazio sem os casacos de Treena e Thomas.

— Porque vou levar sua mãe para jantar fora.

Fiz alguns cálculos mentalmente.

— Esqueci o aniversário dela?

— Não. Vamos comemorar. — Ele abaixou o tom de voz, como se fosse um segredo. — Arrumei um emprego.

— Mentira! — E então reparei: ele estava radiante. Voltara a ter uma boa postura, o rosto estava marcado pelo sorriso. Parecia anos mais jovem. — Papai, que maravilha.

— Pois é. Sua mãe está nas alturas. E, como você sabe, ela teve uns meses difíceis, com a partida de Treena, os cuidados com seu avô e tudo mais. Por isso quero sair com ela esta noite, fazer um agrado.

— Qual é o trabalho?

— Chefe da manutenção. Lá no castelo.

Pisquei.

— Mas é o lugar...

— Onde o Sr. Traynor trabalha. Isso mesmo. Ele me ligou e disse que estava precisando de uma pessoa e o seu patrão, o Will, tinha dito que eu estava disponível. Estive lá esta tarde, mostrei o que posso fazer e vou ficar um mês em experiência. Começo sábado.

— Você vai trabalhar para o pai de Will?

— Bom, ele disse que o primeiro mês será de experiência, pois preciso atender às exigências e tal, mas falou que não tem dúvidas de que eu irei preencher todas.

— Isso... isso é ótimo — falei. A notícia me deixou um pouco tonta. — Eu nem sabia que tinha uma vaga.

— Nem eu. Mas é maravilhoso. Ele sabe das coisas, Lou. Conversei com ele sobre madeira de carvalho verde e ele me mostrou alguns móveis feitos pelo antigo funcionário. Você não ia acreditar. Foi chocante. Ficou muito impressionado com o meu trabalho.

Papai estava animado como eu não via há meses.

Mamãe apareceu ao lado dele. Tinha passado batom e usava seu melhor par de sapatos de salto alto.

— E ainda tem a van. Seu pai terá sua própria van. E o salário é bom, Lou. Até um pouco maior do que o que ele recebia na fábrica.

Ela o olhava como se ele fosse uma espécie de herói invencível. Quando olhou para mim, percebi que eu devia fazer o mesmo. O rosto de minha mãe podia passar um milhão de recados e aquele dizia que meu pai merecia ter seu grande momento.

— Parabéns, papai. — Dei um abraço nele.

— Bom, você precisa agradecer ao Will. Que grande sujeito. Estou profundamente grato por ele ter se lembrado de mim.

Pude ouvir quando eles saíram, mamãe se ajeitando no espelho do corredor, papai insistindo que ela estava ótima, linda como nunca. Ouvi-o bater nos bolsos à procura das chaves, carteira, troco, e dar risada. A porta então se fechou, o carro deu a partida e só restou o zunido distante da TV no quarto de vovô. Sentei-me na escada. Peguei o celular e liguei para Will.

Demorou um pouco para que ele atendesse. Imaginei-o mexendo no aparelho e apertando a tecla com o dedo.

— Alô?

— É isso o que você estava tramando?

Fez-se uma breve pausa.

— É você, Clark?

— Você arrumou emprego para o meu pai?

Ele pareceu meio ofegante. Pensei, distraída, se estaria bem acomodado.

— Achei que você ia gostar.

— Gostei. Só que... não sei bem. Estou me sentindo esquisita.

— Não devia. Seu pai precisava de trabalho. O meu precisava de alguém eficiente na manutenção.

— É mesmo? — Não consegui evitar o ceticismo na minha voz.

— Por quê?

— Não tem nenhuma ligação com o que você me perguntou no outro dia? Sobre seu pai e a outra mulher?

Houve uma longa pausa. Eu era capaz de vê-lo, na sala, olhando pelas portas envidraçadas do anexo.

Quando ele conseguiu falar, foi cuidadoso.

— Acha que eu ia chantagear meu pai para conseguir um emprego para o seu?

Posto dessa forma, parecia um despropósito.

Sentei-me outra vez.

— Desculpe. Não sei, só achei estranho. O *timing*. É tudo meio conveniente.

— Então, alegre-se, Clark. É uma boa notícia. Seu pai vai se sair muito bem. E isso significa... — Ele hesitou.

— Significa o quê?

— ...que um dia você poderá sair de casa e viajar pelo mundo sem se preocupar se seus pais conseguirão se sustentar.

Senti como se ele tivesse me dado um soco. Todo o ar deixou os meus pulmões.

— Lou?

— Sim?

— Você está quieta demais.

— Estou... — Engoli em seco. — Desculpe. Estava distraída. Vovô está me chamando. Mas, obrigada por... recomendá-lo.

Eu tinha de desligar. Porque de repente um enorme nó se formou na minha garganta e eu não sabia se seria capaz de dizer mais alguma coisa.

Andei até o pub. Havia um perfume de flores no ar e as pessoas na rua sorriam ao passar por mim. Não consegui retribuir a um cumprimento sequer. Mas sabia que não podia ficar em casa, sozinha com meus pensamentos. Achei os Tratores do Triatlo na cervejaria, haviam juntado duas mesas num canto, braços e pernas surgindo em rosadas curvas sinuosas. Recebi alguns acenos educados (nenhum por parte das mulheres) e Patrick se levantou, abrindo um lugarzinho para mim a seu lado. Percebi que eu realmente gostaria que Treena estivesse por ali.

O pub estava cheio com aquela peculiar mistura inglesa de estudantes berrando e vendedores bebendo depois do expediente, com as mangas da camisa arregaçadas. Aquele era o pub preferido dos turistas e entre as pessoas falando inglês havia uma diversidade de sotaques: italiano, francês, americano. À esquerda, podia-se avistar o castelo e — exatamente como em todos os verões — os turistas fazendo fila para tirar fotos na frente dele.

— Não esperava que você fosse aparecer. Quer uma bebida?

— Daqui a pouco. — Eu só queria ficar um pouco ali sentada, descansar a cabeça no ombro de Patrick. Queria me sentir como sempre: normal, despreocupada. Não queria pensar na morte.

— Quebrei meu recorde de melhor tempo hoje. Vinte e cinco quilômetros em apenas setenta e nove minutos e dois décimos.

— Que legal.

— Chegando lá, hein, Pat? — festejou alguém.

Patrick levantou os dois punhos e fez um ruído de carro acelerando.

— Isso é ótimo. De verdade. — Tentei parecer contente por ele.

Tomei uma cerveja, depois outra. Ouvi conversas a respeito de quilometragem, joelhos ralados e hipotermia no nado. Parei de prestar atenção neles e observei as outras pessoas ali no pub, imaginando como seria a vida delas. Cada uma devia ter fatos importantes na família: bebês desejados e perdidos, grandes segredos, alegrias e tragédias. Se eles podiam deixar tudo isso de lado para curtir uma noite alegre num pub, eu também podia.

Então contei para Patrick do trabalho que papai arrumou. Ele fez uma cara meio parecida com a que eu devia ter feito. Tive de repetir para ele confirmar que tinha ouvido direito.

— É... muito legal. Vocês dois trabalhando para ele.

Tive vontade de contar para ele, tive mesmo. Queria explicar que tudo isso estava ligado à minha batalha para manter Will vivo. E o medo que tinha por achar que Will queria comprar a minha liberdade. Mas sabia que não podia dizer nada. E manter o resto em segredo também, enquanto fosse possível.

— Hum... tem mais uma coisa. Will disse que posso ficar no quarto vazio da casa dele quando precisar. Para acabar com esse problema de onde dormir lá em casa.

Patrick me olhou.

— Vai ficar na casa dele?

— Talvez. É uma ótima proposta, Pat. Você sabe como tem sido lá em casa. E você nunca está aqui. Gosto de ficar no seu apartamento, mas... para ser sincera, não é a minha casa.

Ele continuava me encarando.

— Então transforme em sua casa.

— Como assim?

— Mude-se para lá. Faça do meu apartamento a sua casa. Leve as suas coisas para lá. As suas roupas. Já estava na hora de morarmos juntos.

Só mais tarde, quando pensei sobre o assunto, percebi que ele parecia bem triste ao dizer isso. Não pareceu um cara que finalmente entendeu que não podia viver longe da namorada e decidiu concretizar a feliz união de duas vidas. Ele parecia ter sido derrotado por alguém mais esperto.

— Quer mesmo que eu me mude para lá?

— Quero, claro. — Ele coçou a orelha. — Quer dizer, não estou falando para nós nos casarmos, nem nada. Mas faz sentido você se mudar, não?

— Seu romântico.

— Garanto, Lou, está na hora. Deve estar na hora há tempos, mas vivo enrolado com uma coisa ou outra. Mude-se para lá, vai ser bom. — Ele me deu um abraço. — Vai ser muito bom.

À nossa volta, os Tratores do Triatlo tinham diplomaticamente continuado a conversa. Um grupo de turistas japoneses soltou um pequeno grito de empolgação ao conseguir a foto que queria. Os passarinhos cantavam, o sol se punha no horizonte, o mundo girava. Eu queria participar daquilo tudo, e não ficar enfiada num quarto silencioso, preocupada com um homem numa cadeira de rodas.

— Sim — respondi —, vai ser bom.

17

O pior de se trabalhar como cuidadora não é o que as pessoas pensam. Não é carregar e limpar a pessoa, os remédios e os lenços de limpeza e o distante, mas de algum modo sempre perceptível, cheiro de desinfetante. Não é nem o fato de quase todo mundo achar que você faz isso porque não tem inteligência suficiente para fazer qualquer outra coisa. O pior é o fato de que, quando se passa o dia inteiro num estado de real proximidade com outra pessoa, não há como escapar do estado de humor dela. E nem do seu próprio.

Will ficou distante a manhã toda, desde que contei dos meus planos. Nada que uma pessoa de fora pudesse detectar, mas houve menos piadas, talvez a conversa tenha sido menos casual. Ele não perguntou nada a respeito das notícias dos jornais naquele dia.

— É isso... que você quer fazer? — Os olhos se agitavam, mas o rosto não demonstrava nada.

Dei de ombros. Depois, fiz que sim com a cabeça de maneira bem enfática. Achei que minha resposta tinha algo de descaso infantil.

— Realmente, está na hora. Quer dizer, eu tenho *vinte e sete* anos — falei.

Ele observou meu rosto. Algo se retesou em seu maxilar.

De repente, eu me senti insuportavelmente cansada. Tive aquela sensação peculiar de precisar me desculpar, mas sem saber bem por quê.

Will fez um pequeno aceno com a cabeça, sorriu.

— Fico feliz que você tenha resolvido isso — disse ele, e levou a cadeira para a cozinha.

Comecei a ficar bem chateada com ele. Nunca havia me sentido tão julgada quanto me senti, naquele momento, por Will. Foi como se eu ficasse menos interessante para ele por ter decidido ir morar com o meu namorado. Como se eu não pudesse mais ser o projeto preferido de Will. Eu não podia dizer nada disso para ele, é claro, mas agi tão friamente com ele quanto ele comigo.

E isso foi, sinceramente, exaustivo.

À tarde, bateram à porta dos fundos do anexo. Segui rápido pelo corredor, as mãos ainda molhadas de lavar louça, abri a porta e vi um homem de terno escuro e uma maleta na mão.

— Ah, não. Nós somos budistas — disse firmemente, fechando a porta quando o homem começou a protestar.

Duas semanas antes, duas Testemunhas de Jeová tinham alugado Will na porta dos fundos por quase quinze minutos, enquanto ele tentava dar marcha a ré na cadeira por cima do capacho, que estava fora do lugar. Quando finalmente fechei a porta, eles abriram a caixa do correio e berraram que "ele, mais do que ninguém", deveria entender o que o estava esperando depois da morte.

— Hum... estou aqui para falar com o Sr. Traynor — disse o homem, e eu abri a porta com cautela.

Durante todo o tempo em que trabalhei na Granta House, ninguém procurou por Will pela porta dos fundos.

— Deixe-o entrar — disse Will, surgindo atrás de mim. — Pedi que ele viesse. — Quando continuei parada ali, ele acrescentou: — Está tudo bem, Clark... é um amigo.

O homem deu um passo adiante, ultrapassando o limiar da porta, estendeu a mão e me cumprimentou.

— Michael Lawler — disse ele.

Estava prestes a dizer mais alguma coisa, mas Will pôs a cadeira entre nós, cortando efetivamente qualquer provável conversa.

— Vamos ficar na sala. Pode nos fazer um café e depois nos deixar a sós um pouco?

— Hum... certo.

O Sr. Lawler sorriu de forma um pouco esquisita para mim e seguiu Will até a sala. Quando, minutos depois, entrei com a bandeja de café, eles falavam sobre críquete. A conversa sobre ataques e defesas no jogo continuou até eu não ter mais motivo para espiar.

Tirei uma poeira invisível da minha saia, endireitei-me e disse:

— Bom, vou me retirar.

— Obrigado, Louisa.

— Tem certeza de que você não precisa de mais nada? Biscoitos?

— Obrigado, Louisa.

Will jamais me chamava de Louisa. E nunca havia me excluído de nada antes.

O Sr. Lawler ficou por quase uma hora. Executei minhas tarefas, depois fiquei por ali, na cozinha, pensando se tinha coragem de escutar escondido o que eles diziam. Não tinha. Sentei-me, comi dois biscoitos de chocolate recheados, roí as unhas, ouvi o murmúrio da conversa deles e pensei pela décima quinta vez por que Will tinha pedido ao homem que não usasse a porta da frente.

Não parecia um médico. Podia ser consultor financeiro, mas de algum jeito ele não tinha exatamente o ar de quem desempenhava essas funções. Certamente também não parecia ser fisioterapeuta, terapeuta ocupacional ou nutricionista — nem nenhum integrante das legiões de pessoas da secretaria de saúde local que apareciam e avaliavam os custos das necessidades sempre mutantes de Will. Dava para reconhecê-las a quilômetros de distância. Pareciam sempre exaustos, mas eram forçosa e agitadamente animados. Usavam meias de lã em cores neutras, sapatos baixos de sola de borracha e dirigiam empoeirados carros corporativos, cheios de pastas e caixas de equipamentos. Mas o Sr. Lawler tinha uma BMW azul-marinho. Seu reluzente modelo executivo não era o tipo de carro que uma autoridade local usaria.

Por fim, o Sr. Lawler apareceu. Fechou a pasta e seu paletó pendia do braço. Tinha deixado de parecer esquisito.

Segundos depois, eu estava no corredor.

— Ah, poderia me mostrar onde fica o banheiro?

Mostrei o caminho, muda, e fiquei ali, inquieta, até ele aparecer.

— Bom, é só isso.

— Obrigado, Michael— disse Will, sem olhar para mim. — Espero notícias.

— Devo entrar em contato no final desta semana — disse o Sr. Lawler.

— Por e-mail será melhor que por carta. Ao menos por ora.

— Sim. Claro.

Abri a porta dos fundos para ele sair. Então, quando Will sumiu na sala, segui o homem pelo quintal e disse, alegremente:

— Então... o senhor tem um longo caminho de volta?

O terno dele era muito bem cortado, com um estilo urbano e um tecido de aparência cara.

— Venho de Londres, infelizmente. Espero que o tráfego não esteja muito ruim a esta hora da tarde.

Saí atrás dele. O sol estava alto no céu e precisei estreitar os olhos para vê-lo.

— Então... hum... onde o senhor fica, em Londres?

— Regent Street.

— A Regente Street? Ótimo.

— É. Não é ruim. Certo. Obrigado pelo café, senhorita...

— Clark. Louisa Clark.

Ele parou e me olhou um instante, e fiquei pensando se ele tinha percebido minhas tentativas impróprias de saber quem ele poderia ser.

— Ah. Srta. Clark — disse ele, seu sorriso profissional suavemente reinstalado. — Obrigado de todo modo.

Ele pousou a pasta com cuidado no assento de trás do carro, entrou e foi embora.

Naquela noite, quando ia para a casa de Patrick, dei uma parada na biblioteca. Eu poderia ter usado o computador dele, mas ainda me sentia como se precisasse pedir, e ir à biblioteca apenas parecia mais fácil. Sentei-me no terminal e digitei "Michael Lawler" e "Regent Street, Londres" no site de buscas. *Informação é poder, Will,* disse eu, silenciosamente.

Foram 3.290 resultados, sendo que os três primeiros mostraram "Michael Lawler, advogado, especialista em testamentos, certidões e procurações judiciais", que ficava naquela mesma rua. Olhei para a tela durante alguns minutos, digitei o nome dele novamente, dessa vez buscando por imagens, e lá estava ele, em algum tipo de conferência, usando um terno escuro — Michael Lawler, especialista em testamentos e certidões, o mesmo homem que ficara uma hora com Will.

Eu me mudei para o apartamento de Patrick naquela noite, na uma hora e meia entre o fim do meu expediente e a saída dele para o treino. Peguei tudo, menos a cama e as cortinas novas. Ele veio com o carro e carregamos os meus pertences em sacos plásticos de lixo. Em duas viagens, levamos tudo para o apartamento dele — exceto meus livros escolares, que estavam no sótão.

Mamãe chorou, achou que estava me expulsando.

— Pelo amor de Deus, querida. Está na hora de ela sair de casa. Tem vinte e sete anos — papai lhe disse.

— Ela ainda é o meu bebê — lastimou mamãe, me entregando duas latas cheias de bolo de frutas e uma sacola com produtos de limpeza.

Fiquei sem saber o que falar. Eu nem gosto de bolo de frutas.

Foi surpreendentemente fácil colocar minhas coisas no apartamento de Patrick. Ele quase não tinha nada mesmo, nem eu, depois de anos morando no quartinho. O único incidente foi por causa da minha coleção de CDs, que aparentemente só poderia se juntar à dele depois que eu colasse etiquetas na parte de trás das caixinhas e a colocasse em ordem alfabética.

— Fique à vontade — repetia ele, como se eu fosse uma espécie de visita.

Estávamos nervosos, estranhamente sem jeito um com o outro, como duas pessoas num primeiro encontro. Enquanto eu desempacotava as coisas, ele me trouxe chá e disse:

— Pensei que esta poderia ser a sua caneca. — Mostrou o lugar de tudo na cozinha e disse várias vezes: — Claro, ponha as coisas aonde quiser. Eu não ligo.

Ele tinha esvaziado duas gavetas e o guarda-roupa do quarto extra. As outras duas gavetas estavam cheias com suas roupas de ginástica. Eu não sabia que havia tantas combinações entre lycra e *fleece*. Minhas roupas loucamente coloridas deixaram muitos centímetros de espaço ainda vazio, os cabides de arame ficaram balançando pesarosamente no closet.

— Preciso comprar mais roupa só para encher o armário — constatei, olhando lá para dentro.

Ele riu, nervoso.

— O que é isso?

Estava apontando para o meu calendário, pregado na parede do quarto extra, com as ideias em verde e os programas já marcados em preto. Quando alguma coisa tinha dado certo (música, degustação de vinhos), eu colocava uma cara sorridente na data. Quando não tinha (corrida de cavalos, galerias de arte), deixava vazio. As duas semanas seguintes tinham poucos programas — Will estava cansado dos lugares próximos e eu ainda não o convencera a ir mais longe. Dei uma olhada em Patrick. Eu podia vê-lo examinar o dia 12 de agosto, que estava sublinhado e tinha pontos de exclamação em preto.

— Hum... é para lembrar do meu trabalho.

— Acha que o seu contrato não será renovado?

— Não sei, Patrick.

Patrick retirou a tampa da caneta, olhou o mês seguinte e rabiscou embaixo de onde se lia 28ª semana: "Hora de começar a procurar emprego."

— Desse jeito você está preparada para qualquer coisa que aconteça — disse ele. Deu-me um beijo e saiu do quarto.

Coloquei meus cremes de beleza cuidadosamente no banheiro, guardei os aparelhos de barbear, os hidratantes e absorventes de forma organizada no armário do banheiro. Coloquei alguns livros em uma fileira arrumada no chão do quarto extra, sob a janela, inclusive os novos, que Will tinha encomendado para mim na Amazon. Patrick prometeu instalar prateleiras quando tivesse tempo.

E então, quando ele saiu para correr, sentei-me e olhei as fábricas na direção do castelo e ensaiei dizer a palavra *casa*, silenciosamente, sob minha respiração.

Sou bastante incompetente para guardar segredos. Treena diz que eu toco no nariz assim que penso em contar uma mentira. É uma dica bastante certeira. Meus pais ainda riem da época em que eu mesma escrevia bilhetes justificando a falta na escola. "Cara Srta. Trowbridge. Por favor, dispense Louisa Clark das aulas hoje, pois estou muito indisposta devido a problemas femininos." Papai se esforçava para ficar sério quando deveria estar me descascando.

Uma coisa era não contar os planos de Will para meus pais — eu era boa em guardar segredos deles (afinal, é algo que aprendemos à medida em que crescemos) —, mas lidar com a minha própria ansiedade era uma coisa completamente diferente.

Passei as noites seguintes tentando saber o que Will pretendia fazer e o que eu poderia fazer para impedi-lo, pensava nisso até enquanto conversava com Patrick, cozinhando juntos na pequena cozinha (eu já estava descobrindo coisas novas sobre ele — por exemplo, ele realmente *sabia* preparar mil pratos diferentes com peito de peru). À noite, fazíamos amor, o que parecia quase obrigatório no momento, como se tivéssemos de aproveitar por completo a nossa liberdade. Era como se Patrick achasse que eu tinha uma dívida com ele, já que eu estava sempre fisicamente perto de Will. Mas, assim que ele dormia, eu me perdia em pensamentos novamente.

Só faltavam sete semanas.

E Will estava fazendo planos, mesmo que eu não estivesse.

Na semana seguinte, se Will notou minha preocupação, não disse nada. Cumprimos nossas rotinas diárias — levei-o de carro para dar breves passeios no campo, preparei suas refeições, cuidei dele quando estávamos em casa. Ele não fazia mais piadas sobre o Corredor.

Comentei os livros mais recentes que ele tinha recomendado: lemos *O paciente inglês* (adorei esse) e um suspense sueco (do qual não gostei). Fomos simpáticos um com outro, quase excessivamente educados. Senti falta das agressões, do mau humor dele — aquela ausência apenas se somou à sensação ameaçadora que se avultava sobre mim.

Nathan nos olhava como se estivesse observando algum tipo de espécie nova.

— Vocês dois brigaram? — perguntou um dia na cozinha, quando eu desempacotava as compras.

— Melhor perguntar para ele — respondi.

— Foi exatamente o que ele disse.

Nathan me olhou de soslaio e sumiu no banheiro para destrancar o armário de remédios de Will.

Levei três dias depois da visita de Michael Lawler para ligar para a Sra. Traynor. Perguntei se podíamos nos encontrar em algum lugar fora da casa e marcamos num pequeno café, recém-inaugurado nos jardins do castelo. O mesmo café que, ironicamente, tinha custado o meu emprego anterior.

Era um lugar bem mais sofisticado que o The Buttered Bun — todo de carvalho, com mesas e cadeiras de madeira patinada. Servia sopa caseira com legumes de verdade e bolos chiques. E você não conseguia beber um café simples, só *latte*, *cappuccino* ou *macchiato*. Não havia ali operários, nem funcionários do salão de beleza. Sentei-me e bebi vagarosamente meu chá, imaginando se a Sra. Dente-de-Leão se sentiria confortável o suficiente para se sentar ali e ler o jornal a manhã inteira.

— Louisa, desculpe meu atraso. — Camilla Traynor entrou de repente, a bolsa enfiada embaixo do braço, vestida com uma blusa de seda cinza e calça azul-marinho.

Contive o impulso de me levantar. Sempre que eu falava com ela, tinha a impressão de estar participando de uma espécie de entrevista.

— Fiquei presa no tribunal.

— Eu que peço desculpas. Por obrigá-la a sair do trabalho, quero dizer. Só achei que... bom, achei que não dava para esperar.

Ela ergueu a mão e falou algo com a garçonete, que trouxe um *cappuccino* em segundos. Então sentou-se à minha frente. Seu olhar fez com que eu me sentisse transparente.

— Will chamou um advogado — falei. — Descobri que ele é especialista em testamentos e certidões.

Não consegui uma maneira mais delicada de iniciar a conversa.

Parecia que eu tinha lhe dado um tapa na cara. Percebi, tarde demais, que, na verdade, ela estava esperando que eu lhe dissesse alguma coisa boa.

— Advogado? Tem certeza?

— Procurei por ele na internet. Tem escritório na Regent Street. Em Londres — acrescentei, sem necessidade. — Chama-se Michael Lawler.

Ela piscou forte, como se tentasse entender.

— Will contou isso a você?

— Não. Acho que não queria que eu soubesse. Eu... eu descobri o nome do advogado e investiguei.

O café chegou. A garçonete colocou-o diante da Sra. Traynor, mas ela pareceu nem notar.

— Mais alguma coisa? — perguntou a garçonete.

— Não, obrigada.

— A sugestão do dia é bolo de cenoura. Feito aqui mesmo. Com um delicioso recheio de creme...

— *Não* — disse a Sra. Traynor, ríspida. — Obrigada.

A moça ficou ali por tempo suficiente para nos mostrar que ficou ofendida e então se retirou, seu bloco balançando visivelmente em uma das mãos.

— Desculpe — disse eu. — Você tinha dito que eu deveria avisar tudo o que fosse importante. Passei metade da noite acordada, pensando se deveria contar ou não.

O rosto dela parecia lívido.

Eu sabia como ela se sentia.

— Como ele está? Você... você teve outras ideias? Passeios?

— Ele não dá a mínima. — Contei a ela sobre Paris e sobre a lista de coisas que eu tinha compilado.

À medida que eu falava, podia ver, diante de mim, sua mente trabalhando, calculando, avaliando.

— Qualquer lugar — disse ela. — Eu pago. A viagem que você quiser. Pago para você. Para Nathan. Apenas veja... veja se você consegue convencê-lo a ir.

Fiz que sim com a cabeça.

— Se há algo em que conseguir pensar... só para ganharmos mais tempo. Pagarei seu salário além dos seis meses de contrato, claro.

— Isso... isso não é problema.

Terminamos os cafés em silêncio, as duas perdidas em pensamentos. Enquanto a observava, disfarçadamente, reparei que seu cabelo imaculadamente bem-cuidado estava agora salpicado de fios brancos, os olhos tinham tantas olheiras quanto os meus. Percebi que não me senti melhor por ter contado a ela, por transferir minha preocupação para ela — mas que escolha eu tinha? As apostas estavam aumentando a cada dia. O som do relógio batendo duas horas pareceu tirá-la de um transe.

— Preciso voltar ao trabalho. Por favor, avise-me sobre qualquer coisa em que você... em que você consiga pensar, Louisa. É melhor que essas conversas sejam fora do anexo.

Levantei-me.

— Ah, a senhora vai precisar do meu novo telefone. Acabo de me mudar. — Enquanto ela procurava uma caneta na bolsa, acrescentei: — Mudei-me para a casa de Patrick... meu namorado.

Não sei por que essa notícia a deixou tão surpresa. Ela pareceu espantada, e me entregou a caneta.

— Não sabia que você tinha namorado.

— Não sabia que precisava lhe contar.

Ela se levantou, uma das mãos apoiada na mesa.

— Outro dia, Will comentou que... você poderia se mudar para o anexo. Nos fins de semana.

Rabisquei o telefone da casa de Patrick.

— Bem, achei que seria mais simples para todo mundo se eu me mudasse para a casa de Patrick. — Entreguei a ela o pedaço de papel com o telefone. — Mas não fica muito longe. É bem ao lado da área industrial. Não vai atrapalhar minha carga horária. Nem a minha pontualidade.

Ficamos paradas ali. A Sra. Traynor parecia agitada, sua mão corria pelos cabelos, segurava a corrente no pescoço. Por fim, como se não conseguisse se conter, ela falou sem pensar:

— Teria doído muito esperar? Só umas poucas semanas?

— Como?

— Will... acho que Will gosta muito de você. — Ela mordeu o lábio. — Não sei... não sei como isso pode ajudar.

— Espere um pouco. Está insinuando que eu não deveria ter me mudado para a casa do meu namorado?

— Eu disse apenas que o momento não foi o ideal. Will está num estado muito vulnerável. Estamos fazendo de tudo para deixá-lo otimista... e você...

— Eu o quê? — Eu podia ver a garçonete nos observando, o bloco parado na mão. — Eu o quê? Ousei ter uma vida fora do trabalho?

Ela abaixou a voz.

— Estou fazendo tudo o que posso, Louisa, para impedir essa... coisa. Sabe o que estamos enfrentando. E estou apenas dizendo que eu preferiria, uma vez que Will gosta muito de você, que você tivesse esperado mais um pouco para esfregar sua... felicidade na cara dele.

Eu não podia acreditar no que estava ouvindo. Senti meu rosto ficar vermelho e respirei fundo antes de falar de novo.

— Como ousa sugerir que eu poderia fazer alguma coisa para magoar Will? Fiz de tudo — sibilei. — Fiz tudo em que pude pensar. Dei ideias, levei-o para passear, conversei com ele, li para ele, cuidei dele. — As últimas palavras explodiram do meu peito. — Arrumei as coisas dele. Troquei o maldito cateter. Fiz ele rir. Fiz mais do que a sua maldita família tinha feito.

A Sra. Traynor ficou paralisada. Empertigou-se, colocou a bolsa embaixo do braço.

— Acho que essa conversa provavelmente terminou, Srta. Clark.

— Sim. Sim, Sra. Traynor. Acho que ela provavelmente terminou.

Ela se virou e saiu rapidamente do café.

Quando a porta se fechou com uma batida, percebi que eu também tremia.

A conversa com a Sra. Traynor continuou me atormentando nos dias que se seguiram. Eu continuava ouvindo suas palavras, a ideia de que eu estava *esfregando a minha felicidade na cara dele*. Não achei que Will pudesse ser afetado por nada do que eu fizesse. Quando ele pareceu ficar contrariado a respeito da minha decisão de me mudar para o apartamento de Patrick, pensei que era porque ele não gostava de Patrick, e não porque ele nutrisse qualquer sentimento por mim. E, o que era mais importante: não acho que eu tenha parecido estar especialmente feliz.

Em casa, eu não conseguia afastar essa sensação de ansiedade. Era como se uma corrente de baixa tensão passasse por mim e se alimentasse de tudo o que eu fazia. Perguntei a Patrick:

— Será que moraríamos juntos se minha irmã não tivesse precisado do meu quarto?

Ele me olhou como se eu fosse maluca. Inclinou-se para mim e me puxou para perto, dando um beijo no alto da minha cabeça. Depois, olhou para baixo:

— Precisa usar esse pijama? Detesto você de pijama.

— É confortável.

— Parece uma roupa que a minha mãe usaria.

— Não vou usar corpete e cinta-liga toda noite só para agradá-lo. E você não respondeu a minha pergunta.

— Não sei. Talvez. Sim.

— Mas não estávamos falando sobre isso, estávamos?

— Lou, a maioria das pessoas vai morar junto porque é mais sensato. Você pode amar alguém e ainda assim ver as vantagens práticas e financeiras.

— Eu só... não quero que pense que eu forcei isso. Não quero me sentir como se tivesse forçado isso.

Ele suspirou e deitou-se de costas.

— Por que as mulheres têm sempre que remoer as coisas até que elas virem um problema? Eu amo você, você me ama, estamos juntos há quase sete anos e não tinha mais lugar na casa dos seus pais. Na verdade, é bem simples.

Mas eu não sentia que era assim.

Parecia que eu estava vivendo uma coisa que não tinha tido a chance de planejar.

Naquela sexta-feira, choveu o dia todo — uma chuva morna, pesada, como se estivéssemos nos trópicos, fazendo os canos gorgolejarem e inclinando os arbustos floridos, como se eles suplicassem. Will olhava pelas janelas como um cachorro impedido de passear. Nathan chegou e saiu, com uma sacola plástica protegendo a cabeça. Will assistiu a um documentário sobre pinguins, e depois disso, enquanto ele ficava no computador, procurei me manter ocupada, para que não precisássemos conversar. Notei que o mal-estar entre nós era gritante e ficar no mesmo ambiente que ele o tempo todo só piorava a situação.

Eu tinha, finalmente, entendido o conforto que uma boa faxina oferecia. Espanava, limpava janelas e trocava edredons. Estava sempre em um turbilhão de atividades. Nenhum cisco de poeira me escapava, nenhuma marca de xícara fugia do meu exame atento. Estava limpando as torneiras do banheiro, usando papel absorvente da cozinha encharcado com vinagre (dica da minha mãe) quando ouvi a cadeira de Will atrás de mim.

— O que está fazendo?

Eu estava debruçada na banheira. Não me virei.

— Estou tirando as manchas das suas torneiras.

Eu podia sentir o olhar dele.

— Repita — disse ele, depois de um momento.

— O quê?

— Repita.

Eu me endireitei.

— Por quê, está ouvindo mal? Estou tirando as manchas das suas torneiras.

— Não, só queria que você ouvisse o que está dizendo. Não tem por que tirar as manchas das minhas torneiras, Clark. Minha mãe não vai notar, eu não ligo e esse produto está fazendo o banheiro feder como um restaurante de *fish and chips*. Além do mais, eu gostaria de sair.

Afastei um cacho de cabelo do rosto. Era verdade. O ar cheirava exatamente como um hadoque gigante.

— Vamos. Finalmente parou de chover. Acabo de falar com meu pai. Ele disse que vai nos dar as chaves do castelo após as cinco horas, quando todos os turistas vão embora.

Não gostei muito da ideia de conversarmos educadamente durante um passeio pelos jardins do castelo. Mas a ideia de sair do anexo era sedutora.

— Certo. Preciso de cinco minutos. Tenho que tirar o cheiro de vinagre das mãos.

A diferença entre a minha educação e a de Will era que ele desfrutava daquilo que tinha de maneira leviana. Quem foi educado como ele, com pais ricos, numa casa bacana, frequentou boas escolas e ótimos restaurantes, como era o caso, é claro, provavelmente tem a impressão de que as coisas boas se encaixam e que você goza de uma posição naturalmente superior no mundo.

Will escapulira para os jardins vazios do castelo a infância inteira, como ele mesmo me contou. O pai deixava-o perambular pelo lugar, confiando em que ele não tocaria em nada. Depois das cinco e meia da tarde, quando o último turista tinha saído, os jardineiros começavam a podar e arrumar as plantas, os faxineiros esvaziavam as latas de lixo e varriam as caixas de bebidas vazias e as embalagens de bala toffee, e então o lugar todo se transformava em seu parque de diversões particular. Quando me contou isso, pensei que, se Treena e eu tivéssemos tido a liberdade do castelo só para nós, ficaríamos incrédulas, dando socos no ar e girando por todo lado.

— Meu primeiro beijo em uma garota foi na frente da ponte levadiça — disse ele, diminuindo a marcha da cadeira para olhar a tal ponte à medida que percorríamos a trilha de cascalho.

— Você disse a ela que este lugar era seu?

— Não. Talvez devesse ter dito. Ela me trocou pelo garoto que trabalhava no minimercado uma semana depois.

Virei-me e olhei para ele, chocada.

— Terry Rowlands? Um garoto de cabelo preto comprido, tatuagens nos cotovelos?

Ele ergueu uma sobrancelha.

— Ele mesmo.

— Ele ainda trabalha lá, sabe. No minimercado. Se isso o faz se sentir melhor.

— Acho que ele não vai sentir muita inveja de como fiquei — disse Will, e parou de falar novamente.

Era estranho ver o castelo daquele jeito, em silêncio, nós dois sendo os únicos ali, além do solitário jardineiro, ao longe. Em vez de olhar os turistas, de me distrair com os sotaques e suas vidas estrangeiras, eu me peguei olhando para o castelo talvez pela primeira vez e comecei a assimilar um pouco da história daquele lugar. Seus muros de pedra estavam ali havia mais de oitocentos anos. Ali tinha nascido e morrido gente, corações tinham se enchido de paixão e se partido. Agora, no silêncio, você quase pode ouvir a voz deles, seus passos na trilha.

— Muito bem, hora da confissão — comecei. — Você nunca andou por aqui e fez de conta que era um príncipe guerreiro?

Will me olhou de esguelha.

— Sinceramente?

— Claro.

— Sim. Uma vez, até peguei uma das espadas que ficam na parede do Grande Salão. Pesava uma tonelada. Lembro que fiquei apavorado de não conseguir erguê-la para colocá-la de volta no suporte.

Estávamos no alto da colina e, de lá, na frente do fosso, víamos a longa extensão do gramado até o muro em ruínas que demarcava o limite da propriedade. Depois dele se estendia a cidade, os anúncios em néon e as filas do trânsito, a agitação que caracterizava a hora do rush na pequena cidade. Ali no alto, havia silêncio, exceto pelos pássaros e o suave zumbido da cadeira de Will.

Ele parou a cadeira por um momento e girou-a para olharmos para o gramado.

— Estranho nunca termos nos encontrado — disse ele. — Quando eu era menino, quero dizer. Nossos caminhos devem ter se cruzado.

— Por quê? Não frequentávamos os mesmos círculos. E eu devo ter sido o bebê que passou no carrinho enquanto você empunhava a espada.

— Ah, esqueci... eu sou definitivamente um ancião se comparado a você.

— Oito anos certamente o qualificam como alguém "mais velho" — respondi. — Mesmo quando eu era adolescente, meu pai jamais me deixaria sair com um homem mais velho.

— Nem se ele tivesse seu próprio castelo?

— Bom, isso poderia mudar as coisas, obviamente.

O doce aroma da grama se erguia ao nosso redor à medida em que caminhávamos, a cadeira de Will sibilando pelas poças do caminho. Senti um alívio. Nossa conversa não era a mesma de sempre, mas talvez fosse de se esperar. A Sra. Traynor tinha razão — devia ser sempre difícil para Will ver as outras pessoas seguindo com sua vida. Fiz uma observação mental para me lembrar de pensar com mais cuidado sobre como minhas atitudes poderiam impactar a vida dele. Não queria mais me irritar.

— Vamos percorrer o labirinto. Não faço isso há séculos.

Fui arrancada dos meus pensamentos.

— Ah. Não, obrigada. — Dei uma olhada, notando de repente onde estávamos.

— Por quê? Tem medo de se perder? Vamos lá, Clark. Será um desafio para você. Veja se consegue decorar o caminho de ida, então, depois, é só fazer o caminho contrário para voltar. Vou cronometrar seu tempo. Eu sempre fazia isso.

Lancei um olhar para trás, em direção à casa.

— Eu realmente prefiro não ir. — Só de pensar naquilo, fiquei com um nó no estômago.

— Ah. Mantendo-se na zona de conforto de novo.

— Não é isso.

— Está bem. Faremos nossa caminhada chata e voltaremos para o pequeno anexo chato.

Sei que ele estava brincando. Mas alguma coisa em seu tom realmente me pegou. Pensei em Deirdre no ônibus, o comentário de como era bom que uma das filhas ficasse em casa. Eu estava destinada a ter uma vidinha, minhas ambições eram insignificantes.

Dei uma olhada no labirinto com suas escuras e densas sebes bem-aparadas. Eu estava sendo ridícula. Talvez estivesse me comportando de forma ridícula havia anos. Afinal, tudo aquilo tinha acabado. E eu estava seguindo em frente.

— Basta se lembrar de cada lado que você escolher, depois fazer o caminho inverso para sair. Não é tão difícil quanto parece. De verdade.

Deixei-o ali na trilha antes que eu pudesse pensar sobre aquilo. Respirei fundo e entrei, passando pela placa que avisava "Proibido a crianças desacompanhadas", caminhando rapidamente por entre as sebes escuras e úmidas, que ainda brilhavam com as gotas de chuva.

Não é tão ruim, não é tão ruim, peguei a mim mesma murmurando. *São só uma porção de velhas sebes.* Virei à direita, depois à esquerda, por um buraco na sebe. Outra vez à direita, à esquerda e, enquanto ia em frente, ensaiava na cabeça o caminho da volta, pensando por onde eu havia passado. *Direita. Esquerda. Buraco. Direita. Esquerda.*

Meu batimento cardíaco começou a aumentar um pouco, por isso eu conseguia ouvir o bombear do sangue em meus ouvidos. Forcei-me a pensar em Will do outro lado da sebe, olhando o relógio. Era só uma prova boba. Eu não era mais aquela garota ingênua. Tinha vinte e sete anos. Morava com o namorado. Tinha um trabalho de responsabilidade. Era outra pessoa.

Virei, segui direto e virei de novo.

E então, saído praticamente do nada, o pânico me invadiu como fel. Achei que tinha um homem andando rápido em minha direção no fim da sebe. Embora eu tenha dito a mim mesma que era só minha imaginação, ter me concentrado para me tranquilizar me fez esquecer as instruções para o caminho de volta. *Direita. Esquerda. Buraco. Direita. Direita?* Eu tinha pegado o caminho errado ali? O ar ficou preso na minha garganta. Eu me obriguei a seguir em frente, apenas para perceber que havia perdido completamente meu senso de orientação. Parei e olhei ao redor, na direção das sombras, tentando descobrir para que lado ficava o oeste.

E fiquei ali até concluir que não podia fazer aquilo. Não podia continuar. Eu me virei rapidamente e comecei a andar para onde achei que era o sul. Eu ia conseguir sair. Tinha vinte e sete anos. O que era ótimo. Mas então, ouvi a voz deles, os risos de zombaria. Vi-os, entrando e saindo dos vãos das sebes rapidamente, senti meus pés balançarem como pés de bêbado nos meus saltos, o inesquecível espetar da sebe quando caí em cima dela, tentando me equilibrar.

— Quero sair já — disse a eles, com voz pastosa e insegura. — Chega.

Todos tinham sumido. O labirinto estava silencioso, havia apenas os sussurros distantes que poderia ser deles do outro lado da sebe — ou poderia ser o vento deslocando as folhas.

— Quero sair já — eu tinha dito, minha voz soando insegura até mesmo para mim. Eu tinha lançado um olhar para o céu, fiquei meio desequilibrada devido ao enorme e escuro espaço acima de mim. E então tinha pulado quando alguém me agarrou pela cintura — o de cabelos escuros. Aquele que tinha ido à África.

— Não pode ir ainda — disse ele. — Vai estragar a brincadeira.

Eu soube, então, só pelo toque de sua mão em minha cintura. Percebi que alguma coisa tinha mudado, que algum tipo de limite tinha começado a evaporar. E ri, empurrada por suas mãos como se fosse uma brincadeira, não querendo que ele soubesse que eu sabia. Eu o ouvi gritar por seus amigos. E escapei dele, correndo de repente, lutando para tentar achar a saída, os pés afundando na grama úmida. Eu escutava todos eles ao meu redor, suas vozes elevadas, seus corpos escondidos, e senti minha garganta se apertar de pânico. Estava desorientada demais para me localizar. As sebes altas continuaram balançando, me espetando. Continuei em frente, virando nas esquinas, tropeçando, olhando esquivamente pelas frestas, tentando me afastar da voz deles. Mas a saída não chegava. Para todo canto que eu virava, havia mais uma extensão de sebe, outra voz zombeteira.

Tropecei numa fresta, exultante por um momento porque estava perto da liberdade. Mas então eu vi que estava de volta ao centro do labirinto, outra vez no lugar onde tinha começado. Eu me encolhi ao vê-los todos parados ali, como se estivem simplesmente à minha espera.

— Aí está você — disse um deles, e sua mão agarrou meu braço. — Eu disse que ela estava pronta para isso. Venha, Lou-Lou, me dê um beijo e eu mostro a saída. — A voz era suave e arrastada.

— Dê um beijo em todos nós e todos nós mostraremos a saída.

A cara deles era um borrão.

— Só quero... só quero que vocês...

— Ora, Lou. Você gosta de mim, não gosta? Passou a tarde toda sentada no meu colo. Um beijo. Custa muito fazer isso?

Ouvi um risinho abafado.

— E você mostra como eu saio daqui? — Minha voz soava patética até para mim.

— Só um beijo. — Ele se aproximou.

Senti sua boca na minha, uma mão apertando minha coxa.

Ele se afastou e ouvi o curso de sua respiração mudar.

— Agora é a vez de Jake.

Não sei o que eu disse então. Alguém segurou meu braço. Ouvi a risada, senti uma mão nos meus cabelos, outra boca na minha, insistente, invasiva e então...

— *Will*...

Eu estava soluçando agora, encolhida.

— *Will* — Eu estava dizendo seu nome várias vezes, minha voz falhava, vindo de algum lugar do meu peito. Ouvi-o num lugar distante, do outro lado da cerca.

— Louisa? Louisa, onde você está? Qual o problema?

Eu estava no canto, o mais embaixo da sebe que consegui. As lágrimas nublavam meus olhos, eu apertava os braços firmemente ao meu redor. Não conseguia sair. Ficaria presa ali para sempre. Ninguém iria me achar.

— Will...

— Onde você...?

E ali estava ele, na minha frente.

— Desculpe. — Olhei para ele com o rosto contraído. — Desculpe. Não consigo... fazer isso...

Will moveu seu braço alguns centímetros, o máximo que conseguia.

— Ah, meu Deus, o quê...? Venha cá, Clark. — Ele se adiantou, depois olhou para o braço, frustrado. — Porcaria inútil... Está tudo bem. Apenas respire. Venha cá. Apenas respire. Devagar.

Sequei os olhos. Ao vê-lo, o pânico começou a diminuir. Levantei-me, insegura, tentei recompor meu rosto.

— Desculpe... não sei o que houve.

— Você tem claustrofobia? — O rosto dele, a centímetros do meu, estava cheio de preocupação. — Vi que você não queria. Eu só... eu só pensei que você estava sendo...

Fechei os olhos.

— Eu só quero ir embora agora.

— Segure a minha mão. Vamos sair.

Ele me tirou de lá em minutos. Conhecia o labirinto pelo avesso, ele disse enquanto caminhávamos, sua voz calma, confiante. Fora um desafio para ele, quando era menino, aprender a sair dali. Entrelacei meus dedos nos dele e senti o calor de sua mão como algo reconfortante. Eu me senti idiota quando percebi que, o tempo todo, estava muito perto da entrada.

Paramos num banco do lado de fora e procurei por um lenço na parte de trás da cadeira. Ficamos lá em silêncio, eu na ponta do banco ao lado dele, nós dois esperando que os meus soluços diminuíssem.

Ele ficou ali, lançando olhares de soslaio para mim.

— Então...? — perguntou, por fim, quando pareceu que eu poderia falar sem desmoronar outra vez. — Pode me dizer o que houve?

Torci o lenço nas mãos.

— Não consigo.

Ele fechou a boca.

Engoli em seco.

— Não foi você — disse eu, apressada. — Não contei a ninguém... É... é bobagem. E faz muito tempo. Não pensei que... que eu fosse...

Senti seus olhos sobre mim, mas eu queria que ele não me olhasse. Minhas mãos não paravam de tremer e meu estômago parecia estar amarrado por um milhão de nós.

Balancei a cabeça, tentando dizer que havia coisas que eu não podia contar. Queria segurar na mão dele outra vez, mas achava que não devia. Estava ciente do seu olhar, quase podia ouvir suas perguntas não feitas.

Atrás de nós, dois carros tinham parado perto dos portões. Duas pessoas saltaram dos carros — dali, era impossível ver quem — e se abraçaram. Ficaram assim um tempo, talvez conversando, depois entraram de novo em seus carros e foram embora em direções opostas. Eu as observei, mas não conseguia pensar. Minha mente parecia congelada. Não sabia mais o que dizer sobre nada.

— Certo. Escute uma coisa — Will falou, por fim. Virei-me, mas ele não estava olhando para mim. — Vou contar uma coisa que não conto a ninguém. Certo?

— Certo. — Apertei o lenço na mão, fazendo dele uma bola, à espera.

Ele respirou fundo.

— Tenho muito, muito medo de como as coisas vão ficar. — Deixou a frase se assentar no ar entre nós e, então, em voz baixa e calma, continuou. — Sei que a maioria das pessoas acha que viver como eu é a pior coisa que pode acontecer. Mas poderia ser pior. Eu poderia não conseguir respirar sozinho, poderia não falar. Poderia ter problemas circulatórios que me obrigariam a amputar braços e pernas. Poderia viver hospitalizado indefinidamente. Isso não é lá uma vida, Clark. Mas quando penso em como poderia ser pior... há noites em que me deito na cama e realmente não consigo respirar.

Engoliu em seco.

— E sabe o quê? Ninguém quer ouvir esse tipo de coisa. Ninguém quer ouvir você falar que está com medo, ou com dor, ou apavorado com a possibilidade de morrer por causa de alguma infecção aleatória e estúpida. Ninguém quer ouvir sobre como é saber que você nunca mais fará sexo, nunca mais comerá algo que você mesmo preparou, nunca vai segurar seu próprio filho nos braços. Ninguém quer saber que às vezes me sinto tão claustrofóbico estando nesta cadeira que tenho vontade de gritar feito louco só de pensar em passar mais um dia assim. Minha mãe está por um fio e não me perdoa por ainda amar meu pai. Minha irmã se ressente pelo fato de que, mais uma vez, eu fiz sombra para ela — e porque minhas lesões significam que ela não pode me odiar propriamente, como ela faz desde que éramos pequenos. Meu pai só quer que tudo isso acabe. Nos últimos tempos, eles só querem ver o lado positivo. Precisam que eu também veja.

Ele parou.

— Precisam acreditar que *existe* um lado positivo.

Fechei os olhos no escuro.

— Eu também faço isso? — perguntei, baixo.

— Você, Clark — ele olhou para as mãos —, é a única pessoa com quem eu sinto que posso falar desde que eu acabei nesta porcaria.

E então eu contei para ele.

Segurei a mão dele, a mesma que tinha me tirado do labirinto, olhei diretamente para meus pés, e respirei fundo e contei a ele sobre aquela noite toda, e sobre como eles riram de mim e zombaram de como eu estava bêbada e chapada, e como eu desmaiei e depois minha irmã disse que na verdade isso tinha sido até bom, não me lembrar de tudo o que eles fizeram, mas como aquela meia hora de desconhecimento me assombrava desde então. Eu a completei, sabe. Eu a completei com as risadas, o corpo deles e as palavras deles. Eu a completei com a minha humilhação. Contei a ele como eu via o rosto deles sempre que ia a qualquer lugar fora da cidade, e como Patrick e meus pais e a minha vidinha tinham bastado para mim, com todos os seus problemas e limitações. Eles tinham feito eu me sentir segura.

Quando terminamos a conversa, o céu tinha escurecido e havia quatorze mensagens no meu celular perguntando onde estávamos.

— Você não precisa que eu lhe diga que a culpa não foi sua — garantiu ele, calmo.

Acima de nós, o céu tinha se tornado infindável e infinito.

Torci o lenço nas mãos.

— É. Bom. Ainda me sinto... responsável. Bebi demais para me exibir. Fui muito oferecida. Fui...

— Não. Eles foram os responsáveis.

Ninguém nunca tinha me dito aquilo com todas as letras. Mesmo o olhar solidário de Treena sustentava uma acusação tácita. *Bom, se você fica bêbada e age como boba com homens que não conhece...*

Seus dedos apertaram os meus. Um gesto vago, mas que era real.

— Louisa. Não foi sua culpa.

Então eu chorei. Sem soluçar desta vez. As lágrimas saíam em silêncio e me diziam que mais alguma coisa estava me deixando. Culpa. Medo. E algumas outras coisas para as quais eu ainda não tinha encontrado nomes. Encostei minha cabeça de leve no ombro dele e ele inclinou a dele até que estivesse repousada sobre a minha.

— Certo. Está me ouvindo?

Murmurei um sim.

— Então vou dizer uma coisa boa — anunciou ele, e esperou, como se quisesse ter certeza de que tinha minha atenção. — Alguns erros... apenas têm consequências maiores que outros. Mas você não precisa deixar que aquela noite seja aquilo que define quem você é.

Senti a cabeça dele balançar contra a minha.

— Você, Clark, tem a escolha de não deixar isso acontecer.

O suspiro que saiu de mim então foi longo e trêmulo. Ficamos lá em silêncio, deixando que as palavras dele afundassem. Eu poderia ter ficado ali a noite inteira, acima do resto do mundo, o calor da mão de Will na minha, sentindo que o pior começava a escoar devagar de dentro de mim.

— Melhor voltarmos para casa — disse ele. — Antes que eles chamem uma equipe de buscas.

Soltei a mão dele e me levantei, meio relutante, sentindo a brisa fria em minha pele. Então, quase num gesto de luxúria, estiquei os braços acima de minha cabeça. Deixei que meus dedos se esticassem no ar da noite, a tensão de semanas, meses, talvez anos, diminuindo um pouco, e deixei sair uma grande expiração.

Abaixo de mim, as luzes da cidade piscavam, um círculo de luz no meio da escuridão do campo entre nós. Virei-me para ele.

— Will?

— Sim?

Eu mal conseguia vê-lo na luz fraca, mas sabia que estava me olhando.

— Obrigada. Obrigada por ir me buscar.

Ele balançou a cabeça e levou a cadeira de volta para a trilha.

18

— A Disneylândia é uma boa escolha.

— Eu já disse: nada de parques temáticos.

— Eu sei que você já disse isso, mas lá não tem só montanhas-russas e xícaras de chá que rodopiam. Na Flórida você pode visitar os estúdios de cinema e o centro de ciência. É muito educativo.

— Acho que um ex-CEO de trinta e cinco anos não precisa de coisas educativas.

— Eles têm banheiros para deficientes por toda parte. E os funcionários são muito atenciosos. Resolvem qualquer problema.

— Agora você vai dizer que têm passeios a cavalo especiais para deficientes físicos, não é?

— Eles recebem todo mundo. Por que não tenta a Flórida, Srta. Clark? Se não gostarem, podem ir ao SeaWorld. E o clima é ótimo.

— Se colocarmos Will contra a baleia assassina, eu sei quem venceria.

O agente de viagens pareceu não ter escutado.

— E são uma das melhores empresas em receber deficientes. Sabia que eles atendem a muitos pedidos de doentes letais da Fundação Make-A-Wish?

— Ele *não* está morrendo. — Desliguei o telefone na cara do agente na hora em que Will entrou. Acabei me atrapalhando um pouco para colocá-lo no gancho e fechar meu bloco de anotações.

— Está tudo bem, Clark?

— Tudo ótimo. — Abri um grande sorriso.

— Que bom. Você tem um vestido bonito?

— O quê?

— O que vai fazer no sábado?

Ele aguardou, ansioso. Minha cabeça ainda imaginava a baleia assassina contra o agente de viagens.

— Hum... não vou fazer nada. Patrick vai passar o dia todo treinando. Por quê?

Ele demorou alguns segundos para responder, como se desfrutasse do prazer de me surpreender.

— Vamos a um casamento.

* * *

No final das contas, não entendi bem por que Will mudou de ideia sobre o casamento de Alicia e Rupert. Desconfio que tenha sido por vontade de contrariar, pois ninguém esperava que ele fosse, muito menos os noivos. Talvez, finalmente, tenha decidido encerrar o assunto. Acho que nos dois últimos meses ele deixou de guardar mágoa dela.

Decidimos que podíamos ir à festa sem a ajuda de Nathan. Liguei antes para verificar se a cadeira de Will entraria sem problemas na tenda onde seria a recepção e Alicia se mostrou tão perturbada quando descobriu que iríamos, que concluí que aquele convite em alto-relevo só fora enviado para constar.

— Hum... bem... há um pequeno degrau na tenda, mas os organizadores disseram que também poderiam providenciar uma rampa... — Ela se esquivou.

— Isso seria ótimo. Obrigada. A gente se vê em breve, então — falei.

Entramos na internet para procurar um presente de casamento. Will comprou um porta-retratos de prata por cento e vinte libras e um jarro por sessenta libras que ele disse "estar de graça". Fiquei pasma por gastar tanto dinheiro com pessoas de quem não gostava, mas em poucas semanas trabalhando com os Traynor percebi que a noção de dinheiro deles era diferente. Preenchiam cheques de quatro dígitos sem nem pensar. Uma vez, vi o extrato bancário de Will, que foi deixado na mesa da cozinha para ele conferir. Tinha o suficiente para comprar duas casas iguais à nossa. E era só a conta-corrente.

Resolvi usar o vestido vermelho, em parte porque Will gostava dele e naquele dia ele precisava de todas as pequenas vantagens possíveis. Mas também porque não tinha nenhum outro vestido que eu tivesse coragem de usar em uma ocasião como aquela. Will não imaginava o medo que eu tinha de ir a um casamento da alta sociedade, ainda mais como cuidadora. Toda vez que pensava no vozerio, nos olhares na nossa direção, acho que preferia passar o dia inteiro vendo Patrick correr em círculos. Talvez fosse bobagem minha me importar com isso, mas não pude evitar. Pensar nos convidados nos olhando já me dava nós no estômago.

Não disse nada a Will, mas temia por ele. Ir ao casamento de uma ex parecia, na melhor das hipóteses, um ato masoquista, porém, ir a uma festa cheia de velhos amigos e colegas de trabalho para ver a noiva se casar com um ex-amigo, para mim mais parecia um convite à depressão. Tentei fazê-lo enxergar tudo isso no dia anterior, mas ele rejeitou.

— Se eu não estou preocupado, Clark, acho que você também não deveria estar — disse Will.

Liguei para Treena e contei.

— Verifique se ele não escondeu antraz ou armas na cadeira de rodas — foi só o que ela recomendou.

— É a primeira vez que eu o levo longe de casa e vai ser um terrível desastre.
— Vai ver que ele só quer comprovar que há coisas piores do que morrer.
— Engraçadinha.
Ela não estava prestando muita atenção à nossa conversa telefônica. Treena se preparava para um curso de uma semana para "líderes empresariais em potencial", e mamãe e eu cuidaríamos de Thomas. Ela disse que o curso ia ser fantástico, alguns dos grandes nomes do mercado estariam lá. Seu orientador incentivou-a e ela foi a única a ter direito ao curso de graça. Eu tinha certeza de que, enquanto conversávamos, ela digitava no computador. Podia ouvir os dedos batendo no teclado.
— Que bom — falei.
— O curso vai ser numa faculdade em Oxford. Não é nem na antiga Escola Técnica, e sim nos prédios conhecidos como "espirais de sonho".
— Legal.
Ela fez uma pausa.
— Ele não tem tendência suicida, tem?
— Will? Não mais que o normal.
— Bom, já é alguma coisa. — Ouvi o som de aviso de um novo e-mail.
— Preciso ir, Treen.
— Certo. Divirta-se. Ah, e não use aquele vestido vermelho. É muito decotado.

O dia do casamento amanheceu claro e perfumado como eu secretamente sabia que seria. Garotas como Alicia sempre conseguem o que querem. Alguém deve ter conversado com os deuses do clima.
— Observação muito rude, Clark — criticou Will, quando comentei isso.
— Bom, aprendi com quem sabe.
Nathan tinha chegado cedo para aprontar Will e podermos sair lá pelas nove da manhã. Levaríamos duas horas de carro até lá e eu tinha planejado a viagem com cuidado, com paradas em locais com os melhores serviços. Arrumei-me no banheiro, calcei as meias nas pernas recém-depiladas, me maquiei, depois tirei tudo, temendo que os anfitriões chiques achassem que eu parecia uma garota de programa. Não ousei colocar uma echarpe no pescoço, mas levei uma estola que poderia usar como xale, se me sentisse muito exposta.
— Nada mal, hein? — Nathan deu um passo atrás, e eis que vi Will de terno escuro, camisa azul-escura e gravata. Estava barbeado e com o rosto levemente bronzeado. A camisa fazia os olhos dele ficarem especialmente luminosos. De repente, pareciam carregar o brilho do sol.
— Nada mal — repeti, pois, estranhamente, eu não queria dizer o quanto ele estava bonito. — A noiva certamente vai se arrepender de estar se casando com aquele bundão.

Will revirou os olhos.

— Nathan, está tudo na bolsa?

— Sim. Tudo arrumado e pronto para sair. — Virou-se para Will. — Nada de ficar com as damas de honra.

— Como se ele estivesse interessado — falei. — Todas estarão vestindo roupas de gola alta e terão cheiro de cavalo.

Os pais de Will vieram vê-lo antes de irmos. Desconfiei que tinham discutido, já que seria impossível a Sra. Traynor ficar mais distante do marido, a menos que estivessem em condados diferentes. Ela cruzou os braços, firme, e continuou assim até eu dar marcha a ré no carro para Will entrar. Não olhou para mim nem uma vez.

— Louisa, não deixe que ele beba muito — recomendou, tirando um fiapo imaginário do ombro de Will.

— Por quê? Não estou dirigindo — disse Will.

— Tem toda razão, Will — concordou o pai. — Sempre precisei de uns bons drinques para aguentar um casamento.

— Até o seu próprio — resmungou a Sra. Traynor, e acrescentou, mais alto: — Você está muito elegante, querido. — Ela se abaixou e ajeitou a barra da calça de Will. — Muito mesmo.

— Você também. — O Sr. Traynor me olhou com aprovação quando saí do carro. — Muito atraente. Dê uma voltinha para nós, Louisa.

Will afastou a cadeira de rodas.

— Ela não tem tempo para isso, pai. Vamos pegar a estrada, Clark. Não seria bom chegar de cadeira de rodas depois da noiva.

Entrei de novo no carro, aliviada. Saímos, com a cadeira de Will bem presa no banco de trás e o seu elegante paletó dependurado sobre o banco do carona para não amassar.

Antes mesmo de chegar lá, eu já sabia como seria a casa dos pais de Alicia. Na verdade, acertei com tal precisão que, quando reduzi a velocidade do carro, Will perguntou por que eu estava rindo. Era uma enorme mansão georgiana, com grandes janelas parcialmente escondidas por uma fartura de glicínias claras e cascalho cor de caramelo na entrada. A residência perfeita para um coronel. Imaginei Alicia crescendo ali, o cabelo louro preso em duas tranças perfeitas enquanto montava seu primeiro e gorducho pônei no gramado.

Dois homens com coletes refletivos, compenetrados, dirigiam o trânsito para um gramado que ficava entre a casa e a igreja. Abaixei o vidro do carro.

— Há algum estacionamento ao lado da igreja?

— Madame, os convidados devem seguir por aqui.

— Bom, temos uma cadeira de rodas que vai afundar no gramado — expliquei. — Precisamos parar bem ao lado da igreja. Olha, vou estacionar ali.

Os dois se entreolharam e murmuraram algo um para o outro. Antes que dissessem qualquer coisa, parei o carro num lugar isolado ao lado da igreja. *E lá vamos nós*, pensei, encontrando o olhar de Will no espelho retrovisor quando desliguei o motor.

— Fique calma, Clark. Vai dar tudo certo — disse ele.

— Estou extremamente calma. O que o faz pensar o contrário?

— O fato de você ser ridiculamente transparente. Além de ter roído quatro unhas enquanto dirigia.

Estacionei, desci do carro, ajeitei a estola nos ombros e ativei os controles para abaixar a rampa.

— Certo — falei, quando as rodas da cadeira de Will tocaram o chão. Do outro lado da trilha no gramado, as pessoas saíam de seus enormes carros alemães, as mulheres de vermelho conversando com os maridos enquanto os saltos dos sapatos afundavam na grama. Eram todos altos e discretos, em ternos de cores neutras. Mexi no cabelo, pensando se havia exagerado no batom. Tinha a impressão de estar parecendo um daqueles potes vermelhos de ketchup.

— Então... como vamos nos comportar hoje?

Will acompanhou meu olhar.

— Sinceramente?

— Sim. Preciso saber. Mas, por favor, não diga que provocaremos Choque e Pavor. Está planejando algo terrível?

O olhar de Will encontrou o meu. Olhos azuis, insondáveis. Um pequeno enxame de borboletas pareceu voar no meu estômago.

— Clark, vamos nos comportar de maneira inacreditavelmente exemplar.

As borboletas começaram a bater asas sem parar, como se estivessem presas às minhas costelas. Abri a boca para falar, mas ele me interrompeu.

— Olha, faremos o possível para que seja divertido — disse ele.

Divertido. Como se ir ao casamento da ex-namorada pudesse ser menos dolorido do que fazer tratamento de canal no dente. Mas foi uma escolha de Will. O dia era dele. Respirei fundo, tentando reunir forças.

— Com uma condição — falei, ajeitando a estola nos ombros pela décima quarta vez.

— Qual?

— Você não vai fazer papel de Christy Brown, o personagem de *Meu pé esquerdo*. Senão, volto para casa e deixo você preso aqui com os elegantes.

Will virou a cadeira em direção à igreja e pensei ouvi-lo resmungar:

— Desmancha-prazeres.

A cerimônia transcorreu sem incidentes. Alicia estava ridiculamente linda como eu esperava, com a pele levemente dourada, o vestido de corte enviesado, de seda off-white, marcando seu corpo esbelto como se não ousasse ficar lá sem permissão. Vi-a flutuar pela nave da igreja e imaginei como seria ser alta, ter pernas compridas e parecer com alguém que a maior parte de nós só vê em comerciais. Imaginei se o cabelo e a maquilagem dela tinham sido feitos por uma equipe de profissionais. E se ela estaria usando uma calcinha modeladora. Claro que não. Devia usar coisinhas rendadas em tons suaves — lingeries femininas para quem não precisa levantar nenhuma parte do corpo e que custam mais que o meu salário semanal.

Enquanto o padre falava e as daminhas de sapatilhas de balé se agitavam nos bancos da igreja, olhei em volta, notando os outros convidados. Quase todas as mulheres podiam estampar as páginas de uma revista de luxo. Os sapatos, exatamente no mesmo tom das roupas, pareciam nunca ter sido usados. As mais jovens se equilibravam com elegância em saltos de dez centímetros, com as unhas dos pés muito bem pintadas. As mais velhas, com saltos mais baixos, usavam vestidos bem-cortados, ombreiras de seda com costuras em cores contrastantes e chapéus que pareciam desafiar a lei da gravidade.

Era menos interessante observar os homens, mas todos tinham aquele ar que eu às vezes detectava em Will, graças à riqueza e aos títulos, dando a impressão de que a vida corria sem percalços. Imaginei com que pessoas andavam, em que mundo viviam. Me perguntei se reparavam em pessoas como eu, que cuidavam dos filhos deles, os atendiam nos restaurantes. *Ou faziam* pole dance *para os seus colegas de trabalho*, pensei, lembrando das minhas entrevistas no Centro de Trabalho.

Em geral, nos casamentos a que eu costumava ir, as famílias dos noivos ficavam separadas, pois temiam que alguém desrespeitasse a liberdade condicional deles.

Will e eu nos sentamos no fundo da igreja, eu na beirada do banco e a cadeira dele à minha direita. Ele olhou de relance Alicia passar e virou-se para a frente, com uma expressão inescrutável. Um coro de quarenta e oito vozes (eu contei) cantava em latim. Rupert suava dentro do smoking e levantou uma sobrancelha como se estivesse se sentindo, ao mesmo tempo, satisfeito e meio bobo. Ninguém aplaudiu nem comemorou quando o padre declarou-os marido e mulher. Rupert pareceu um pouco estranho, inclinou-se sobre a noiva como se fosse morder uma maçã pendurada num barbante e errou o alvo. Perguntei-me se a classe alta considerava "deselegante" se agarrar no altar.

Então, a cerimônia chegou ao fim. Will já estava se dirigindo para a saída da igreja. Vi a parte de trás da cabeça dele, altiva e curiosamente digna e tive vontade de perguntar se ele se arrependeu de ter ido. Queria perguntar se ainda sentia alguma coisa por ela. Queria dizer que ele era bom demais para aquela mulherzinha dourada sem graça, por mais que as aparências pudessem dar a entender o contrário e que... não sei o que mais eu queria dizer.

Só queria deixar as coisas melhores.

— Você está bem? — perguntei, ao me aproximar dele.

A grande questão era que devia ser ele ali.

Ele piscou várias vezes.

— Estou ótimo — disse. Deu um pequeno suspiro, como se estivesse prendendo o ar no peito. Então olhou para mim. — Vamos tomar um drinque.

A tenda da recepção ficava num jardim cercado, com portão de ferro decorado com guirlandas de flores rosa-claras. O bar, no fundo, já estava lotado, por isso sugeri que Will aguardasse do lado de fora enquanto eu ia pegar uma bebida. Abri caminho pelas mesas cobertas com toalhas de linho branco, talheres e cristais, numa quantidade que eu nunca tinha visto antes. As cadeiras tinham encosto dourado como aquelas que vemos em desfiles de moda e lanternas brancas penduradas sobre cada centro de mesa de frésias e lírios. O ambiente estava dominado pelo perfume das flores a ponto de me fazer sentir sufocada.

— Coquetel de frutas? — perguntou o barman, quando chegou minha vez. — Hum... — olhei ao redor, e descobri que essa era a única opção de bebida. — Ah, sim. Dois, por favor.

Ele sorriu para mim.

— As outras bebidas serão servidas mais tarde. A Srta. Dewar quer que todos comecem pelo coquetel. — Ele me olhou de um jeito meio conspiratório. A sobrancelha levemente erguida denunciou o que ele achava disso.

Olhei para aquele drink cor-de-rosa. Meu pai dizia que os ricos eram mais resistentes, por isso fiquei pasma por não começarem a festa servindo bebida alcoólica.

— Acho que isso vai ter que servir, então — eu disse ao barman, quando ele me entregou as taças.

Encontrei Will conversando com um homem. Jovem, de óculos, estava meio agachado, apoiando um braço na cadeira de Will. O sol estava a pino e apertei os olhos para vê-los direito. De repente, compreendi por que tantas pessoas estavam com chapéus de abas largas ali.

— Que ótimo reencontrar você, Will — dizia o homem. — O escritório não é o mesmo sem você. Eu não devia dizer isso... mas não é mais a mesma coisa. Não mesmo.

Parecia um jovem contador, o tipo de homem que só se sente bem de terno.

— Gentileza sua.

— Foi tão estranho. Como se você caísse num precipício. Um dia você estava lá, coordenando tudo, no dia seguinte você estava...

Ele olhou para cima, notando minha presença ali.

— Ah — disse, e senti seus olhos pousarem nos meus peitos. — Olá.

— Louisa Clark, quero lhe apresentar Freddie Derwent.

Coloquei a taça de Will no suporte de copo da cadeira e apertei a mão do rapaz. Ele endireitou os óculos.

— Ah — repetiu. — E...

— Sou uma amiga de Will — falei e, sem saber exatamente por quê, coloquei a mão no ombro de Will.

— A vida não vai nada mal, hein? — disse Freddie Derwent, dando uma risada que mais pareceu uma tosse. Enrubesceu um pouco ao acrescentar: — Bom... vou dar uma volta pela festa. Sabe como são as coisas... devemos considerar esses eventos como uma oportunidade para fazer novos contatos. Mas foi um grande prazer revê-lo, Will. E... você, Srta. Clark.

— Ele parece ser uma ótima pessoa — falei, quando ele se afastou. Tirei a mão do ombro de Will e dei um bom gole no coquetel. Era mais saboroso do que parecia. Mas achei estranho levar pepino.

— Sim, é um cara ótimo.

— Então, não foi embaraçoso.

— Não. — Will olhou para mim. — Não, Clark, não foi nada embaraçoso.

Depois que Freddie Derwent parou para conversar, outras pessoas se sentiram à vontade para cumprimentar Will. Algumas mantiveram certa distância, como se assim não precisassem lidar com o dilema do aperto de mãos; alguns homens puxaram um pouco a calça para se agachar quase aos pés dele. Fiquei ao lado de Will e falei pouco. Percebi que ele se empertigou um pouco quando dois homens se aproximaram.

Um deles, grande e gordo, com um charuto, parecia não saber o que dizer quando de fato ficou diante de Will, e acabou perguntando:

— Belo casamento, não achou? A noiva estava maravilhosa. — Imagino que ele desconhecesse o histórico amoroso de Alicia.

O outro homem, que parecia ser um velho rival de Will nos negócios, foi mais diplomático, mas havia algo no seu olhar direto e nas suas perguntas objetivas sobre seu estado de saúde que deixaram Will tenso. Pareciam dois cachorros se rodeando, avaliando se partiam para cima ou não.

— Ele é o novo CEO da minha ex-empresa — disse Will, quando o homem finalmente se despediu com um aceno. — Acho que só quis confirmar que eu não pretendo recuperar meu cargo.

O sol ficou forte, o jardim se transformou numa fonte de perfume, as pessoas se protegiam à sombra das árvores. Levei Will para a entrada da tenda, preocupada com sua temperatura corporal. Lá dentro, enormes ventiladores foram ligados, zunindo lentamente acima de nós. Ao longe, sob um abrigo, um quarteto se apresentava com instrumentos de cordas. Parecia uma cena de filme.

Alicia flutuava pelo jardim, uma visão etérea, mandando beijos e dando gritinhos, mas não se aproximou de nós.

Observei Will tomar dois coquetéis, o que, no fundo, me deixou feliz.

O almoço foi servido às quatro. Achei uma hora estranha para almoçar, mas, como observou Will, era um casamento. O tempo parecia ter se esticado e perdido o sentido. De qualquer jeito, foi preenchido por inúmeros drinques e conversas passageiras. Não sei se foi o calor, ou o ambiente, mas quando chegamos à nossa mesa, eu estava quase bêbada. Só ao me ver falando sem parar com o idoso à minha esquerda que percebi que devia estar mesmo bêbada.

— Tem álcool nesse coquetel de frutas? — perguntei a Will, depois de derramar o saleiro no colo.

— O mesmo teor de uma garrafa de vinho. Cada um.

Olhei para ele, apavorada. Olhei para os dois, na verdade.

— Está brincando! O coquetel era de frutas! Por isso, achei que não tinha álcool. Como vou dirigir de volta para casa?

— Bela cuidadora você é — disse ele. Levantou uma sobrancelha. — O que eu ganho em troca se não contar para minha mãe?

Fiquei pasma com a reação de Will durante todo aquele dia. Pensei que eu fosse ter o Will Taciturno e Sarcástico. No mínimo, o Will Silencioso. Mas ele foi simpático com todo mundo. Nem reclamou de servirem sopa no almoço. Perguntou apenas, educadamente, se alguém aceitava trocar a sopa pelo pão e as duas garotas na ponta da mesa — que declararam ter "intolerância a trigo" — quase atiraram os pães nele.

Quanto mais eu me preocupava em ficar sóbria, mais animado e despreocupado Will parecia. A idosa à direita dele era ex-integrante do Parlamento e tinha feito campanha pelos direitos dos deficientes físicos. Foi uma das únicas pessoas que vi conversar totalmente à vontade com Will; à certa altura, deu para ele uma fatia de rocambole. No instante em que ela se levantou da mesa, ele comentou baixinho que ela havia escalado o Kilimanjaro.

— Gosto de velhinhas assim — acrescentou. — Posso imaginá-la montada numa mula, montanha acima, levando sanduíches embalados. Elas são resistentes como aquela velha bota que todo mundo tem no armário.

Tive menos sorte com o homem à minha esquerda. Ele precisou de uns quatro minutos — nos quais ficou me perguntando quem eu era, onde morava e quem eu conhecia no casamento — para concluir que eu não tinha nada a dizer que pudesse despertar seu interesse. Virou-se para a mulher à sua esquerda e me deixou ali, calada, brincando com a sobra do meu almoço. À certa altura, quando comecei a me sentir bem esquisita, Will tirou a mão da cadeira e apoiou-a no meu braço. Olhei para o que estava fazendo e ele piscou. Segurei a sua mão e apertei-a, satisfeita por ele ter notado o que houve entre mim e o homem ao meu lado. Ele então afastou a cadeira da mesa alguns centímetros para que eu pudesse participar da conversa com Mary Rawlinson.

— Will me contou que você é a cuidadora dele — disse. Mary tinha penetrantes olhos azuis e rugas que mostravam que era totalmente refratária a vaidades.

— Tento ser — falei, olhando para ele.

— Sempre trabalhou nessa área?

— Não. Eu... trabalhava num café. — Eu não pretendia contar isso para mais ninguém naquele casamento, mas Mary Rawlinson concordou com a cabeça, como se aprovasse.

— Sempre achei interessante ser garçonete. Para quem gosta de lidar com pessoas e é meio intrometida como eu. — Ela sorriu.

Will colocou a mão de volta na cadeira e disse:

— Estou tentando convencer Louisa a fazer outra coisa, a ampliar os horizontes.

— O que você pretende fazer? — ela me perguntou.

— Ela não sabe — respondeu Will. — Louisa é uma das pessoas mais inteligentes que conheço, mas não consigo mostrar a ela o potencial que tem.

Mary Rawlinson lançou um olhar penetrante para ele.

— Não seja paternalista, meu caro. Ela consegue responder por conta própria.

Pisquei.

— Você é que deve decidir — ela acrescentou para mim.

Will parecia prestes a dizer algo, mas calou-se. Olhou para a mesa e balançou de leve a cabeça, mas estava sorrindo.

— Bom, Louisa, imagino que o seu trabalho atual exija muita energia mental. E não creio que este jovem seja o paciente mais fácil.

— Com toda a certeza não é.

— Mas Will tem razão ao enxergar outras possibilidades para você. Fique com o meu cartão de visitas. Faço parte de uma organização de caridade que incentiva a requalificação educacional. Quem sabe no futuro você considere fazer outra coisa?

— Estou muito feliz trabalhando com Will, obrigada.

Mesmo assim, ela me entregou o cartão e aceitei, um pouco surpresa por aquela mulher se interessar pela minha vida. Por mais que tenha aceitado seu cartão, me senti uma impostora. Não havia a menor possibilidade de parar de trabalhar, mesmo se eu quisesse estudar. Não tinha certeza se eu podia fazer uma requalificação. E, além disso, a minha prioridade era manter Will vivo. Fiquei tão perdida nos meus pensamentos que parei de ouvir a conversa dos dois ao meu lado.

— ...ainda bem que você conseguiu superar, digamos assim. Imagino o quanto deve ser difícil reajustar sua vida de maneira tão radical a novas expectativas.

Olhei o que havia deixado do meu salmão pochê. Nunca tinha ouvido ninguém falar com Will daquele jeito.

Ele olhou para a mesa, franzindo o cenho, depois virou-se para ela.

— Não tenho certeza se superei — murmurou.

Ela encarou-o por um instante, depois olhou para mim.

Não sei se minha expressão mostrou realmente o que eu pensava.

— Tudo leva tempo, Will — disse ela, tocando de leve no braço dele. — E a sua geração tem muito mais dificuldade de aceitar coisas assim. Vocês cresceram esperando que as coisas acontecessem imediatamente. Esperando viver da forma que escolheram. Principalmente um jovem bem-sucedido como você. Mas isso leva tempo.

— Sra. Rawlinson, Mary, não tenho esperança de me recuperar.

— Não me refiro à recuperação física — disse ela. — Refiro-me a aceitar uma nova maneira de viver.

Então, enquanto eu esperava a resposta de Will, alguém sinalizou batendo um talher numa taça e todos fizeram silêncio para ouvir os discursos.

Mal ouvi o que disseram. Tenho a impressão que um homem de smoking atrás do outro citou pessoas e lugares que eu ignorava, provocando risadas educadas. Continuei sentada ali e comi uma das trufas de chocolate amargo, que eram servidas em cestas de prata na mesa, e tomei três xícaras de café seguidas, o que me fez sentir, além de tonta, trêmula e ligada. Já Will era o retrato da calma. Ficou observando as pessoas aplaudirem sua ex-namorada e ouviu Rupert elogiar a mulher maravilhosa que ela era. Ninguém mencionou Will. Não sei se para poupá-lo, ou porque a presença dele era meio constrangedora. De vez em quando, Mary Rawlinson se inclinava sobre ele, cochichava alguma coisa e ele concordava com a cabeça.

Quando, finalmente, os discursos terminaram, um exército de empregados surgiu e começou a retirar as mesas e cadeiras para o baile. Will se inclinou para mim e disse:

— Mary me disse que há um hotel muito bom na estrada. Ligue para eles e veja se podemos ficar lá.

— O quê?

Mary me entregou um guardanapo com um nome e um telefone rabiscados.

— Sem problema, Clark — disse ele, baixinho, para Mary não ouvir. — Eu pago. Ande, assim não precisa continuar se preocupando por ter bebido. Pegue o meu cartão de crédito na bolsa. Eles provavelmente vão pedir o número.

Peguei o cartão e meu celular e fui para o fundo do jardim. O hotel tinha dois quartos disponíveis: um para solteiro e um para casal no térreo. Sim, era adaptado para deficientes.

— Ótimo — concordei e tive de conter uma exclamação quando informaram o preço. Passei o número do cartão de Will, sentindo um leve enjoo ao ler os números.

— E aí? — perguntou ele, quando voltei.

— Reservei, mas... — informei o preço dos dois quartos.

— Tudo bem — disse ele. — Agora ligue para o bobo daquele seu namorado, diga que vai dormir fora e tome mais um drinque. Aliás, tome seis. Eu gostaria muito que você se embebedasse às custas do pai de Alicia.

E assim eu fiz.

Aconteceu alguma coisa naquela noite. Diminuíram as luzes da tenda, então nossa mesinha ficou um pouco menos destacada e a brisa da noite amenizou o forte perfume das flores. A música, o vinho e o baile tornaram possível que nos divertíssemos no lugar mais improvável de todos. Will estava relaxado como eu nunca tinha visto. Espremido entre Mary e eu, ele conversava e sorria para ela; e vê-lo feliz por um único instante afastou os olhares desconfiados ou condoídos das pessoas. Ele me obrigou a tirar a estola e sentar ereta. Tirei o paletó e afrouxei a gravata dele e tentamos não rir ao ver as pessoas dançando. Não consigo nem descrever como me senti melhor após ver a maneira como aquelas pessoas elegantes dançavam. Os homens pareciam ter levado um choque elétrico, as mulheres apontavam o indicador para o alto e pareciam muito arrogantes até quando rodopiavam.

Mary Rawlinson resmungou "Meu Deus" várias vezes. Olhou para mim. A cada drinque, seu jeito de falar se tornava mais apimentado.

— Não quer balançar o esqueleto, Louisa?

— Céus, não.

— Muito sensato da sua parte. Já vi gente dançando melhor numa bendita discoteca de Jovens Fazendeiros.

Às nove, recebi uma mensagem de Nathan.

Está tudo bem?

Sim. Tudo ótimo, acredite se quiser. Will está se divertindo muito.

E estava. Morreu de rir de alguma coisa que Mary disse e uma sensação estranha e segura brotou dentro de mim. Aquela cena mostrava que tudo podia dar certo. Ele podia ser feliz, se estivesse rodeado pelas pessoas certas, se pudesse ser ele mesmo, em vez de O Cadeirante com sua lista de sintomas, digno de pena.

Então, às dez horas, começaram a tocar músicas lentas. Vimos Rupert rodopiar Alicia pelo salão e ser aplaudido educadamente pelos convidados. O cabelo da noiva começou a se soltar e ela passou os braços pelo pescoço dele, como se precisasse de apoio. Rupert também abraçou-a, apoiando as mãos nas costas dela. Apesar de ser linda e rica como ela era, senti certa pena de Alicia. Fiquei pensando que ela só perceberia o que tinha perdido quando fosse tarde demais.

No meio da música, outros casais também foram dançar, de modo que os noivos ficaram meio apagados e me distraí com a conversa de Mary sobre salário de cuidadoras. Até que, inesperadamente, me deparei com Alicia bem à nossa frente, a supermodelo de vestido de seda branco. Meu coração ficou na garganta.

Alicia cumprimentou Mary com a cabeça e inclinou-se um pouco para que Will pudesse ouvi-la apesar da música. Seu rosto estava um pouco tenso, como se tivesse se obrigado a ir até ali.

— Obrigada por ter vindo, Will. De verdade. — Ela olhou de relance para mim, mas não disse nada.

— É um prazer — disse Will, simplesmente. — E você está linda, Alicia. Foi uma grande festa.

Um lampejo de susto passou pelo rosto dela. Tomado depois por uma leve desconfiança.

— Acha mesmo? Eu... bom, há tantas coisas que eu gostaria de dizer...

— Jura? Não precisa. Lembra da Louisa? — perguntou Will.

— Lembro.

Fez-se um pequeno silêncio.

Rupert estava logo atrás, olhando para nós, com cautela. Alicia olhou para Will e estendeu a mão, se despedindo.

— Obrigada, Will. Foi superlegal você ter vindo. E obrigada pelo...

— Espelho.

— Isso, adorei o espelho. — Ela se endireitou e foi até o marido, que virou-se, segurando-a pelo braço.

Vimos o casal atravessar a pista de dança.

— Você não deu um espelho de presente.

— Eu sei.

Os noivos ainda conversavam e Rupert lançava rápidos olhares em nossa direção. Como se não acreditasse que Will tivesse sido tão simpático. Aliás, nem eu.

— Isso... o incomodou? — perguntei.

Ele desviou o olhar dos noivos.

— Não — respondeu, e sorriu para mim. O sorriso tinha ficado um pouco torto depois de beber e os olhos estavam ao mesmo tempo tristes e pensativos.

Então, no instante em que a pista se esvaziou, antes da próxima música começar, eu me vi perguntando:

— O que acha, Will? Vamos dançar?

— O quê?

— Vamos dar assunto para esses panacas.

— Ah, ótima ideia — aprovou Mary, levantando uma taça. — Ótima mesmo.

— Vamos. Enquanto ainda estão tocando música lenta. Pois acho que você não consegue dar pulos sentado nesse negócio.

Não dei nenhuma opção a ele. Sentei com cuidado no seu colo e coloquei os braços no pescoço dele para me firmar. Ele olhou bem nos meus olhos um instante, como se pensasse se podia recusar o convite. Depois, surpreendentemente, conduziu a cadeira para a pista e começou a dar pequenas voltas sob as luzes faiscantes dos globos de luz.

Fiquei, ao mesmo tempo, muito insegura e meio histérica. O jeito como me sentei fez meu vestido subir até metade das minhas coxas.

— Deixe assim mesmo — disse Will no meu ouvido.

— Está...

— Vamos, Clark. Não me decepcione agora.

Fechei os olhos e apertei os braços em volta do pescoço dele, nossos rostos colados, sentindo o cheiro cítrico da loção pós-barba. Podia senti-lo cantarolando a música.

— Eles já estão pasmos? — perguntou ele. Abri um olho na meia-luz.

Duas pessoas sorriam e lançavam olhares encorajadores, mas a maioria não sabia como reagir àquela cena. Mary me saudou com sua taça de bebida. Depois, vi Alicia olhando para nós, boquiaberta. Quando me viu olhando para ela, virou-se e disse alguma coisa para Rupert. Ele balançou a cabeça como se estivéssemos fazendo algo infame.

Senti um sorriso maldoso se abrir em meu rosto.

— Estão pasmos, sim — confirmei.

— Hum. Chegue mais perto. Você está muito cheirosa.

— Você também. Mas se continuar girando a cadeira para a esquerda, vou acabar vomitando.

Will mudou de direção. Com meus braços envolvendo o pescoço dele, afastei um pouco o rosto para olhá-lo e vi que não estava mais inseguro. Baixou o olhar para meus peitos. Para ser justa, na posição em que eu estava, não havia nenhum outro lugar para onde ele pudesse olhar. Tirou os olhos do meu decote e levantou uma sobrancelha.

— Você sabe que só deixa esses peitos tão perto de mim porque estou em uma cadeira de rodas — murmurou.

Olhei-o, firme.

— Você nunca iria olhar para os meus peitos se não estivesse numa cadeira de rodas.

— O quê? Claro que olharia.

— Não. Se não fosse cadeirante, estaria muito ocupado olhando as louras altas de pernas e cabelos compridos, que gastam uma fortuna a cada passo que dão. De todo jeito, eu não estaria aqui. Estaria servindo as bebidas lá no bar. Seria uma das pessoas invisíveis.

Ele piscou.

— Então? Não tenho razão?

Will olhou para o bar e depois para mim.

— Tem. Mas, em minha defesa, Clark, devo declarar que eu era uma besta.

Dei uma risada tão alta que fez mais gente olhar para nós.

Tentei ficar séria.

— Desculpe. Acho que estou ficando histérica.

— Sabe de uma coisa?

Eu podia passar a noite toda olhando para ele. Para o brilho no canto dos seus olhos. Para o lugar onde o pescoço encontrava o ombro.

— O quê?

— Às vezes, Clark, você é a única coisa que me dá vontade de levantar da cama.

— Então vamos para algum lugar. — As palavras saíram da minha boca antes que eu percebesse o que queria dizer.

— O quê?

— Vamos para algum lugar. Passar uma semana nos divertindo. Só nós dois. Sem esses...

Ele esperou eu terminar a frase.

— Idiotas?

— ...idiotas, isso mesmo. Aceite, Will. Vamos.

Ele não desviou os olhos dos meus.

Eu não sabia o que estava dizendo. Não sei de onde veio tudo aquilo que eu disse. Só sabia que, se não conseguisse convencê-lo a aceitar a minha proposta aquela noite, com a ajuda das estrelas, das flores, dos risos e de Mary, então eu não tinha a menor chance.

— Por favor.

Os segundos anteriores à resposta pareceram durar uma eternidade.

— Vamos — ele concordou.

19

Nathan

Pensaram que nós não notaríamos. Eles enfim chegaram do casamento no dia seguinte, por volta da hora do almoço, e a Sra. Traynor estava tão nervosa que mal conseguia falar.

— Podiam ter telefonado — reclamou.

Eu tinha esperado somente para me certificar de que os dois tinham chegado bem. Escutei ela caminhar pelo corredor ladrilhado do cômodo ao lado, para cima e para baixo, desde que eu cheguei ali, às oito da manhã.

— Devo ter ligado ou enviado mensagens para os dois umas dezoito vezes. Apenas quando consegui ligar para a casa dos Dewar e alguém me disse que o "homem na cadeira de rodas" tinha ido para um hotel eu pude ter certeza de que vocês dois não tinham sofrido um acidente horrível na estrada.

— "O homem na cadeira de rodas"? Que ótimo — observou Will.

Mas dava para perceber que ele não ficou incomodado. Estava todo solto e relaxado, levando a ressaca com bom humor, embora eu tenha tido a impressão de que sentia algum tipo de dor. Foi só quando a mãe dele começou a atacar Louisa que ele parou de sorrir. Ele se intrometeu e disse que, se a Sra. Traynor tinha algo a dizer, deveria dizer a ele, já que a decisão de dormir no hotel tinha sido dele, e Louisa apenas o acompanhara.

— E até onde eu saiba, mamãe, sendo eu um homem de trinta e cinco anos, se eu quiser dormir num hotel, não preciso pedir permissão a ninguém. Nem aos meus pais.

Ela olhou bem para os dois, resmungou algo sobre "um simples telefonema" e então saiu do quarto.

Louisa pareceu um pouco abalada, mas Will tinha superado aquilo e murmurou algo para ela, e foi nesse ponto que eu vi. Ela ficou um pouco rosada e riu, o tipo de risada que você dá quando sabe que não se deveria estar rindo. O tipo de risada que insinua conspiração. Will, então, virou-se para ela e disse para pegar leve pelo resto do dia. Vá para casa, troque de roupa, tire uma soneca, quem sabe.

— Não posso ficar dando voltas no castelo com alguém com quem acabei de dormir — disse ele.

— Com quem acabou de dormir? — Não pude conter a surpresa na voz.

— Não *desse* jeito — disse Louisa, batendo em mim com a echarpe e pegando o casaco para ir embora.

— Leve o carro — gritou Will. — Facilita a sua volta.

Observei o olhar de Will seguindo-a até a porta dos fundos.

Só por causa daquele único olhar, eu poderia apostar que sim.

Ele deu uma murchada depois que ela saiu. Era como se tivesse aguentado até que tanto a mãe quanto Louisa saíssem do anexo. Fiquei observando-o cuidadosamente e, quando o sorriso sumiu do seu rosto, percebi que não gostava da sua aparência. A pele ostentava um discreto aspecto manchado, ele estremeceu duas vezes quando achou que ninguém via e, mesmo de onde eu estava, pude observar que tinha arrepios. Um pequeno alarme começou a soar dentro da minha cabeça, a distância, porém de maneira estridente.

— Você está se sentindo bem, Will?

— Estou ótimo. Não se preocupe demais.

— Quer me dizer onde está doendo?

Ele pareceu um pouco resignado, então, como se soubesse que eu podia ver o que acontecia dentro dele. Trabalhávamos juntos há bastante tempo.

— Ok. Estou com um pouco de dor de cabeça. E... hum... preciso trocar os cateteres. Provavelmente bem depressa.

Eu o transferi da cadeira para a cama e então comecei a juntar o equipamento.

— A que horas Lou trocou-os hoje de manhã?

— Ela não trocou. — Ele estremeceu. E pareceu meio culpado. — Nem na noite passada.

— O quê?

Tomei o pulso dele e peguei o equipamento para medir sua pressão. Claro, a pressão estava nas alturas. Coloquei minha mão na sua testa, ela voltou levemente molhada de suor. Fui até o armário de remédios e esmaguei alguns vasodilatadores. Dei o remédio misturado à água, garantindo que ele bebesse até a última gota. Depois, apoiei-o, deixando suas pernas penderem da lateral da cama, e mudei os cateteres rapidamente, observando-o ao fazer isso.

— Estou com D.A.?

— Está. Não foi a coisa mais sensata que já fez, Will.

Disreflexia autocontrolada, ou D.A., era o nosso pior pesadelo. Era a reação exagerada e massiva do corpo de Will à dor e ao desconforto — ou, digamos, a um cateter que não foi trocado —, a tentativa vã e equivocada do sistema neurológico danificado de manter o controle. Podia aparecer do nada e fazer o corpo dele entrar em colapso. Will estava pálido, respirando com dificuldade.

— Como está a pele?

— Coçando um pouco.

— Visão?

— Ótima.

— Ai, cara. Acha que precisamos de ajuda?

— Preciso que me dê dez minutos, Nathan. Tenho certeza de que você fez tudo que era necessário. Apenas me dê dez minutos.

Fechou os olhos. Verifiquei a pressão dele novamente, me perguntando quanto tempo eu deveria esperar até chamar uma ambulância. A D.A. me apavorava como o capeta porque nunca se sabia no que podia dar. Will já tinha tido isso uma vez, quando comecei a trabalhar com ele, e acabou ficando hospitalizado por dois dias.

— Sério, Nathan. Eu vou avisar se achar que estamos com problemas.

Ele suspirou e ajudei-o a se recostar de modo que pudesse repousar na cabeceira da cama.

Ele me contou que Louisa ficara tão bêbada que ele não quis arriscar deixá-la mexer em seu equipamento.

— Sabe-se lá aonde ela ia enfiar os malditos cateteres. — Ele meio que riu quando disse isso. Louisa levara quase meia hora para retirá-lo da cadeira de rodas e colocá-lo na cama, contou. Os dois caíram no chão duas vezes. — Ainda bem que estávamos tão bêbados que não sentimos nada. — Ela teve a presença de espírito de chamar a recepção do hotel e eles pediram que um porteiro os ajudasse a carregá-lo. — Ótimo sujeito. Tenho uma vaga lembrança de insistir com Louisa para que lhe déssemos uma gorjeta de cinquenta libras. Eu sei que ela estava completamente bêbada porque concordou em dar esse dinheiro.

Quando ela finalmente saiu do quarto dele, Will teve medo de que não conseguisse chegar ao dela. Imaginou-a enroscada na escada como uma bolinha vermelha.

Naquele momento, minha opinião sobre Louisa Clark era um pouco menos generosa.

— Will, companheiro, acho que, da próxima vez, você pode se preocupar um pouco mais consigo mesmo, certo?

— Estou bem, Nathan. Ótimo. Já estou me sentindo melhor.

Sentia seus olhos sobre mim enquanto eu checava seu pulso.

— Sério. Não foi culpa dela.

A pressão dele tinha baixado. As cores estavam voltando ao normal diante dos meus olhos. Soltei uma respiração que não sabia que estava prendendo.

Conversamos um pouco, passando o tempo enquanto as coisas se assentavam, comentando os fatos do dia anterior. Ele não pareceu nem um pouco chateado em relação à ex. Não falou muito, mas, embora estivesse obviamente exausto, parecia bem.

Soltei o pulso dele.

— Linda tatuagem, aliás.

Ele me olhou torto.

— Não vá tomá-la ao pé da letra, hein?

Apesar da transpiração, da dor e da infecção, pela primeira vez Will parecia ter em mente outra coisa que não aquilo que o consumia. Não pude deixar de pensar que, se a Sra. Traynor tivesse notado isso, não teria sido tão dura com ele.

Não contamos para ela nada sobre o que aconteceu na hora do almoço — Will me fez prometer que não contaria —, mas quando Lou chegou à tarde, estava muito calada. Parecia pálida, de cabelos lavados e puxados para trás como se quisesse parecer ajuizada. Eu meio que podia entender como ela se sentia; às vezes, quando você fica bêbado até altas horas, só se sente bem de manhã porque ainda está um pouco bêbado. A velha ressaca está só brincando com você, escolhendo a hora de atacar. Acho que a de Louisa a atacou na hora do almoço.

Porém, depois de um tempo, ficou claro que não era só a ressaca que a preocupava.

Will perguntou diversas vezes por que ela estava tão quieta, e então ela respondeu:

— É, bem, descobri que não é muito sensato dormir fora quando se acaba de mudar para a casa do namorado.

Ela disse isso sorrindo, mas foi um sorriso forçado, e Will e eu soubemos que houvera uma discussão.

Não dava para culpar o sujeito. Eu não ia querer que a minha garota ficasse fora a noite toda com outro cara, mesmo que ele fosse tetra. E ele nem sabia como Will olhava para ela.

Naquela tarde, não fizemos muitas coisas. Louisa esvaziou a mochila de Will e mostrou todos os xampus, condicionadores, minikits de costura e toucas de banho que ela conseguiu pegar no hotel. ("Não ria", disse ela. "Com aqueles preços, Will pagou por uma maldita fábrica de xampus.") Assistimos a alguma animação japonesa que Will disse ser perfeita para ressacas e fiquei por ali — em parte, porque queria ficar de olho na pressão dele e, em parte, para ser sincero, porque estava ficando um pouco malicioso. Queria ver a reação de Will quando eu dissesse que assistiria ao desenho animado com eles.

— É mesmo? — perguntou ele. — Você gosta de Miyazaki?

Ele se conteve imediatamente, dizendo que com certeza eu ia gostar... era um filme ótimo... blá-blá-blá. Mas estava claro. Por um lado, eu me sentia contente por ele. Aquele homem tinha pensado sobre uma coisa só durante tempo demais.

Então, assistimos ao filme. Fechei as cortinas, tirei o telefone do gancho e vi aquele estranho desenho animado sobre uma garota que acabava indo parar num universo paralelo com criaturas esquisitas, metade das quais você não consegue descobrir se são boas ou más. Lou se sentou bem perto de Will, alcançando para ele a bebida e, a certa altura, tirando um cisco do olho dele. Foi muito tocante, de verdade, embora um pedaço de mim ficasse imaginando no que diabo aquilo ia dar.

E então, quando Louisa abriu as cortinas e preparou um chá para nós, os dois se entreolharam como duas pessoas pensando se contam ou não um segredo, e me contaram sobre a viagem. Dez dias. Ainda não sabiam para onde, mas provavelmente seria um lugar bem longe e provavelmente seria ótimo. Eu poderia ir para ajudar?

Por acaso macaco recusa banana?

Tive de tirar o chapéu para a garota. Se alguém tivesse me dito, quatro meses antes, que iríamos fazer uma viagem com Will — diabo, que iríamos tirá-lo de dentro daquela casa —, eu teria dito que a pessoa estava louca. Veja bem, antes de irmos, eu teria uma conversinha com Louisa sobre os cuidados médicos de Will. Não poderíamos nos dar o luxo de quase o perdermos novamente, caso ficássemos presos no meio do nada.

Eles até contaram da viagem para a Sra. T., assim que ela apareceu, bem quando Louisa estava indo embora. Will falou como se aquilo fosse tão normal quanto dar uma volta pelo castelo.

Tenho de admitir que fiquei bastante satisfeito. Aquele maldito site de pôquer que tinha comido todo o meu dinheiro e eu não estava nem pensando em tirar férias este ano. Eu até perdoei Louisa por ter sido estúpida o bastante para dar ouvidos a Will quando ele disse que não queria que ela trocasse os cateteres. E, acredite em mim, fiquei muito chateado com isso. Portanto, tudo parecia ótimo, e eu estava assoviando enquanto vestia meu paletó, já pensando em areias brancas e céu azul. Estava até imaginando se eu conseguiria combinar a viagem com uma breve visita a Auckland, minha terra.

Foi então que as vi — a Sra. Traynor do lado de fora da porta dos fundos, enquanto Lou esperava para começar a descer a estrada. Não sei que tipo de conversa estavam tendo, mas as duas pareciam sérias.

Só pude entender a última frase e, sinceramente, foi o suficiente para mim.

— Espero que saiba o que está fazendo, Louisa.

20

— Você o quê?

Estávamos nas colinas logo depois da cidade quando contei a ele. Patrick estava no meio de uma corrida de vinte e cinco quilômetros e queria que eu cronometrasse o tempo dele, enquanto o seguia de bicicleta. Como eu era ligeiramente menos eficiente de bicicleta do que em física molecular, a tarefa envolvia uma porção de xingamentos e desvios, de minha parte, e um monte de berros exasperados, da parte dele. Ele queria correr quarenta quilômetros, mas tive de dizer-lhe que eu não sabia se meu traseiro aguentava e, além do mais, um de nós precisava fazer as compras semanais depois que chegássemos em casa. Estávamos sem pasta de dente e sem café solúvel. É verdade que só eu queria o café. Patrick tomava chá de ervas.

Quando chegamos no alto da colina Sheepcote, eu bufando, minhas pernas parecendo de chumbo, resolvi apenas botar tudo para fora. Acho que ainda tínhamos uns vinte quilômetros até em casa para que ele recuperasse o bom humor.

— Não vou ao Norseman Xtreme.

Ele não parou, mas se aproximou de mim. Virou-se para me encarar, suas pernas ainda se movendo, e pareceu tão chocado que quase me desviei para cima de uma árvore.

— O quê? Por quê?

— Vou... trabalhar.

Ele se virou de novo para a estrada e tomou velocidade. Estávamos no alto da colina e precisei frear um pouco para não ultrapassá-lo.

— Quando decidiu isso? — Gotinhas de suor surgiram em sua testa e os tendões saltavam de suas panturrilhas. Eu não podia olhar para eles por muito tempo, senão começava a cambalear.

— No final de semana. Só queria ter certeza.

— Mas reservamos nossos voos e tudo.

— É um voo barato. Se você quiser, reeembolso as trinta e nove libras que pagou.

— Não é questão de dinheiro. Pensei que você fosse para me dar apoio. Você disse que ia para me apoiar.

Patrick podia parecer bem carrancudo. Logo que começamos a namorar, eu costumava provocá-lo por causa disso. Chamava-o de Dr. Mau Humor. Isso me fazia rir e ele ficava tão zangado que geralmente parava de ficar carrancudo só para eu parar de rir.

— Ah, vamos lá. Não estou lhe dando bastante apoio agora? Detesto andar de bicicleta, Patrick. Você sabe que eu detesto. Mas estou lhe dando apoio.

Ele correu mais dois quilômetros antes de falar novamente. Pode ter sido impressão minha, mas as batidas dos pés de Patrick no chão pareceram ganhar um ritmo decidido e duro. Naquele momento, estávamos bem no alto da cidadezinha, eu bufando nos trechos de subida, tentando e não conseguindo impedir que meu coração disparasse toda vez que passava um carro. Pedalava na velha bicicleta de mamãe (Patrick não me deixava chegar nem perto de sua corredora diabólica) que não tinha marchas, então a toda hora eu ficava para trás.

Ele olhou para trás, diminuiu o passo uma fração para que eu pudesse alcançá-lo.

— Por que eles não arrumam uma outra cuidadora, alguém de uma agência especializada?

— Cuidadora de agência?

— Para ficar nos Traynor. Quer dizer, você está lá há seis meses, tem direito a uma folga.

— Não é tão simples assim.

— Não vejo por que não. Afinal, você começou lá sem saber nada do trabalho.

Prendi a respiração, o que foi um pouco difícil, já que eu estava completamente sem ar pelo esforço de pedalar.

— Porque ele precisa fazer uma viagem.

— O quê?

— Ele tem de fazer uma viagem. Então, precisam de mim e de Nathan para ajudá-lo.

— Nathan? Quem é Nathan?

— O enfermeiro. O cara que você conheceu quando Will foi à casa dos meus pais.

Eu podia ver que Patrick estava pensando naquilo. Limpou o suor de seus olhos.

— E antes que você pergunte — acrescentei —, não, não estou tendo um caso com Nathan.

Ele diminuiu a velocidade e olhou para o asfalto até ficar praticamente correndo sem sair do lugar.

— O que é isso, Lou? Porque... porque, para mim, parece que há aqui um limite sendo ultrapassado, entre o que é trabalho e o que é... — ele deu de ombros — ... normal.

— Não é um trabalho normal. Você sabe disso.

— Mas parece que ultimamente Will Traynor está acima de tudo.

— Ah, e isto aqui não está? — Tirei a mão do guidão e gesticulei para os pés de Patrick.

— É diferente. Ele chama e você vai correndo.

— E você corre, e eu venho correndo. — Tentei sorrir.

— Muito engraçada. — Ele virou-se para o outro lado.

— São seis meses, Pat. Seis meses. Afinal, você foi um dos que acharam que eu deveria aceitar esse trabalho. Não pode me condenar por levá-lo a sério.

— Não acho... não acho que o problema seja o trabalho... é só que... acho que tem alguma coisa que você não está me contando.

Hesitei por um momento longo demais.

— Não é verdade.

— Mas não vai ao Norseman.

— Eu já disse, eu...

Ele balançou de leve a cabeça, como se não conseguisse me ouvir direito. E começou a correr pela estrada, para longe de mim. Eu podia ver pelo jeito das costas dele que estava zangado.

— Ah, vamos lá, Patrick. Não podemos parar um instante e discutir isso?

O tom da voz era obstinado:

— Não. Vai desperdiçar meu tempo.

— Então vamos parar o relógio. Por apenas cinco minutos.

— Não. Preciso fazer isso de um jeito que simule a realidade.

Ele começou a correr mais rápido, como se tivesse ganhado um novo ímpeto.

— Patrick? — chamei, me esforçando para alcançá-lo. Meus pés escorregaram nos pedais, xinguei, chutei o pedal para trás e recomecei. — Patrick? Patrick!

Olhei para a nuca dele e as palavras saíram da minha boca antes que eu percebesse o que estava dizendo.

— Está bem. Will quer morrer. Quer se suicidar. E a viagem é minha última tentativa de fazer com que ele mude de ideia.

Patrick diminuiu o passo e andou mais devagar. Parou mais adiante na estrada, as costas eretas, ainda sem olhar para mim. Virou-se aos poucos. Tinha, finalmente, parado de correr.

— Repita.

— Ele quer ir para a Dignitas. Em agosto. Estou tentando fazer com que mude de ideia. É minha última chance.

Ele ficou me olhando como se não soubesse se devia acreditar.

— Parece loucura, eu sei. Mas tenho de fazer com que mude de ideia. Por isso... por isso não posso ir ao Norseman.

— Por que não disse antes?

— Prometi à família dele que não contaria a ninguém. Seria horrível para eles se isso se espalhasse. Horrível. Olha, nem Will sabe que eu sei. Isso tudo tem sido... complicado. Desculpe. — Estendi a mão para ele. — Se pudesse, eu teria contado para você.

Ele não respondeu. Pareceu arrasado, como se eu tivesse feito algo terrível. Ficou com as sobrancelhas levemente franzidas e engoliu duas vezes em seco, duro.

— Pat...

— Não. Eu... preciso correr, Lou. Sozinho. — Passou a mão pelos meus cabelos. — Combinado?

Engoli em seco.

— Certo.

Ele me olhou um instante, como se tivesse esquecido até mesmo por que estávamos ali. Depois, correu de novo e eu o vi desaparecer na estrada diante de mim, sua cabeça olhando resolutamente para a frente, as pernas comendo a estrada abaixo dele.

Eu tinha enviado a mensagem um dia depois que voltamos do casamento.

Alguém sabe um lugar onde um tetraplégico possa participar de aventuras? Procuro atividades que uma pessoa fisicamente normal possa realizar, coisas que possam fazer o meu amigo deprimido esquecer um pouco que tem uma vida meio limitada. Não sei exatamente o que quero, mas todas as sugestões são bem-vindas. É um pouco urgente.
Abelha Atarefada.

Quando liguei o computador, olhei a tela, incrédula. Tinha oitenta e nove respostas. Rolei a tela para baixo e para cima, sem acreditar, a princípio, que todas poderiam conter respostas ao meu pedido. Depois lancei um olhar ao redor, para os outros usuários na biblioteca, desejando ardentemente que um deles me visse e eu pudesse contar. Oitenta e nove respostas! Para um só pedido!

Havia histórias sobre *bungee jumping* para tetraplégicos, natação, canoagem e até equitação com uma sela especial. (Quando olhei o site, fiquei meio desapontada por Will ter dito que não suportava cavalos. Parecia ótimo.)

Havia também nado com golfinhos e mergulho submarino com pessoas dando suporte. Havia cadeiras flutuantes que permitiriam que ele pescasse; bicicletas adaptadas para que pudesse fazer trilhas *off-road*. Algumas pessoas postaram fotos ou vídeos de si mesmas praticando essas atividades. Algumas, inclusive Ritchie, se lembraram das minhas mensagens anteriores e queriam saber como Will estava.

Essa parece ser uma boa notícia. Ele está se sentindo melhor?

Respondi imediatamente:

> Talvez. Mas espero que essa viagem faça realmente a diferença.

Ritchie respondeu:

> Grande garota! Se você tem dinheiro para tudo isso, o céu é o limite!

Motoqueira escreveu:

> Lembre-se de mandar fotos dele aproveitando o *bungee*. Adoro a cara que os homens fazem quando estão de cabeça para baixo!

Gostei de todos eles — os tetra e seus cuidadores — pela coragem, generosidade e criatividade. Naquela noite, passei duas horas anotando as sugestões, acessando os sites que eles experimentaram e aprovaram, até conversando com alguns deles nas salas de bate-papo. Quando saí de lá, tinha uma meta: iríamos para o Rancho Four Winds, na Califórnia, um centro especializado que oferecia ajuda para "que você se esqueça de que precisa de ajuda", segundo o site. O Rancho em si era uma casa térrea, de madeira, numa clareira próxima a Yosemite, construída por um ex-dublê que se recusava a permitir que uma lesão na coluna limitasse o que poderia fazer. Os depoimentos na internet estavam repletos de pessoas alegres e agradecidas que juravam que ele havia mudado a maneira como elas encaravam a deficiência — e a elas mesmas. Pelo menos seis dos usuários da sala de bate-papo tinham estado lá e todos afirmavam que o lugar mudara a vida deles.

O Rancho tinha todas as facilidades para cadeirantes, mas com os serviços que você poderia esperar de um hotel de luxo. Havia banhos de imersão ao ar livre com discretos içadores, e massagistas especializados. Havia assistência médica treinada no lugar e um cinema com espaços para cadeiras de rodas ao lado das poltronas normais. Havia uma banheira de água quente ao ar livre, acessível, na qual era possível se sentar e ficar olhando as estrelas. Íamos passar uma semana lá, e depois alguns dias num complexo hoteleiro na praia, onde Will poderia nadar e apreciar o litoral. E o melhor de tudo, eu tinha achado um ponto alto para as férias que Will jamais esqueceria: um salto de paraquedas com instrutores especializados em tetraplégicos. Tinham um equipamento especial que lhes permitia prender Will a eles (aparentemente, o mais importante era prender bem as pernas para o vento não jogar os joelhos em seus rostos).

Eu poderia mostrar a Will o folheto de propaganda do hotel, mas não queria contar nada sobre o assunto. Ia apenas lá com ele, vê-lo saltar. Naqueles poucos e preciosos minutos, Will estaria leve e livre. Poderia fugir da maldita cadeira. Poderia fugir da gravidade.

Imprimi todas as informações e deixei essa folha por cima. Sempre que eu olhava para ela, sentia crescer uma animação — tanto por aquela ser minha primeira viagem de longa distância quanto porque podia ser aquilo.

Porque podia ser aquilo que mudaria a cabeça de Will.

Na manhã seguinte, mostrei os papéis para Nathan. Nós dois nos debruçamos, furtivamente, sobre nossos cafés na cozinha, como se fizéssemos algo realmente clandestino. Ele folheou o material que eu tinha imprimido.

— Falei com outros tetraplégicos sobre o lance do paraquedismo. Não há impedimento do ponto de vista médico. O mesmo quanto ao *bungee jumping*. Eles têm equipamentos especiais para diminuir prováveis pontos de pressão na coluna.

Estudei o rosto dele com ansiedade. Eu sabia que Nathan não confiava na minha competência quanto ao bem-estar clínico de Will. Para mim, era importante que ele gostasse do que eu tinha programado.

— Lá tem tudo de que podemos precisar. Eles dizem que, se avisarmos com antecedência, e levarmos a receita médica, conseguem qualquer remédio de que possamos necessitar, assim não precisamos sair de lá.

Nathan franziu o cenho.

— Parece bom — disse, por fim. — Você fez um ótimo trabalho.

— Acha que ele vai gostar?

Ele deu de ombros.

— Não faço ideia. Mas... — devolveu os papéis para mim. — Você já nos surpreendeu tanto, Lou. — Seu sorriso era tímido, surgindo na lateral de sua boca. — Pode nos surpreender outra vez.

Antes de voltar para casa à noite, mostrei os folhetos para a Sra. Traynor.

Ela havia acabado de chegar de carro e, antes de me aproximar dela, hesitei, fora de vista da janela de Will.

— Sei que é caro... — disse —, mas... parece incrível. Acho que Will poderia ter a melhor viagem de sua vida. Se... se é que estou sendo clara.

Ela olhou tudo em silêncio, depois os preços que eu tinha anotado.

— Se quiser, eu pago a minha parte. Hospedagem e refeições. Não quero que pensem que...

— Está bem — disse ela, me interrompendo. — Faça o que for preciso. Se acha que consegue levá-lo, é só reservar hotel e passagens.

Entendi o que ela estava dizendo. Não havia tempo para mais nada.

— Acha que você consegue convencê-lo? — perguntou ela.

— Bom... se eu... se eu conseguir... — engoli em seco — ...em parte é por mim também. Ele acha que eu nunca fiz o bastante por minha própria vida. Fica me dizendo que eu deveria viajar. Que eu deveria... fazer coisas.

Ela me olhou com atenção. Concordou com a cabeça.

— Sei. Will é assim mesmo. — Devolveu-me a papelada.

— Eu... — Respirei fundo e, para minha surpresa, vi que não conseguia falar. Engoli em seco com dificuldade, duas vezes. — O que você disse antes. Eu...

Ela não parecia disposta a esperar pelo que eu ia dizer. Inclinou a cabeça, seus dedos finos alcançando a corrente em seu pescoço.

— Sim. Bom, melhor eu entrar. Vejo você amanhã. Depois me conte o que ele disse.

Naquela noite, não voltei para a casa de Patrick. Eu queria, mas algo me afastou da área industrial e, em vez de ir até lá, atravessei a rua e tomei o ônibus que ia para a minha casa. Percorri os cento e oitenta passos até a porta e entrei. Era uma noite quente, todas as janelas estavam abertas numa tentativa de captar uma brisa. Mamãe cozinhava, cantando pela cozinha. Papai estava no sofá com uma caneca de chá, vovô cochilava na poltrona dele, a cabeça pendendo para um dos lados. Thomas desenhava atentamente nas biqueiras pretas dos seus sapatos. Cumprimentei-os e passei por eles, pensando como eu poderia tão depressa parecer não pertencer mais àquele lugar.

Treena trabalhava no meu quarto. Bati na porta e entrei, e a encontrei na escrivaninha, debruçada sobre uma pilha de livros, com óculos que eu não conhecia pendurados no nariz. Era estranho vê-la rodeada das coisas que eu tinha escolhido para mim, com as fotos de Thomas já escondendo as paredes que eu tinha pintado com tanto cuidado, seu desenho à caneta ainda rabiscado no canto da minha cortina. Tive de dar um jeito de racionalizar aquilo, de modo a não ficar inconscientemente ressentida.

Ela me olhou por cima do ombro.

— Mamãe está me chamando? — perguntou. Olhou o relógio. — Pensei que ela fosse fazer o lanche de Thomas.

— E fez. Ele está comendo tirinhas de peixe empanado.

Ela me olhou, depois tirou os óculos.

— Você está bem? Está com uma cara de bunda.

— Você também.

— Eu sei. Fiz aquela maldita dieta de desintoxicação. O que me deu urticária. — Colocou a mão no queixo.

— Você não precisava de dieta.

— É. Bom... tem esse cara de quem eu gosto, que estuda Contabilidade Dois. Pensei que eu poderia fazer um esforço. Manchas enormes de urticária na cara são sempre um bom visual, não?

Sentei-me na cama. Era o meu edredom. Eu sabia que Patrick o detestaria, com aqueles desenhos geométricos malucos. Fiquei surpresa por Katrina gostar.

Ela fechou o livro e recostou-se na cadeira.

— E aí, quais são as novas?

Mordi o lábio até ela perguntar de novo.

— Tree, você acha que eu podia voltar a estudar?

— Estudar? O quê?

— Não sei. Alguma coisa ligada a moda. Design. Ou de repente só modelagem.

— Bom... há cursos específicos. Tenho certeza que na minha universidade tem um. Posso pesquisar, se você quiser.

— Mas eles aceitam gente como eu? Sem qualificações?

Ela jogou a caneta para cima e pegou no ar.

— Ah, eles adoram alunos mais velhos. Principalmente com uma ética profissional comprovada. Você precisaria de um curso de requalificação, mas não vejo motivo para não ser aceita. Por quê? O que está havendo?

— Não sei. É uma coisa que Will disse há algum tempo. Sobre... sobre o que eu deveria fazer na vida.

— E?

— E eu fiquei pensando... talvez esteja na hora de fazer o mesmo que você. Agora que papai pode se sustentar de novo, talvez você não seja a única na família capaz de fazer alguma coisa.

— Você teria de pagar o curso.

— Eu sei. Tenho economizado.

— Acho que é um pouco mais caro do que você economizou.

— Posso tentar uma bolsa. Ou, talvez, um financiamento. E eu tenho o suficiente para me sustentar por um tempo. Conheci uma senhora que foi do Parlamento e que disse que tem os contatos de algumas agências que podem me ajudar. Ela me deu seu cartão de visitas.

— Espere aí — disse Katrina, girando na cadeira. — Não entendi direito. Pensei que quisesse continuar com Will. Pensei que o motivo de tudo era mantê-lo vivo e continuar trabalhando com ele.

— Sim, mas... — olhei para o teto.

— Mas o quê?

— É complicado.

— Flexibilização quantitativa em Economia também é. Mas eu continuo achando que significa imprimir dinheiro.

Ela se levantou e foi fechar a porta do quarto. Então baixou a voz, de modo que ninguém conseguisse ouvir lá fora.

— Você acha que vai perder a batalha? Acha que ele vai...?

— Não — respondi, rapidamente. — Bom, espero que não. Fiz planos. Grandes planos. Vou lhe mostrar daqui a pouco.

— Mas...

Estiquei os braços para cima e girei as mãos.

— Mas gosto de Will. Gosto muito.

Ela me observou. Estava com sua cara pensativa. Nada é mais assustador do que a cara pensativa da minha irmã quando ela está voltada diretamente para você.

— Ah, merda.

— Não...

— Então *isso* é interessante — disse ela.

— Eu sei. — Abaixei os braços.

— Você quer um emprego. De maneira que...

— É o que os outros tetraplégicos me dizem. Aqueles com os quais eu converso na internet. Não se pode fazer as duas coisas. Não se pode ser cuidadora e... — Levantei as mãos para cobrir o rosto.

Eu podia sentir os olhos dela em mim.

— Ele sabe?

— Não. Não sei nem se *eu* sei. É que... — Deixei-me cair na cama dela, primeiro o rosto. Tinha cheiro de Thomas. Com um leve toque de geleia. — Não sei o que pensar. Só sei que, em geral, prefiro estar com ele do que com qualquer outra pessoa.

— Inclusive Patrick.

Pronto, era isso. A verdade que eu mal podia admitir para mim mesma.

Senti o rosto corar.

— É — admiti, com a cara enfiada no edredom. — Às vezes, sim.

— Merda — xingou ela, depois de um minuto. — Pensava que *eu* é que gostava de fazer da minha vida algo complicado.

Ela se deitou ao meu lado na cama e ficamos olhando o teto. Lá embaixo, podíamos ouvir vovô assobiando desafinado acompanhado pelo som de Thomas dirigindo algum carrinho de controle remoto para a frente e para trás, batendo num pedaço do rodapé. Por alguma razão inexplicável, meus olhos se encheram de lágrimas. Um minuto depois, senti o braço de minha irmã se enroscar em mim.

— Sua maluca do cacete — disse ela, e rimos.

— Não se preocupe — recomendei, enxugando as lágrimas. — Não vou fazer nenhuma burrice.

— Que bom. Porque quanto mais penso no assunto, mais sinto a dramaticidade da situação. Não é real, é drama.

— O quê?

— Bom, trata-se mesmo de vida ou morte, afinal de contas, e você está presa à vida desse homem todos os dias, presa a seu estranho segredo. Isso cria uma espécie de falsa intimidade. Ou então você está desenvolvendo algum bizarro complexo de Florence Nightingale.

— Acredite em mim, definitivamente não é isso.

Ficamos lá, olhando para o teto.

— Mas é um pouco louco, pensar em amar alguém que não pode... você sabe, amar você. Talvez não passe de uma reação de pânico pelo fato de você e Patrick terem finalmente ido morar juntos.

— Eu sei. Você tem razão.

— E vocês estão juntos há tanto tempo. Vocês podem se sentir atraídos por outras pessoas.

— Principalmente quando Patrick está obcecado em ser o Homem Maratona.

— E você pode voltar a não gostar de Will. Quero dizer, lembro de uma época em que você achava ele um idiota.

— Ainda acho, às vezes.

Treena pegou um lenço e secou meus olhos. Depois, deu uma batidinha em algo na minha bochecha.

— Dito isso, a ideia de fazer faculdade é boa. Porque, sejamos sinceras, se tudo der errado com Will, ou não, você ainda vai continuar precisando de um emprego de verdade. Não vai querer ser cuidadora para o resto da vida.

— As coisas não vão "dar errado" com Will, como você diz. Ele... ele vai ficar bem.

— Claro que vai.

Mamãe estava chamando Thomas. Podíamos ouvir a voz dela cantando na cozinha.

— *Thomas. Tomtomtomtom Thomas...*

Treena suspirou e esfregou os olhos.

— Vai voltar para a casa de Patrick esta noite?

— Vou.

— Quer beber alguma coisa rápida no Spotted Dog e me mostrar os tais planos, então? Vejo com a mamãe se ela pode colocar Thomas para dormir para mim. Vamos, pode me convidar, já que está cheia da grana para fazer faculdade.

Cheguei na casa de Patrick às quinze para as dez.

Meus planos de viagem, espantosamente, tiveram total aprovação de Katrina. Ela não acrescentou sua usual frase "sim, mas seria ainda melhor se você...". A certa altura, imaginei se ela estava apenas tentando ser simpática, pois, obviamente, eu estava ficando meio doida. Mas ela continuou a dizer coisas como "uau, não acredito que você descobriu isso! Precisa tirar montes de fotos dele fazendo *bungee jumping*!" E: "imagine a cara que ele vai fazer quando você contar do voo de paraquedas! Vai ser o máximo."

Quem nos visse no bar acharia que éramos duas amigas que realmente se gostavam muito.

Ainda remoendo isso, entrei silenciosamente. Visto de fora, o apartamento estava às escuras e pensei que Patrick tivesse ido dormir cedo como parte do treinamento intensivo. Larguei minha mochila no chão do hall e empurrei a porta da sala, pensando, enquanto fazia isso, que tinha sido simpático da parte dele deixar uma luz acesa para mim.

Então, eu o vi. Estava sentado à mesa, que fora posta com dois lugares, um castiçal com vela acesa no meio. Quando a porta se fechou atrás de mim, ele se levantou. A vela estava queimada pela metade.

— Desculpe — disse ele.

Fiquei olhando para ele.

— Fui um idiota. Você tem razão. Esse seu trabalho é só por seis meses e eu tenho me comportado feito uma criança. Deveria me orgulhar por você estar fazendo algo de tanto valor e levando tudo tão a sério. Fui um pouco... exagerado. Me desculpe. Mesmo.

Ele estendeu a mão. Segurei-a.

— É ótimo que você esteja tentando ajudá-lo. É admirável.

— Obrigada. — Apertei a mão dele.

Ele só voltou a falar depois de tomar fôlego, como se tivesse conseguido fazer o discurso que ensaiara.

— Preparei o jantar. Mas é salada de novo. — Ele passou por mim em direção à geladeira e tirou dois pratos. — Prometo que, quando o Norseman acabar, vamos sair para comer algo incrível. Ou quando eu voltar aos carboidratos. É só que... — Ele esvaziou o ar das bochechas. — Acho que nos últimos tempos não tenho conseguido pensar em muita coisa além disso. E eu acho que isso deve ser parte do problema. E você tem razão. Não há por que você ficar me seguindo. É uma coisa minha. Você tem todo o direito de trabalhar enquanto faço isso.

— Patrick... — comecei a dizer.

— Não quero discutir com você, Lou. Você pode me perdoar?

Ele estava com o olhar ansioso e recendia a água de colônia. Esses dois fatos caíram lentamente sobre mim, como um peso.

— Mas, sente-se —disse ele. — Vamos jantar e depois... não sei. Aproveitar a companhia um do outro. Falar sobre alguma coisa. Não sobre corrida. — Deu um sorriso forçado.

Sentei-me e olhei a mesa.

Depois, sorri.

— Está realmente ótimo — falei.

Patrick realmente era capaz de fazer mil e uma coisas com peito de peru.

Comemos a salada verde, a salada de frutos do mar e uma salada de frutas exóticas que ele fez de sobremesa e bebi vinho enquanto ele se manteve na água mineral. Demorou um pouco, mas começamos a relaxar. Ali, na minha frente, estava um Patrick que eu não via há algum tempo. Era um homem engraçado, atencioso. Ele se policiou rigidamente para não falar nada sobre corrida ou maratonas e riu todas as vezes que notou que a conversa ia nessa direção. Os pés dele encontraram os meus por baixo da mesa, nossas pernas se entrelaçaram e aos poucos o sentimento tenso e desconfortável começou a se afrouxar no meu peito.

Minha irmã estava certa. Minha vida tinha ficado estranha e desligada das pessoas que eu conhecia — o estado de Will e seus segredos tinham me engolido. Eu precisava me assegurar de que não perderia de vista o restante de mim.

Comecei a me sentir culpada pela conversa que tinha tido mais cedo com minha irmã. Patrick não me deixou sair da mesa, nem para ajudar a lavar os pratos. Às onze e quinze, ele se levantou, levou os pratos e tigelas para a pequena cozinha e começou a dispô-los na máquina de lavar louças. Fiquei sentada, ouvindo-o falar comigo através da porta. Eu esfregava o ponto onde meu pescoço se encontrava com o ombro, tentando desfazer alguns nós que pareciam firmemente entranhados ali. Fechei os olhos, tentando relaxar com aquilo, de modo que levei alguns minutos para perceber que a conversa tinha parado.

Abri os olhos. Patrick estava na soleira da porta, segurando meus folhetos de viagem. Ele segurava várias folhas.

— O que é tudo isso?

— É... a viagem. Aquela de que eu falei.

Eu o observei folhear a papelada que eu tinha mostrado para minha irmã, vendo o itinerário, as fotos, a praia na Califórnia.

— Pensei... — A voz dele, quando veio, soava estranhamente estrangulada. — Pensei que você estive falando no Santuário de Lourdes.

— Por quê?

— Ah... não sei... ou Stoke Mandeville, onde ocorreram as primeiras competições de cadeirantes... algum lugar assim. Quando você falou que não podia ir porque precisava ajudá-lo, parecia um trabalho de verdade. Fisioterapia, cura através da fé, algo do tipo. Isso parece... — Ele balançou a cabeça, incrédulo. — Parece a viagem de uma vida.

— Bom... é tipo isso. Mas não para mim. Para ele.

Patrick sorriu.

— Não... — ele disse, balançando a cabeça. — Você não ia gostar de *nada disso*. Banhos quentes à luz das estrelas, nadar com golfinhos... Ah, olha só, "luxo de hotel cinco estrelas" e "serviço de quarto vinte e quatro horas". — Olhou para mim. — Isso não é uma viagem de trabalho. É uma maldita lua de mel.

— Não é justo!

— Mas isso é? Você... você realmente espera que eu fique aqui sentado enquanto você desfila com outro homem numa viagem *assim*?

— O enfermeiro dele também vai.

— Ah. Ah, sim, *Nathan*. Então está tudo certo.

— Patrick, pare com isso... é complicado.

— Então me explique. — Empurrou os papéis em minha direção. — Explique para mim, Lou. Explique de um jeito que eu consiga entender.

— É importante para mim que Will queira viver, que enxergue boas coisas no futuro.

— E essas coisas boas incluiriam você?

— Não é isso. Escute, alguma vez eu falei para você parar de trabalhar com o que gosta?

— Meu trabalho não envolve banheiras quentes com homens estranhos.

— Bom, não me importo se envolve. Pode tomar banho de banheira com estranhos! Tanto quanto quiser! Pronto! — Tentei sorrir, esperando que ele também sorrisse.

Mas ele não sorriu.

— Como você se sentiria, Lou? Como se sentiria se eu dissesse que vou a uma convenção de ginástica com, sei lá, Leanne, integrante dos Tratores, por que ela está precisando se animar?

— Animar? — Pensei em Leanne com seus cabelos louros esvoaçantes, suas pernas perfeitas, me perguntando vagamente por que ele pensou nela primeiro.

— E como você se sentiria se eu dissesse que eu e ela iríamos fazer todas as refeições fora, ou talvez entrar numa banheira quente ou ficar juntos por vários dias? Num lugar a quase dez mil quilômetros daqui, só porque ela estava um pouco desanimada. Você realmente não se incomodaria?

— Pat, Will não está "um pouco desanimado". Ele quer se matar. Quer ir para a Dignitas e acabar com a maldita vida dele. — Eu podia ouvir o sangue pulsar nos meus ouvidos. — E você não pode distorcer as coisas assim. Você chamou Will de aleijado. Foi você que concluiu que ele não era uma ameaça. "O patrão perfeito", você disse. Alguém com quem não valia a pena nem se preocupar.

Ele colocou o folheto de volta na bancada.

— Bom, Lou... agora estou me preocupando.

Enfiei meu rosto entre as mãos e fiquei assim um minuto. Lá fora, no corredor, ouvi uma porta de incêndio ser aberta e vozes de pessoas serem engolidas enquanto uma porta era destrancada e depois fechada atrás deles.

Patrick deslizou a mão lentamente, para a frente e para trás, ao longo da beirada dos armários da cozinha. Um pequeno músculo se mexia em sua mandíbula.

— Sabe o que isso parece, Lou? Que eu deveria estar correndo, mas eu me sinto permanentemente um pouco para trás. Sinto que... — Respirou fundo, como se tentasse se recompor. — Acho que tem alguma coisa ruim depois da curva, e todo mundo parece saber o que é, menos eu.

Ele ergueu os olhos para os meus.

— Não acho que seja uma atitude irracional da minha parte. Mas não quero que você vá. Não me importo que não queira ir ao Norseman, mas não quero que vá nessa... nessa viagem. Com ele.

— Mas eu...

— Estamos juntos há quase sete anos. E você conhece este homem, trabalha para ele, há cinco meses. Cinco meses. Se for com ele agora, estará me dizendo algo sobre o nosso relacionamento. Sobre como se sente em relação a nós.

— Não é justo. Não tem nada a ver conosco — reclamei.

— Tem sim, se depois que eu digo tudo isso você continua querendo ir.

O pequeno apartamento pareceu enorme à nossa volta. Ele me olhava com uma expressão que eu nunca tinha visto antes.

Quando minha voz emergiu, foi num sussurro.

— Mas ele precisa de mim.

Percebi, quase no instante em que falei as palavras, como elas se torciam e se reagrupavam no ar, e soube como eu me sentiria se Patrick dissesse a mesma coisa para mim.

Ele engoliu em seco, balançou um pouco a cabeça, como se estivesse tendo dificuldade em entender o que eu tinha dito. Sua mão veio repousar no lado da bancada e olhou para mim.

— Nada do que eu disser vai fazer diferença, não é?

Era assim que funcionava com Patrick. Ele era sempre mais inteligente do que eu achava.

— Patrick, eu...

Ele fechou os olhos, apenas por um instante, e então se virou e saiu da sala, deixando os últimos pratos vazios no aparador.

21

Steven

A garota se mudou para o anexo no final de semana. Will não disse nada a Camilla nem a mim; fui ao anexo na manhã de sábado, ainda de pijama, para saber se ele precisava de ajuda, já que Nathan estava atrasado. E então encontrei-a no corredor, com uma tigela de cereais numa mão e o jornal na outra. Corou ao me ver. Não sei por quê: eu estava de roupão, perfeitamente decente. Um tempo depois, fiquei lembrando da época em que era comum encontrar lindas moças saindo do quarto de Will de manhã.

— Estou levando a correspondência para Will — falei, acenando com as cartas.

— Ele ainda não acordou. Quer que eu o chame? — Ela pôs a mão no peito, se cobrindo com o jornal. Usava uma camiseta com estampa da Minnie e calças bordadas como aquelas que as chinesas usavam em Hong Kong.

— Não, não precisa. Já que ele ainda está dormindo, deixe-o descansar.

Contei para Camilla, achando que ela fosse gostar. Afinal, ela havia ficado tão irritada quando a garota foi morar com o namorado. Mas ela ficou apenas um pouco surpresa, depois demonstrou certa tensão, dando a entender que já estava imaginando todo tipo de coisas e de consequências indesejadas. Ela não disse nada, mas tive certeza de que não gostava de Louisa Clark. Na verdade, naquela época eu não sabia de quem Camilla gostava. A sua resposta padrão parecia congelada em *Não gosto.*

Nunca entendemos por que Louisa mudou-se para lá: Will referiu-se apenas a "problemas familiares". Ela parecia agitada: quando não estava cuidando de Will, andava por todo canto limpando e lavando, indo e voltando da agência de viagens e da biblioteca. Eu a reconheceria em qualquer parte da cidade, pois ela chamava atenção. Usava roupas de cores tão vivas que só vi igual nos trópicos: vestidinhos incrustados de pedrarias e sapatos esquisitos.

Eu queria dizer a Camilla que ela animava a casa. Mas não podia mais fazer esse tipo de comentário com minha esposa.

Pelo jeito, Will tinha dito à moça que podia usar o computador dele, mas ela recusou, preferindo usar os da biblioteca. Não sei se tinha medo de parecer uma aproveitadora ou se não queria que ele visse o que ela fazia no computador.

Seja como for, Will parecia um pouco mais contente com ela por perto. Por duas vezes, pude ouvir a conversa deles pela janela aberta e tenho certeza que Will estava rindo. Conversei com o pai de Louisa, Bernard Clark, só para confirmar que ele estava satisfeito com a mudança da filha e ele disse que achava um pouco estranho, pois ela havia terminado um relacionamento longo e parecia que tudo ainda estava no ar. Disse também que ela se inscrevera num curso de requalificação para dar prosseguimento aos estudos. Resolvi não contar isso a Camilla. Não queria que imaginasse o possível significado daquilo. Will disse que ela queria trabalhar com moda, roupas, essas coisas. Ela era bonita, simpática e tinha um jeito adorável mas, sinceramente, não sei quem compraria as coisas que usava.

Na segunda-feira à noite, a garota perguntou se Nathan, Camilla e eu podíamos ir ao anexo. Tinha espalhado folhetos sobre a mesa com horários de chegada e partida; documentos de seguro e outras coisas que imprimiu da internet. Havia uma cópia para cada um de nós, em pastas de plástico. Tudo incrivelmente bem organizado.

Ela disse que queria nos apresentar seus planos de viagem. (Ela avisara a Camilla que queria dar a entender que estava levando vantagem. Mas, mesmo assim, os olhos de Camilla endureceram um pouco quando a garota detalhou tudo o que havia programado.)

A viagem era incrível, parecia ter todos os tipos de atividades incomuns, coisas que eu não imaginava Will fazendo nem antes do acidente. Mas toda vez que ela citava alguma coisa — canoagem em águas claras, *bungee jumping*, ou o que fosse —, mostrava um documento para Will com depoimentos de jovens deficientes, e dizia:

— Se vou fazer tudo isso que você está dizendo, então você tem que fazer junto comigo.

Confesso que, no fundo, eu estava muito impressionado com ela. Era uma mocinha bem eficiente.

Will ouviu-a e leu os documentos colocados na frente dele.

— Onde conseguiu tanta informação? — perguntou ele, por fim.

Ela levantou as sobrancelhas e respondeu:

— Informação é poder, Will.

Meu filho sorriu como se ela tivesse dito algo muito inteligente.

— Bom... — disse Louisa, depois que todas as perguntas foram feitas. — Viajamos daqui a oito dias. Está contente, Sra. Traynor? — Havia um leve tom de provocação na sua voz, como se desafiasse Camilla a dizer não.

— Se é isso que todos vocês querem fazer, para mim está ótimo — respondeu Camilla.

— Nathan? Continua de pé?

— Pode apostar.

— E... Will?

Todos nós olhamos para ele. Até pouco tempo atrás, qualquer uma daquelas atividades seria algo impensável. Houve uma época em que Will teria prazer em responder não só para irritar a mãe. Nosso filho sempre foi assim, bem capaz de contrariar e não escolher a opção certa pois, de certo modo, não aceitava ceder. Não sei como isso começou, essa necessidade de subversão. Talvez por isso fosse um brilhante negociador.

Ele me olhou de um jeito inescrutável e senti minha mandíbula endurecer. Então, olhou para a garota e sorriu.

— Por que não? — ele disse. — Estou louco para ver Clark ser levada pela correnteza.

A garota pareceu aliviada, pois achava que ele não ia aceitar.

Engraçado. Confesso que, quando ela entrou em nossas vidas, fiquei um pouco desconfiado. Apesar de toda a pose, Will estava vulnerável. Eu tinha certo medo de que ele pudesse ser manipulado. É um rapaz jovem e rico, apesar de tudo, mas quando aquela maldita Alicia o trocou pelo amigo dele, isso o fez se sentir um imprestável. Como qualquer homem nessa situação se sentiria.

Então, percebi como Louisa olhava para ele, com uma mistura estranha de orgulho e gratidão e, de repente, fiquei imensamente contente por ela estar lá. Nunca conversamos sobre isso, mas meu filho estava numa situação insustentável. Seja lá o que ela estivesse fazendo, parecia que dava a ele uma pequena trégua.

Por alguns dias, a casa respirou um ar leve e, sem dúvida, alegre. Camilla mostrava uma tranquila esperança, embora se recusasse a admitir isso para mim. Eu sabia qual seria o argumento dela: o que havia para comemorar, se estava tudo dito e feito? Uma vez, tarde da noite, ouvi-a ao telefone com Georgina, explicando por que tinha concordado. A queridinha da mamãe, Georgina, já estava procurando um motivo que provasse que Louisa só queria tirar proveito de Will.

— Georgina, ela se ofereceu para pagar a parte dela — disse Camilla. E acrescentou: — Não, querida, acho que não temos escolha. Nos resta muito pouco tempo e Will aceitou, então só posso desejar que tudo corra bem. Acho que agora você também tem que fazer o mesmo.

Sei que para ela era difícil defender Louisa, difícil até ser simpática com ela. Mas suportava a garota porque sabia, como eu, que Louisa era a única chance de manter nosso filho feliz, mesmo que fosse por pouco tempo.

Embora nenhum de nós dissesse isso, Louisa Clark tinha se tornado nossa única possibilidade de mantê-lo vivo.

* * *

Na noite passada, fui tomar um drinque com Della. Camilla estava visitando a irmã, então, na volta, viemos a pé pela margem do rio.

— Will vai viajar — falei.

— Que ótimo — ela comentou.

Pobre Della. Ela se esforçava para não me questionar sobre o nosso futuro — para não pensar em como essa viagem inesperada poderia mudar tudo —, mas eu desconfiava que ela jamais indagaria. Não antes de tudo ter se resolvido.

Caminhamos, observando os cisnes, sorrindo para os turistas nos barcos, que espirravam água sob o sol do fim de tarde. Ela falava que isso poderia ser ótimo para Will, e talvez mostrasse que estava se adaptando à situação. Era algo simpático de se dizer, pois eu sabia que, sob certos aspectos, ela realmente esperava que tudo aquilo chegasse ao fim. Afinal, foi o acidente de Will que acabou com nosso plano de morar juntos. No fundo, ela esperava que minha responsabilidade em relação a ele um dia findasse e eu me tornasse livre.

Segui ao seu lado, sentindo a mão dela apoiada em meu braço, ouvindo sua voz musical. Não podia dizer a verdade, a que poucos de nós sabiam. Que, se a garota fracassasse com seus ranchos, *bungee jumpings*, banheiras quentes e não sei mais o quê, estaria, paradoxalmente, me libertando. Pois eu só deixaria minha família se Will resolvesse ir para aquele lugar infernal na Suíça.

Eu sabia, e Camilla também. Mesmo que nenhum de nós admitisse. Só com a morte de meu filho eu ficaria livre para viver a vida que quisesse.

— Não — ela disse, percebendo a minha expressão.

Querida Della. Era capaz de adivinhar meus pensamentos, mesmo quando eu não reparava neles.

— É uma boa notícia, Steven. De verdade. Nunca se sabe, este pode ser o início de uma vida nova e independente para Will.

Coloquei minha mão sobre a sua. Um homem mais corajoso teria dito o que realmente pensava. Um homem mais corajoso teria deixado Della há muito tempo (não só ela como talvez até a esposa também.)

— Tem razão — concordei, forçando um sorriso. — Vamos torcer para que ele volte cheio de histórias de *bungee jumping* ou seja lá qual for a coisa horrorosa que os jovens gostam de fazer.

Ela concordou com a cabeça.

— Ele pode convencer você a instalar uma coisa dessas no castelo.

— Canoagem no fosso? — perguntei. — Vou pensar nisso para a próxima temporada de verão.

Imaginando essa improvável cena, continuamos andando, dando risadas de vez em quando, até onde guardavam os barcos.

Então, Will teve pneumonia.

22

Entrei correndo no pronto-socorro. O enorme mapa do hospital e minha natural falta de senso de direção contribuíram para que eu levasse uma eternidade para encontrar a ala onde ficavam os pacientes graves. Tive de perguntar três vezes até alguém me indicar a direção certa. Finalmente, abri a porta de vaivém da Enfermaria C12, ofegante, e Nathan estava lá no corredor, sentado, lendo o jornal. Levantou o olhar quando me aproximei.

— Como ele está?

— Respirando com ajuda de aparelhos. Estável.

— Não entendo. Ele estava ótimo na sexta à noite. Tossiu um pouco no sábado de manhã, mas... isso? O que houve?

Meu coração estava acelerado. Sentei-me um instante, tentando recuperar o fôlego. Correra sem parar desde que recebera a mensagem de texto de Nathan, uma hora antes. Ele se levantou e dobrou o jornal ao meio.

— Não é a primeira vez que isso acontece, Lou. Ele tem uma bactéria nos pulmões, sua tosse não funciona como a das outras pessoas, ela piora muito rápido. Tentei aplicar algumas técnicas de desobstrução na tarde de sábado, mas Will estava com muita dor. Teve uma febre repentina, depois começou a sentir uma dor penetrante no peito. À noite, precisamos chamar a ambulância.

— Droga — eu disse, me inclinando. — Droga, droga, droga. Posso entrar no quarto?

— Ele está bem grogue. Não vai conseguir nada. E a Sra. T. está lá.

Deixei minha mochila com Nathan, lavei as mãos com loção antibacteriana, empurrei a porta e entrei.

Will estava no leito, coberto por um lençol azul, tomando soro e cercado de máquinas que emitiam bips intermitentes. O rosto estava meio oculto por uma máscara de oxigênio e seus olhos estavam fechados. A pele parecia cinza, tinha uma brancura azulada que fez algo encolher dentro de mim. A Sra. Traynor estava sentada ao lado dele, com uma mão sobre seu braço coberto. Encarava, distraída, a parede à sua frente.

— Sra. Traynor — cumprimentei.

Assustada, ela olhou para mim.

— Ah, Louisa.

— Como... como ele está? — Eu queria me aproximar e segurar a outra mão de Will, mas não me sentia à vontade. Fiquei parada à porta. Ela estava tão abatida que só entrar no quarto já parecia invasivo.

— Melhorou um pouco. Deram uns antibióticos bem fortes para ele.

— Tem... alguma coisa que eu possa fazer?

— Acho que não. Nós... nós só temos de esperar. O médico deve voltar daqui a mais ou menos uma hora. Espero que possa nos dar mais informações.

O mundo parecia ter parado. Fiquei ali mais um pouco, com o bip contínuo das máquinas gerando um ritmo na minha cabeça.

— Quer que eu fique um pouco com ele? Para a senhora descansar?

— Não. Acho que vou ficar mais um pouco.

Parte de mim esperava que Will ouvisse minha voz. Parte de mim esperava que ele abrisse os olhos por cima daquela máscara transparente de plástico e dissesse:

— Clark. Sente-se, pelo amor de Deus. Você está bagunçando o quarto.

Mas ele continuou deitado imóvel lá.

Passei a mão pelo rosto.

— Quer... quer que eu traga algo para beber?

A Sra. Traynor me olhou.

— Que horas são?

— Quinze para as dez.

— É mesmo? — Ela balançou a cabeça, como se fosse difícil acreditar. — Obrigada, Louisa. Seria... Seria muita gentileza. Tenho a impressão de estar aqui há muito tempo.

Eu tive folga na sexta-feira, em parte porque os Traynor insistiram que eu merecia um descanso, mas o principal motivo foi que eu só podia conseguir um passaporte indo a Londres de trem e entrando na fila em Petty France. Na sexta à noite, quando voltei, passei no anexo para mostrar a Will o que tinha conseguido e conferir se o passaporte dele ainda estava válido. Achei-o um pouco calado, mas nada muito fora do comum. Em alguns dias ele se sentia mais desconfortável do que em outros. Concluí que aquele era um desses dias. Na verdade, minha cabeça estava tão cheia com nossos planos de viagem que eu só conseguia pensar nisso.

Passei a manhã de sábado pegando minhas coisas na casa de Patrick com a ajuda de papai, à tarde fui até a avenida principal fazer compras com mamãe, pois precisava de um maiô e de algumas outras coisas para a viagem. Dormi na casa de meus pais no sábado e no domingo; ficou bem apertado, com Treena e Thomas lá também. Na segunda de manhã, levantei-me às sete para estar na casa dos Traynor às oito. Quando cheguei, estava tudo fechado, as portas da frente e dos fundos trancadas. Não deixaram nenhum bilhete. Parei no portão da frente e liguei para Nathan três vezes, mas ninguém atendeu. O telefone da Sra. Traynor caiu na caixa-postal. Fiquei sentada na escada quarenta e cinco minutos até receber a mensagem de texto de Nathan.

Estamos no hospital do condado. Will está com pneumonia. Enfermaria C12

Nathan foi embora e fiquei sentada do lado de fora do quarto de Will por mais uma hora. Folheei revistas que alguém devia ter deixado sobre a mesa em 1982, depois peguei um folheto na mochila e tentei ler, mas era impossível me concentrar.

O médico apareceu, mas não achei certo entrar no quarto enquanto a mãe de Will estivesse lá. Quando ele saiu, quinze minutos depois, a Sra. Traynor veio logo atrás. Não sei se ela me contou apenas porque precisava falar com alguém e eu era a única pessoa ali, mas disse num tom de voz baixo e aliviado que o médico estava bastante confiante de que a infecção tinha sido controlada. Era uma bactéria muito forte. Por sorte, Will havia ido logo para o hospital. Ela terminou a frase dizendo:

— Senão... — e a palavra ficou pendurada no silêncio entre nós.

— O que fazemos agora? — perguntei.

Ela deu de ombros.

— Esperamos.

— Quer que eu compre alguma coisa para a senhora comer? Ou prefere que fique aqui enquanto almoça?

De vez em quando, eu e a Sra. Traynor conseguíamos nos entender. O rosto dela suavizava um pouco, perdia a rigidez habitual e, de repente, eu notava como ela estava exausta. Acho que tinha envelhecido uns dez anos desde que eu fora trabalhar com eles.

— Obrigada, Louisa — disse. — Gostaria muito de ir em casa trocar de roupa, se você puder ficar com ele. Não quero deixá-lo sozinho.

Quando ela saiu, entrei no quarto, fechei a porta e sentei-me ao lado de Will, que parecia estranhamente ausente. Era como se o Will que eu conhecia tivesse tirado umas férias rápidas, deixando apenas a casca. Me perguntei se era assim quando alguém morria. Depois me obriguei a parar de pensar em morte.

Fiquei ouvindo o tique-taque do relógio, o eventual murmúrio de vozes vindo lá de fora e o suave rangido dos sapatos sobre o linóleo. Uma enfermeira veio duas vezes checar vários controles, apertou alguns botões, tirou a temperatura dele e nem assim Will se mexeu.

— Ele está... bem, certo? — perguntei.

— Está dormindo — respondeu ela, segura. — É o melhor que pode fazer, no momento. Não se preocupe.

É fácil dizer isso. Mas, naquele quarto de hospital, eu tinha muito em que pensar. Pensei em Will e na rapidez assustadora com que ficou gravemente doente. Pensei em Patrick e no fato de — mesmo quando juntei minhas coisas no apartamento dele, retirei e enrolei meu calendário da parede, dobrei e coloquei na mala as roupas que eu tinha guardado com tanto cuidado nas gavetas — não ter ficado triste como achei que ficaria. Não me senti desolada, nem deprimida, nem nenhuma das coisas que se deve sentir ao terminar um relacionamento de anos. Fiquei muito calma, levemente triste e talvez um pouco culpada pela separação e pelo fato de não me sentir como achava que deveria. Mandei duas mensagens de texto para ele dizendo que sentia muito e que esperava que ele se saísse muito bem no Norseman Xtreme. Mas ele não respondeu.

Uma hora depois, inclinei-me sobre a cama, levantei o lençol que cobria o braço de Will e lá estava a mão dele, levemente bronzeada, sob o lençol branco. Tinha uma cânula no dorso, presa com fita cirúrgica. Quando virei a mão, vi que as cicatrizes ainda estavam bem nítidas no pulso. Por um momento me perguntei se algum dia sumiriam, ou se para sempre seriam um lembrete do que ele tentou fazer.

Segurei carinhosamente os dedos dele nos meus e fechei a mão. Estavam quentes, eram dedos de alguém bem vivo. Eles se encaixaram tão bem nos meus que fiquei assim, observando os calos que mostravam que não tinha passado a vida apenas atrás de uma mesa de trabalho, as unhas rosadas que sempre teriam de ser cortadas por outra pessoa.

Will tinha mãos de homem; atraentes e com dedos quadrados. Era difícil olhá-las e acreditar que não tinham força, que nunca mais pegariam alguma coisa numa mesa, tocariam o braço de alguém ou se fechariam.

Percorri os nós dos dedos. Uma pequena parte de mim se perguntou se eu ficaria constrangida caso Will abrisse os olhos, mas não me importava. Senti que, com certeza, seria bom para ele ficar de mão dada comigo. Esperava que, de alguma forma, além da barreira daquele sono químico, ele concordasse com aquilo; fechei os olhos e esperei.

Finalmente, pouco depois das quatro, Will acordou. Eu estava no corredor, esticada nas cadeiras, lendo um jornal que alguém jogara fora, e dei um pulo quando a Sra. Traynor veio falar comigo. Parecia um pouco mais animada ao dizer que ele estava conversando e queria me ver. Disse também que ia descer e ligar para o Sr. Traynor.

Depois, como se não conseguisse evitar, ela acrescentou:

— Por favor, não o canse.

— Claro que não — garanti.

Dei um sorriso simpático.

— Olá — eu disse, enfiando a cabeça pela porta entreaberta.

Ele virou a cabeça devagar na minha direção.

— Olá.

Sua voz estava rouca, como se tivesse passado as últimas trinta e seis horas gritando e não dormindo. Sentei-me e observei-o. Ele olhou para baixo.

— Quer que eu tire a máscara de oxigênio um minuto?

Ele concordou com a cabeça. Tirei-a com cuidado, puxando-a para o alto da cabeça. A parte que cobria a pele deixou uma camada fina de suor. Peguei um lenço de papel e passei gentilmente no rosto dele.

— Como está se sentindo?

— Já estive melhor.

Um grande nó se formou na minha garganta e tentei engoli-lo.

— Sei... Você faz tudo para chamar a atenção, Will Traynor. Aposto que isso foi apenas...

Ele fechou os olhos, fazendo com que eu interrompesse a frase. Quando os abriu de novo, traziam um toque de desculpas.

— Perdão, Clark. Acho que hoje não consigo fazer graça.

Ficamos ali sentados. Comecei a matraquear no pequeno quarto verde-claro, contei que tirei minhas coisas do apartamento de Patrick e que foi bem fácil pegar os meus CDs no meio da sua coleção graças à insistência dele para eu arrumá-los em ordem.

— Você está bem? — perguntou Will, quando acabei de falar. Tinha o olhar solidário, como se imaginasse que a minha situação fosse mais difícil do que era.

— Sim, claro. — Dei de ombros. — Não é tão ruim assim. De todo jeito, tenho outras coisas com que me preocupar.

Will ficou calado. Por fim, disse:

— A questão é a seguinte: acho que não vou fazer *bungee jump* tão cedo.

Eu sabia. Meio que esperava por isso desde que recebi a mensagem de Nathan. Mas ouvir as palavras saírem da sua boca foi como um soco.

— Não se preocupe — falei, tentando manter a voz firme. — Está tudo bem. Vamos numa outra ocasião.

— Desculpe. Eu sei que você queria muito ir.

Coloquei a mão na testa dele e alisei o cabelo para trás.

— Psiu. Não tem importância. Só quero que melhore logo.

Ele fechou os olhos com um leve piscar. Eu sabia o que significavam aquelas rugas ao redor dos olhos, aquela expressão resignada. Significavam que não haveria outra ocasião. Significavam que ele achava que nunca mais ficaria bom.

* * *

Na volta do hospital, parei na Granta House. O pai de Will abriu a porta para mim, e parecia quase tão cansado quanto a Sra. Traynor. Segurava um casaco impermeável surrado, como se estivesse prestes a sair. Avisei que a Sra. Traynor ficaria mais uma vez com Will; que os antibióticos pareciam estar fazendo efeito e que ela pediu para avisar que passaria mais uma noite no hospital. Não sei por que ela mesma não podia avisá-lo. Talvez estivesse com a cabeça cheia, só isso.

— Como ele está?

— Um pouco melhor que de manhã — respondi. — Chegou a ingerir líquidos enquanto eu estava lá. Ah, e reclamou de uma das enfermeiras.

— Continua uma pessoa difícil.

— É, continua.

Por um instante, vi o Sr. Traynor apertar os lábios e seus olhos brilharem. Olhou pela janela, depois para mim. Não sei se ele preferia que eu não tivesse percebido.

— Esta foi a terceira crise. Em dois anos.

Levei um tempo para entender.

— De pneumonia?

Ele concordou com a cabeça.

— Coitado. Ele tem muita coragem, você sabe. Por trás de toda aquela arrogância. — Engoliu em seco e balançou a cabeça, como se falasse consigo mesmo. — Ainda bem que você sabe, Louisa.

Eu não sabia o que fazer. Estiquei a mão e toquei o braço dele.

— Sei, sim.

Ele acenou levemente com a cabeça para mim. Pegou o chapéu panamá no cabideiro do corredor. Resmungou algo que podia ser um obrigado ou um até logo, passou por mim e saiu pela porta da frente.

O anexo ficou estranhamente silencioso sem a presença de Will. Percebi que eu tinha me acostumado com o zunido da sua cadeira motorizada, indo para a frente e para trás, as conversas sussurradas com Nathan no quarto ao lado, o som suave do rádio. Agora que o anexo estava calmo, o ar parecia ter sumido à minha volta.

Arrumei uma mala com todas as coisas que ele poderia precisar no dia seguinte, inclusive roupas limpas, escova de dentes, escova de cabelo e remédios, além de fones de ouvido, caso estivesse disposto a ouvir música. Ao fazer isso, precisei lutar contra uma conhecida e crescente sensação de pânico. Uma vozinha subversiva ficou gritando dentro de mim: *Seria exatamente igual, se ele tivesse morrido*. Para afastar esse pensamento, liguei o rádio, tentando trazer o anexo de volta à vida. Fiz uma faxina, substituí as roupas da cama de Will por novas e colhi flores no jardim e as coloquei na sala. Então, quando ficou tudo pronto, encontrei o folheto de férias na mesa.

Eu passaria o dia seguinte inteiro com aquela papelada, cancelando toda a viagem, todos os passeios marcados. Não dava para saber quando Will teria condições de ir. O médico recomendou repouso, terminar a bateria de antibióticos, manter o corpo aquecido e seco. Canoagem em águas claras e mergulho de cilindro não faziam parte da recuperação dele.

Olhei bem para os folhetos, lembrando de todo o esforço, trabalho e imaginação que me custaram. Olhei para o passaporte que consegui após encarar uma fila, lembrei da minha crescente animação até quando peguei o trem para a cidade e, pela primeira vez desde que havia começado a planejar, me senti desapontada. Faltavam apenas três semanas e eu tinha fracassado. Meu contrato ia terminar e eu não tinha feito nada que mudasse a cabeça de Will. Tinha medo até de perguntar à Sra. Traynor para onde íamos agora. De repente, fiquei deprimida. Apoiei a cabeça nas mãos e fiquei assim naquela pequena casa silenciosa.

— Boa noite.

Levantei a cabeça, assustada. Nathan estava ali, enchendo a pequena cozinha com seu corpanzil. Carregava a mochila nos ombros.

— Só passei aqui para deixar algumas receitas médicas para quando ele voltar. Você... está bem?

Esfreguei os olhos.

— Claro. Desculpe. Só... meio desanimada de cancelar tudo isso.

Nathan deixou a mochila escorregar pelo ombro e sentou-se à minha frente.

— É uma pena, sem dúvida. — Pegou o folheto e deu uma olhada. — Quer ajuda amanhã? Eles não precisam de mim no hospital, então poderia passar uma hora aqui de manhã. Para ajudar nos telefonemas.

— É muita gentileza sua. Mas não precisa, talvez seja mais fácil eu fazer tudo.

Nathan fez chá e sentamos um em frente ao outro para beber. Acho que foi a primeira vez que realmente conversamos, pelo menos sem Will entre nós. Ele contou de um ex-paciente tetraplégico C3/C4 que usava um aparelho para controlar a respiração e que ficou doente pelo menos uma vez por mês enquanto ele trabalhava lá. Contou sobre as outras pneumonias de Will, e que ele quase morreu na primeira, levando semanas para se recuperar.

— Ele fica com aquele olhar... — disse Nathan. — Quando está mal mesmo. É assustador. Como se ele... se retirasse. Como se não estivesse ali.

— Sei como é. Detesto aquele olhar.

— Ele é um... — começou Nathan. E, abruptamente, desviou o olhar de mim e calou-se.

Ficamos segurando nossas xícaras de chá. Observei Nathan pelo canto do olho, o rosto simpático que de repente pareceu se fechar. Percebi então que eu ia fazer uma pergunta cuja resposta já sabia.

— Você sabe, não é?

— Sei o quê?

— O que... ele pretende fazer.

O silêncio na cozinha foi súbito e intenso.

Nathan me olhou atento, como se pesasse a resposta.

— Eu sei. Não devia, mas sei — continuei. — Por isso... pensei em fazer a viagem. Por isso as saídas de casa. Eu estava tentando fazer com que ele mudasse de ideia.

Nathan colocou a xícara na mesa.

— Eu imaginei — disse ele. — Você parecia... estar cumprindo uma missão.

— Eu estava. Estou.

Ele balançou a cabeça, não sei se para indicar que eu não devia desistir, ou para dizer que não havia nada a ser feito.

— O que vamos fazer, Nathan?

Ele levou uns dois minutos para responder.

— Sabe de uma coisa, Lou? Gosto muito do Will. Não me importo de dizer, gosto do cara. Trabalho com ele há dois anos. Vi-o nos piores e nos melhores momentos, e tudo o que posso dizer é que não gostaria de estar no lugar dele nem por todo o dinheiro do mundo.

Deu um gole no chá.

— Algumas vezes, ele acordava à noite gritando porque sonhava que andava, esquiava e fazia coisas; nessas horas, quando está com as defesas baixas e tudo fica insuportável, ele não consegue pensar que nunca mais vai fazer nada. Não consegue. Eu ficava com ele e não havia o que dizer para melhorar a situação. Ele recebeu as piores cartas do jogo. E sabe de uma coisa? Olhei-o na noite passada, pensei na vida dele e no que vai ser... e, apesar de desejar toda a felicidade do mundo para ele... não o condeno pelo que quer fazer. É escolha dele. Tem que ser.

Minha respiração ficou presa na garganta.

— Mas... isso foi antes. Todos vocês dizem que foi antes de eu vir. Ele mudou. Não mudou?

— Certamente, mas...

— Se não acreditarmos que ele vai se sentir melhor, que vai melhorar, como ele vai acreditar?

Nathan colocou a xícara na mesa. Olhou bem para mim.

— Lou. Ele não vai melhorar.

— Você não sabe.

— Eu sei. A menos que haja um grande avanço na pesquisa de células-tronco, Will vai ficar mais dez anos naquela cadeira. No mínimo. Ele sabe, mesmo que os pais dele não admitam. E essa é a metade do problema. A mãe quer que ele viva de qualquer maneira. O Sr. T. acha que, à certa altura, temos de deixar Will resolver.

— Claro que ele decide, Nathan. Mas ele precisa avaliar.

— Will é inteligente. Sabe exatamente as chances que tem.

Minha voz pairou na pequena cozinha.

— Não, você está errado. Você diz que ele está igual a antes de eu chegar aqui. Que não mudou nada.

— Não vejo dentro da cabeça dele, Lou.

— Você sabe que mudei a maneira de ele pensar.

— Não, eu sei que ele faz tudo para agradar você.

Olhei bem para ele.

— Você acha? — Fiquei furiosa com Nathan, furiosa com todos eles. — Se acha que nada disso adianta, por que ia conosco na viagem? Por que quis ir? Só para ter umas boas férias?

— Não. Quero que ele viva.

— Mas...

— Mas que viva se *ele* quiser. Se não quiser, então, por mais que você e eu gostemos dele, viramos só mais um bando de chatos que não respeitam sua vontade.

As palavras de Nathan reverberaram no silêncio. Sequei uma lágrima solitária no rosto e tentei fazer com que meu coração voltasse ao ritmo normal. Nathan pareceu constrangido com meu choro, coçou o pescoço e, sem dizer nada, um minuto depois me passou uma folha de papel-toalha.

— Tenho que impedir, Nathan.

Ele não disse nada.

— Tenho — repeti.

Olhei o meu passaporte na mesa da cozinha. Era horrível. Parecia uma outra pessoa. Alguém cuja vida, cuja maneira de viver não era a minha. Olhei o passaporte, pensando.

— Nathan?

— Sim?

— Se eu organizar uma viagem que os médicos aprovem, você viria? Você continuaria a me ajudar?

— Claro que sim. — Ele levantou-se, lavou a xícara e colocou a mochila no ombro. Virou-se para mim antes de sair da cozinha. — Mas vou ser sincero, Lou. Não sei se você consegue.

23

Exatos dez dias depois, o carro do Sr. Traynor nos deixou no aeroporto de Gatwick, Nathan arrastava nossa bagagem num carrinho enquanto eu checava novamente se Will estava confortável — até que ele ficou irritado.

— Cuidem-se. E façam boa viagem — recomendou o Sr. Traynor, colocando a mão no ombro de Will. — Não façam muita bobagem. — E literalmente piscou para mim ao dizer isso.

A Sra. Traynor não pôde sair do trabalho para ir também. Desconfio que, na verdade, ela não quis passar duas horas num carro com o marido.

Will concordou com a cabeça, mas não disse nada. Ele permanecera surpreendentemente quieto no carro, olhando pela janela com seu olhar impenetrável, ignorando a conversa entre mim e Nathan sobre o trânsito e o que já sabíamos que tínhamos nos esquecido de levar.

Até atravessarmos o pátio eu não estava muito segura de que fazíamos a coisa certa. A Sra. Traynor foi totalmente contra a viagem. Mas, depois que ele concordou com o meu plano reformulado, eu soube que ela teve medo de dizer que ele não deveria ir. Parecia estar com medo de falar conosco naquela última semana. Ficava em silêncio perto de Will, falando somente com os médicos. Ou se ocupava do jardim, podando as plantas com uma eficiência assustadora.

— Alguém da companhia aérea deve nos encontrar. Eles devem vir nos encontrar — afirmei, à medida que nos encaminhávamos para o guichê do check-in, mexendo na minha papelada.

— Relaxe. É pouco provável que coloquem alguém na porta — disse Nathan.

— Mas a cadeira tem que ser despachada como "equipamento médico frágil". Conferi três vezes pelo telefone com a mulher. E temos de ver se eles não vão implicar com o equipamento médico de bordo de Will.

O serviço on-line de tetraplégicos forneceu pilhas de informações, avisos, direitos e listas. Depois, conferi três vezes seguidas com a empresa aérea que seríamos alocados em assentos localizados na parte mais espaçosa da cabine e que Will embarcaria primeiro e não sairia de sua cadeira motorizada até que estivéssemos no portão de embarque. Nathan deveria ficar em solo, retirar o controle remoto e colocar a cadeira em funcionamento manual, e depois, cuidadosamente, deveria dobrar e fechar a cadeira, prendendo os pedais. Ele acompanharia pessoalmente o despacho da cadeira, para evitar que sofresse alguma avaria. Ela receberia etiquetas cor-de-rosa para avisar os carregadores que era um aparelho muito delicado. Reservamos três assentos seguidos para que Nathan pudesse dar a ajuda médica de que Will precisasse sem contar com olhares curiosos. A empresa aérea garantiu que os braços dos assentos levantavam, assim não machucaríamos os quadris de Will ao transferi-lo da cadeira de rodas para o assento do avião. Ele poderia ficar entre nós dois o tempo todo. E seríamos os primeiros a desembarcar.

Tudo isso estava na minha lista "aeroporto". Era a página que vinha antes da lista "hotel", mas depois da lista "um dia antes da partida" e do itinerário. Mesmo com todas essas garantias em ordem, eu me sentia enjoada.

Toda vez que olhava para Will, eu me perguntava se tinha feito a coisa certa. Will recebera de seu clínico geral a autorização para viajar somente na noite anterior. Comera pouco e passara quase o dia todo dormindo. Parecia cansado não só por causa da doença, mas exausto com relação à vida, cansado das nossas interferências, das nossas entusiasmadas tentativas de conversar, da nossa incansável determinação em tentar melhorar as coisas para ele. Ele me suportava, mas eu tinha a sensação de que, frequentemente, queria ficar sozinho. Ele não sabia que essa era a única coisa que eu não o deixaria fazer.

— Ali está a moça da companhia aérea — falei, quando uma jovem de uniforme, com um grande sorriso e uma prancheta, veio rápido na nossa direção.

— Bom, ela vai ser muito útil na transferência — Nathan murmurou. — Parece que não consegue levantar um camarão congelado.

— Vamos dar um jeito — respondi. — Aqui entre nós, damos um jeito.

Tinha se tornado o meu bordão, desde que decidi o que queria fazer. Desde minha conversa com Nathan no anexo, fui tomada por um renovado entusiasmo em provar que todos estavam errados. Só porque não podíamos fazer a viagem que planejei não queria dizer que Will não pudesse fazer nada.

Acessei os sites de bate-papo na internet e disparei perguntas. Que lugar seria bom para um agora bem mais fraco Will se recuperar? Alguém sabia aonde podíamos ir? O clima era a minha principal preocupação — o clima inglês era muito instável (e não há nada mais deprimente do que um hotel à beira-mar com chuva). Grande parte da Europa estava quente demais no fim de julho, o que excluía as praias da Itália, da Grécia, do sul da França e outras regiões litorâneas. Eu tinha uma visão, sabe? Imaginava Will relaxando à beira-mar. O problema era que, com tão pouco tempo para planejar e embarcar, havia pouca chance de tornar tudo realidade.

Houve muitas mensagens solidárias, e muitas, muitas histórias sobre pneumonia. Aquele parecia ser o fantasma que assombrava a todos eles. Houve algumas sugestões de lugares aonde ele poderia ir, mas nenhuma que me inspirasse. Ou, mais importante, nenhuma sugestão que pudesse interessar a Will. Eu não queria spas, ou lugares onde ele pudesse ver pessoas na mesma situação que ele. Eu não sabia direito o que queria, mas revi as sugestões da lista de sugestões e soube que nenhuma era adequada.

Foi Ritchie, aquele assíduo membro do bate-papo, que acabou me ajudando. Na tarde em que Will saiu do hospital, ele enviou uma mensagem:

> Mande o seu e-mail. Meu primo é agente de viagens. Contei o caso para ele.

Liguei para o número que ele me deu e falei com um homem de meia-idade, com forte sotaque de Yorkshire. Quando ele me disse o que tinha em mente, um sininho de reconhecimento soou em alguma parte das profundezas da minha memória. Duas horas depois, tínhamos tudo arranjado. Fiquei tão grata a ele que poderia ter chorado.

— Não tem de quê, garota — disse ele. — Apenas garanta que o seu amigo se divirta.

Dito isso, quando partimos, eu estava quase tão cansada quanto Will. Tinha passado dias numa batalha contra os menores requisitos para viagem de tetraplégicos, e até a manhã da viagem, ainda não estava convencida de que Will estava bem o suficiente para ir. Agora, sentada com a bagagem, olhava para ele, desanimado e pálido no aeroporto movimentado e me perguntava de novo se tinha me enganado. Por um breve momento senti pânico. E se ele adoecesse outra vez? E se detestasse cada minuto, como aconteceu na corrida de cavalos? E se eu tivesse entendido tudo errado e ele precisasse não de uma viagem épica, mas de dez dias em casa, na própria cama?

Mas não dispúnhamos de dez dias sobrando. Era isso. Aquela era a minha única chance.

— Estão chamando o nosso voo — avisou Nathan, ao voltar do Duty Free. Olhou para mim, levantou uma sobrancelha e respirou fundo.

— Certo — respondi. — Vamos lá.

O voo em si, apesar das longas doze horas de duração, não foi a provação que eu temia. Nathan provou ser muito eficiente em fazer as rotinas de troca de Will escondido sob um cobertor. A equipe de bordo foi solícita, discreta e cuidadosa com a cadeira. Will, conforme o prometido, embarcou primeiro, foi transferido para sua poltrona sem se machucar e ficou entre mim e Nathan.

Depois de uma hora de voo, percebi que, estranhamente, acima das nuvens, uma vez amarrado o suficiente para ficar estável em sua poltrona posta na posição inclinada, Will era igual a todo mundo no avião. Preso na frente de uma tela, sem ter para onde ir e nada para fazer a dez mil metros de altura, ele pouco se destacava dos demais passageiros. Comeu e assistiu a um filme e, principalmente, dormiu.

Nathan e eu sorrimos precavidos um para o outro e tentamos nos comportar como se tudo estivesse bem, tudo ótimo. Olhei para fora da janela, com as ideias tão confusas quanto as nuvens abaixo de nós, ainda incapaz de pensar no fato de que aquilo não era apenas um desafio logístico, mas uma aventura para mim — que eu, Lou Clark, estava literalmente a caminho do outro lado do mundo. Eu não enxergava isso. Não conseguia enxergar nada além de Will àquela altura. Eu me senti como minha irmã assim que deu à luz Thomas. "É como se eu estivesse vendo o mundo através de um funil" ela dissera, olhando para aquele ser recém-nascido. "O mundo ficou reduzido apenas a mim e a ele."

Ela tinha me mandado uma mensagem de texto quando eu estava no aeroporto.

Você consegue. Estou superorgulhosa de você. Bjs

Abri a mensagem de novo, só para olhar para ela, sentindo-me subitamente emocionada, talvez pela escolha das palavras. Ou talvez porque eu estava cansada, com medo e ainda achando difícil acreditar que eu tinha conseguido nos levar tão longe. Por fim, para bloquear meus pensamentos, liguei minha pequena TV, olhando sem ver alguma série americana de humor até que o céu à nossa volta escurecesse.

E então acordei com a aeromoça parada à nossa frente, oferecendo o café da manhã, e notei que Will estava conversando com Nathan sobre um filme a que tinham acabado de assistir juntos e — surpreendentemente e contra todas as possibilidades —, estávamos a menos de uma hora do pouso nas Ilhas Maurício.

Acho que não acreditei que tudo aquilo pudesse acontecer até que tivéssemos aterrissado no Aeroporto Internacional Sir Seewoosagur Ramgoolam. Surgimos, meio grogues, no portão de chegada, ainda enrijecidos pelo tempo de voo, e eu quase chorei de alívio ao ver o motorista do táxi especialmente adaptado. Naquela primeira manhã, quando o motorista nos levou rapidamente ao resort, reparei muito pouco da ilha. Claro, as cores pareciam mais fortes que as da Inglaterra, o céu era mais vívido, de um tom azul-celeste que apenas se perdia de vista ficando mais e mais profundo até o infinito. Notei que a ilha era viçosa e verde, margeada por quilômetros de canaviais, o mar surgindo como uma faixa de mercúrio por entre as colinas vulcânicas. O ar tinha um matiz fumacento e enérgico, o sol estava tão alto no céu que tive de semicerrar os olhos na luz branca. No estado de exaustão em que me encontrava, era como se me acordassem no meio das páginas brilhantes de uma revista.

Mas, mesmo com os meus sentidos lutando contra o desconhecido, meu olhar se voltava repetidamente para Will, para o seu rosto pálido, cansado, para a sua cabeça que parecia estranhamente caída entre os ombros. Então, atravessamos uma entrada de veículos ladeada de palmeiras, paramos do lado de fora de um prédio baixo e o motorista saltou e descarregou nossa bagagem.

Recusamos o chá gelado e um passeio pelo hotel. Encontramos o quarto de Will com a bagagem dele já descarregada, o deitamos na cama e, quase antes de fecharmos as cortinas, ele dormiu de novo. E ali estávamos nós. Eu tinha conseguido. Saí do quarto, finalmente soltando um grande suspiro, enquanto Nathan espiava pela janela a arrebentação branca atrás do recife de coral. Não sei se foi a viagem, ou porque era o lugar mais lindo em que eu já tinha estado na vida, mas meus olhos subitamente se encheram de lágrimas.

— Está tudo bem — disse Nathan, vislumbrando minha expressão. Depois, o que foi totalmente inesperado, ele se aproximou e me envolveu em um enorme abraço de urso. — Relaxa, Lou. Tudo vai dar certo. Sério. Você fez tudo certo.

Precisei de quase três dias para começar a acreditar nele. Will dormiu durante a maioria das primeiras quarenta e oito horas — e então, espantosamente, começou a parecer melhor. A pele recuperou a cor e ele perdeu as sombras azuladas ao redor dos olhos. Os espasmos diminuíram e ele voltou a comer, percorrendo devagar o interminável e extravagante bufê, dizendo o que ele queria que eu colocasse no prato. Soube que estava voltando a ser ele mesmo quando me instigou a comer coisas que eu nunca teria experimentado — molhos creole apimentados e frutos do mar cujos nomes eu não reconhecia. Ele pareceu ficar à vontade com o lugar mais rapidamente do que eu. E não é de se admirar. Tive de lembrar a mim mesma que, durante quase a vida toda, aquele tinha sido o domínio de Will — esse globo, essas amplas praias —, e não o pequeno anexo à sombra do castelo.

O hotel, conforme o prometido, tinha disponibilizado uma cadeira de rodas especial, com rodas largas, e quase todas as manhãs Nathan transferia Will para ela e caminhávamos pela praia. Eu carregava uma sombrinha, de modo a protegê-lo do sol se ficasse forte demais. Mas não ficou; aquela parte sudeste da ilha era famosa por suas brisas do mar e, fora da estação, as temperaturas no resort raramente iam além dos vinte graus. Ficávamos numa pequena praia perto de uma rocha, que emergia bem fora de vista da parte principal do hotel. Eu abria uma cadeira, sentava-me ao lado de Will, embaixo de uma palmeira, e olhávamos Nathan tentar praticar windsurf ou esqui aquático — às vezes, gritávamos palavras de incentivo e até uns xingamentos ocasionais — de onde estávamos na areia.

A princípio, os funcionários do hotel quase queriam fazer coisas demais para Will, oferecendo-se para empurrar a cadeira, insistindo constantemente em lhe trazer bebidas geladas. Explicamos que não precisávamos deles e eles, alegremente, recuaram. Mas era bom, durante os momentos em que eu não estava com Will, ver porteiros e recepcionistas conversarem com ele, ou dar dicas de lugares aonde achavam que deveríamos ir. Havia um jovem desengonçado, Nadil, que parecia ter nomeado a si mesmo o cuidador não oficial de Will quando Nathan não estava por perto. Um dia, saí e descobri que Nadil e um amigo haviam gentilmente tirado Will da cadeira, colocando-o numa esteira acolchoada que tinham posicionado embaixo da "nossa" palmeira.

— Assim é melhor — disse Nadil, levantando o polegar num sinal de positivo, enquanto eu vinha pela areia. — Basta me chamar quando o Sr. Will quiser voltar para a cadeira.

Eu estava prestes a reclamar e dizer que não deveriam tê-lo tirado da cadeira. Mas Will havia fechado os olhos e se deitado com uma satisfação tão inesperada que apenas me calei e fiz que sim com a cabeça.

Quanto a mim, à medida que a preocupação com a saúde de Will foi diminuindo, comecei vagarosamente a achar que estava mesmo no paraíso. Nunca na minha vida tinha pensado que poderia passar meu tempo em um lugar como aquele. Todas as manhãs, eu acordava com as ondas quebrando gentilmente na praia e pássaros desconhecidos cantando uns para os outros nas árvores. Olhava para o teto do meu quarto, vendo o sol brincar através das folhas; e do quarto ao lado ouvia uma conversa murmurada que me dizia que Will e Nathan já tinham acordado bem antes de mim. Eu usava sarongues e roupas de banho, aproveitava a sensação do sol quente em meus ombros e costas. Minha pele ficou cheia de sardas, minhas unhas ficaram esbranquiçadas e comecei a sentir uma rara felicidade diante dos simples prazeres da vida lá — andar na praia, comer alimentos desconhecidos, nadar em águas claras e mornas, onde peixes negros olhavam timidamente por entre pedras vulcânicas, ou ver o sol afundar no horizonte, vermelho-fogo. Aos poucos, os últimos meses começaram a se apagar. Para meu constrangimento, eu raramente pensava em Patrick.

Nossos dias pareciam seguir um padrão. Tomávamos café da manhã todos os três juntos, nas mesas à sombra suave da pérgula. Will costumava comer salada de frutas, que eu lhe oferecia, e às vezes ele comia depois uma panqueca de banana, à medida que o apetite aumentou. Íamos então para a praia, onde ficávamos — eu lendo, Will ouvindo música — enquanto Nathan praticava esportes aquáticos. Will ficava me dizendo que eu também deveria fazer alguma coisa, mas a princípio eu disse não. Apenas queria ficar perto dele. Quando insistiu, passei uma manhã praticando windsurfe e caiaque, mas eu ficava mais feliz estando só ao lado dele.

De vez em quando, se Nadil estava por perto e o resort estava calmo, ele e Nathan acomodavam Will na água morna da piscina menor, Nathan sustentando sua cabeça para que o corpo de Will flutuasse. Ele não falava muito quando eles faziam isso, mas parecia bem satisfeito, como se o corpo lembrasse de sensações havia muito esquecidas. O tórax de Will, pálido havia muito tempo, ficou dourado. As cicatrizes ficaram prateadas e começaram a desaparecer. Ele ficou mais à vontade sem camisa.

Na hora do almoço, íamos para um dos três restaurantes do resort. O piso de todo o complexo era ladrilhado, com apenas uns poucos degraus e declives, o que significava que Will podia se movimentar com a cadeira em completa autonomia. Era algo pequeno, mas o fato de ele conseguir uma bebida sem um de nós precisar acompanhá-lo era não só um descanso para mim e Nathan, como a breve mudança em uma das frustrações diárias de Will — ser totalmente dependente dos outros. Não que qualquer um de nós precisássemos nos deslocar muito. Parecia que onde quer que estivéssemos, na praia ou na piscina, ou até mesmo no spa, um dos sorridentes funcionários aparecia com um drinque de que se poderia gostar, em geral enfeitado com uma perfumada flor cor-de-rosa. Mesmo quando você ficava estirado na praia, um pequeno jipe passava e um sorridente garçom oferecia água, suco de fruta ou algo mais forte.

Nas tardes, quando as temperaturas chegavam ao ápice, Will ia para o quarto e dormia algumas horas. Eu nadava na piscina, ou lia meu livro, e no final da tarde nos encontrávamos para jantar no restaurante à beira-mar. Logo passei a gostar de coquetéis. Nadil percebeu que, se desse a Will o canudinho do tamanho certo e colocasse um copo alto no porta-copo, Nathan e eu não precisávamos fazer nada. Ao anoitecer, nós três conversávamos sobre nossa infância, nossos primeiros namorados, nossos primeiros empregos, nossas famílias e outros passeios que tínhamos feito, e lentamente vi Will ressurgir.

Só que era um Will diferente. Aquele lugar parecia ter lhe concedido uma paz que ele não tinha ao longo de todo o tempo que eu o conheci.

— Ele está indo bem, não? — perguntou Nathan, ao me encontrar no bufê.

— Sim, acho que sim.

— Sabe... — Nathan se inclinou na minha direção, temendo que Will visse que falávamos nele — ...acho que aquele rancho com todas as aventuras teria sido ótimo. Mas, vendo-o agora, não posso deixar de pensar que este lugar deu mais certo.

Eu não disse a ele o que eu decidira no primeiro dia, quando fizemos o check-in, meu estômago embrulhado de ansiedade, já calculando quantos dias eu ainda tinha antes de voltar para casa. Em cada um daqueles dez dias, tentei esquecer por que realmente estávamos ali — o contrato de seis meses, meu calendário cuidadosamente planejado, tudo o que tinha acontecido antes. Precisava apenas viver o momento e tentar encorajar Will a fazer o mesmo. Eu tinha de ser feliz, na esperança de que Will fosse também.

Pus em meu prato outra fatia de melão e sorri.

— Então, o que vamos fazer mais tarde? Vamos cantar no karaokê? Ou seus ouvidos ainda não se recuperaram da noite passada?

Na quarta noite, Nathan anunciou, apenas um pouco constrangido, que tinha um encontro. Karen era uma amiga neozelandesa hospedada no hotel ao lado e ele tinha concordado em ir com ela ao centro da cidade.

— Só para garantir que ela vá ficar bem. Você sabe... não sei se é um lugar bom para ela ir sozinha

— É — disse Will, balançando a cabeça, solenemente. — Muito cavalheiresco de sua parte, Nate.

— Eu acho que é uma atitude muito responsável. Muito cívica — concordei.

— Sempre admirei Nathan por sua abnegação. Sobretudo quando se trata do sexo oposto.

— Danem-se vocês dois — disse Nathan com um sorriso escancarado, e sumiu.

Karen logo se tornou uma companhia constante. Nathan desaparecia com ela quase todas as noites e, embora voltasse para cumprir suas obrigações da noite, nós, tacitamente, demos a ele todo o tempo possível para que se divertisse.

Além do mais, eu estava secretamente satisfeita. Gostava de Nathan e me sentia grata por ele ter vindo, mas preferia quando ficávamos só Will e eu. Gostava da espécie de taquigrafia em que mergulhávamos quando ninguém estava por perto, da intimidade fácil que surgiu entre nós. Gostava do jeito como ele virava o rosto e me olhava com deleite, como se, de algum modo, eu tivesse me tornado muito mais do que ele esperava.

Na penúltima noite, eu disse a Nathan que não me incomodaria se ele quisesse trazer Karen para o complexo. Ele vinha passando as noites no hotel dela e eu sabia que aquilo era complicado para ele, andar vinte minutos de cada vez para preparar Will para dormir.

— Não me importo. Se isso vai... você sabe... lhe dar um pouco de privacidade.

Ele ficou animado, já pensando na noite que teria, e não disse nada mais que um entusiasmado "Obrigado, companheira".

— Que gentil de sua parte — disse Will, quando contei para ele.

— Que gentil de sua parte, você quer dizer — respondi. — Foi o seu quarto que cedi à causa.

Naquela noite, colocamos Will no meu quarto, e Nathan ajudou Will a se deitar e lhe deu o remédio enquanto Karen aguardava no bar do hotel. Troquei de roupa, vestindo a camiseta e a calcinha e então abri a porta do banheiro e me esparramei sobre o sofá, com o travesseiro embaixo do braço. Senti o olhar de Will me acompanhando, e me senti estranhamente consciente de que eu passara quase toda a semana anterior andando por aí de biquíni na frente dele. Encaixei meu travesseiro no braço do sofá.

— Clark?

— O quê?

— Você realmente não precisa dormir aí. Esta cama é grande o bastante para caber um time de futebol inteiro.

O fato é que eu nem sequer tinha pensado nisso. Pois é. Talvez os dias que passamos quase despidos na praia nos tivessem feito pirar um pouco. Talvez fosse a ideia de que Nathan e Karen estavam do outro lado da parede, enrolados um no outro, num casulo. Talvez eu quisesse apenas ficar perto dele. Comecei a me encaminhar para a cama, então me encolhi ao ouvir um súbito trovão. As luzes falharam, alguém gritou lá fora. No quarto ao lado, Nathan e Karen irromperam em risadas.

Fui até a janela e abri a cortina, sentindo a brisa repentina, a queda abrupta da temperatura. Lá fora, no mar, uma tempestade ganhou vida. Flashes dramáticos de raios se partiam em várias direções iluminando o céu por um instante e então, como se fosse um adendo, uma pesada trovoada soou no dilúvio que atingia o telhado do nosso pequeno bangalô, tão barulhenta que abafou tudo.

— Melhor eu fechar as janelas — falei.

— Não, não.

Virei-me.

— Deixe as portas abertas — disse Will, fazendo sinal com a cabeça. — Quero ver.

Hesitei, mas, devagar, abri com cuidado as portas envidraçadas que davam para o terraço. A chuva martelava todo o complexo do hotel, pingando de nosso telhado, escavando rios que corriam do terraço em direção ao mar. Senti a umidade em meu rosto, a eletricidade no ar. Os pelos dos meus braços se eriçaram na mesma hora.

— Você está sentindo? — perguntou ele, atrás de mim.

— Parece o fim do mundo.

Fiquei ali, deixando a carga fluir através de mim, os flashes brancos se imprimindo em minhas pálpebras. Isso fez com que minha respiração ficasse presa na garganta.

Virei-me e caminhei até a cama, sentando-me na beira. Enquanto ele me olhava, me inclinei e delicadamente puxei seu pescoço bronzeado na minha direção.

Agora, eu sabia exatamente como mexer nele, como eu poderia fazer com que seu peso, sua solidez, trabalhassem a meu favor. Segurando-o perto de mim, debrucei--me por sobre ele e coloquei um gordo travesseiro branco atrás de seus ombros antes de apoiá-lo novamente sobre sua suave maciez. Ele tinha cheiro de sol, parecia entranhado na pele, e eu me peguei inalando aquele cheiro silenciosamente, como se fosse algo delicioso.

Então, ainda não completamente seca, subi na cama ao lado dele, tão perto que minhas pernas tocaram as suas e, juntos, nós observamos o chamuscar branco--azulado à medida que os raios atingiam as ondas, as estacas do guarda-corpo prateadas pela chuva, a delicada massa turquesa cambiante que caía a poucos metros de distância.

O mundo ao nosso redor pareceu encolher, até que ele fosse somente o som da tempestade, o mar azul-escuro cor de malva e as cortinas finas delicadamente se inflando. Senti o cheiro das flores de lótus na brisa noturna, ouvi os sons distantes de copos tilintando, de cadeiras sendo aproximadas às pressas, a música de alguma comemoração ao longe, senti a carga da natureza descontrolada. Alcancei a mão de Will e a segurei entre as minhas. Pensei, por um instante, que nunca mais me sentiria tão intensamente conectada ao mundo, a outro ser humano, como naquele momento.

— Nada mal, hein, Clark? — disse Will em meio ao silêncio. Diante da tempestade, o rosto dele estava parado e calmo. Ele se virou um pouco e sorriu para mim, e havia algo em seus olhos, algo triunfante.

— É — respondi. — Nada mal mesmo.

Fiquei deitada imóvel, ouvindo a respiração dele lenta e profunda, o som da chuva por trás dela, senti seus dedos cálidos entrelaçados nos meus. Eu não queria voltar para casa. Pensei que poderia nunca mais voltar. Ali, Will e eu estávamos seguros, trancados no nosso pequeno paraíso. Toda vez que eu pensava em voltar para a Inglaterra, a grande garra do medo prendia meu estômago e começava a apertá-lo bem forte.

Vai dar certo. Tentei repetir para mim mesma as palavras de Nathan. *Vai dar certo.*

Finalmente, virei-me de lado, de costas para o mar, e olhei para Will. Ele virou a cabeça para me olhar na luz fraca e eu senti que ele me dizia a mesma coisa. *Vai dar certo.* Pela primeira vez na vida, tentei não pensar no futuro. Tentei apenas estar, simplesmente deixar as sensações da noite passarem por mim. Não sei quanto tempo ficamos assim, apenas olhando um para o outro, mas aos poucos as pálpebras de Will ficaram mais pesadas até que ele murmurasse, se desculpando, que achava que estava... A respiração ficou mais profunda, ele fechou a pequena fenda e caiu no sono, e então eu fiquei apenas olhando o rosto dele, observando que seus cílios eram pequenos pontos separados perto dos cantos dos olhos, que havia novas sardas em seu nariz.

Disse a mim mesma que eu precisava ter razão. Precisava ter razão.

A tempestade finalmente se dispersou lá pela uma da manhã, sumindo em algum ponto mar adentro, seus lampejos de raiva ficando cada vez mais suaves até desaparecerem por completo, levando a tirania meteorológica para algum outro lugar invisível. Aos poucos, o ar acalmou em volta de nós, as cortinas pararam de esvoaçar, a água que restava foi drenada num gorgolejo. Em algum momento da madrugada eu me levantei, tirei delicadamente minha mão da de Will, fechei as portas envidraçadas, abafando o quarto no silêncio. Will dormiu — um sono audível e calmo que ele raramente tinha em casa.

Não dormi. Fiquei lá, olhei-o e procurei não pensar em mais nada.

No último dia, aconteceram duas coisas. Uma: por insistência de Will, aceitei fazer mergulho submarino. Ele falava havia dias que eu não podia ir a um lugar tão distante e não mergulhar no mar. Não dei certo no windsurfe, mal consegui segurar a vela nas ondas; quase todas as tentativas de fazer esqui aquático terminaram de cara na água. Mas ele insistia e, um dia antes de irmos embora, chegou ao almoço avisando que me inscrevera num curso de meio dia de mergulho para iniciantes.

Começou mal. Will e Nathan ficaram na beira da piscina enquanto meu instrutor tentava me convencer de que eu continuaria respirando dentro da água. Mas os dois ficarem me olhando acabou com minhas esperanças. Não sou burra: sabia que os tanques de oxigênio nas minhas costas manteriam meus pulmões funcionando, que eu não ia me afogar. Mas toda vez que eu enfiava a cabeça na água, entrava em pânico e voltava à tona. Era como se meu corpo se recusasse a acreditar que podia respirar sob vários litros de águas mauricianas.

— Acho que não consigo — confessei ao voltar à tona pela sétima vez, fazendo um barulho alto.

O instrutor de mergulho, James, olhou para Will e Nathan, que estavam atrás de mim.

— Não consigo — garanti.

James ficou de costas para os dois, deu um tapinha no meu ombro e mostrou o mar.

— Tem gente que se sente melhor lá — disse, calmo.

— No mar?

— Tem gente que se sente melhor em águas profundas. Vamos. Vamos de barco.

Quarenta minutos depois, eu estava dentro da água, olhando a colorida paisagem que ficava escondida sob o mar, esqueci que o oxigênio podia falhar e que, contra todas as possibilidades, eu ia afundar e morrer, esqueci até que eu tinha medo.

Fui distraída pelos segredos de um novo mundo. No silêncio, quebrado apenas pelo som exagerado da minha respiração, vi cardumes de pequenos peixes iridescentes e outros maiores, pretos e brancos, que me olhavam com caras inquisitivas e pasmas; anêmonas que se moviam lenta e suavemente, filtrando as correntes de água que trazem seus pequenos e invisíveis alimentos. Vi paisagens distantes ainda mais coloridas e variadas do que eram na superfície. Vi cavernas e vãos onde criaturas desconhecidas espreitavam, formas que tremeluziam sob os raios do sol. Eu não queria voltar à tona. Podia ficar lá para sempre, naquele mundo silencioso. Só quando James indicou o mostrador do tanque de oxigênio vi que eu precisava subir.

Mal conseguia falar quando enfim me dirigi, sorrindo, pela areia na direção de Will e Nathan. Minha cabeça continuava cheia de imagens, meus braços e pernas ainda se mexiam como se estivessem dentro d'água.

— Bom, não? — perguntou Nathan.

— Por que vocês não me disseram? — reclamei para Will, jogando as nadadeiras na areia diante dele. — Por que não me obrigaram a fazer isso antes? Tudo o que vi! Tudo lá, o tempo todo! Bem ali na minha frente!

Will olhou sério para mim. Não disse nada, mas deu um sorriso largo, bem devagar.

— Não sei, Clark. Tem gente com quem não adianta falar.

Na última noite, me embriaguei. Não só porque íamos embora no dia seguinte. Mas porque, pela primeira vez, senti realmente que Will estava bem e não precisava me preocupar. Usei um vestido branco de algodão (a pele estava bronzeada, portanto o branco não me fazia parecer um cadáver numa mortalha) e sandálias de tiras prateadas. Quando Nadil me deu uma flor vermelha e sugeriu que colocasse nos cabelos, não zombei dele como teria feito uma semana antes.

— Olá, Carmem Miranda — disse Will, quando os encontrei no bar. — Como está bonita.

Eu ia dizer algo irônico, mas notei que ele me olhava com autêntica aprovação.

— Obrigada. Você também não está mal — respondi.

O hotel tinha uma discoteca; então, pouco antes das dez da noite, quando Nathan saiu para ficar com Karen, Will e eu fomos para a praia com a música em nossos ouvidos e a agradável sensação de três coquetéis suavizando meus movimentos.

Ah, como a praia estava linda. A noite era quente e a brisa trazia o cheiro de churrascos preparados ao longe, de óleos na pele, e o leve cheiro salgado do mar. Will e eu paramos perto de nossa palmeira preferida. Alguém tinha feito uma fogueira na praia, talvez para assar algo, e restavam apenas brasas brilhando.

— Não quero ir embora — falei, no escuro.

— É um lugar difícil de deixar.

— Pensei que lugares assim só existissem em filmes — eu disse, virando de frente para ele. — Isso me fez imaginar se era verdade tudo o que você disse sobre os outros.

Ele sorria. O rosto parecia descansado e feliz, os olhos brilhavam quando virou-se para mim. Observei-o e, pela primeira vez, não senti um toque de medo.

— Gostou de vir, não? — perguntei, indecisa.

Ele concordou com a cabeça.

— Ah, sim.

— Ah!! — exclamei, dando um soco no ar.

Depois, a música que vinha do bar aumentou, tirei os sapatos e dancei. Parece idiota, o tipo da coisa que, em outra situação, podia ser constrangedora. Mas ali, no escuro de breu, meio tonta por falta de sono, com a fogueira, o céu e o mar infinitos, a música nos nossos ouvidos e Will sorrindo, meu coração explodindo num sentimento que eu não conseguia identificar, eu só queria dançar. Dancei, ri, solta, sem me preocupar se alguém nos via. Senti que Will me olhava e sabia que ele sabia que aquela era a única reação possível para os últimos dez dias. Ora, para os últimos seis meses.

A música terminou e desmontei, ofegante, aos pés dele.

— Você... — ele disse.

— Eu o quê? — Meu sorriso era brincalhão. Eu me sentia fluida, elétrica. Não estava muito responsável pelos meus atos.

Ele balançou a cabeça.

Levantei-me lentamente da areia, descalça, fui até a cadeira, sentei no colo dele, nossos rostos quase colados. Após a noite anterior, aquele não pareceu um salto muito grande.

— Você... — Seus olhos azuis brilhavam à luz das brasas e grudaram nos meus. Ele tinha cheiro de sol, de fogueira e de algo áspero e cítrico.

Senti algo se entregar dentro de mim.

— Você... é uma figura, Clark.

Fiz a única coisa que me ocorreu. Inclinei-me e encostei meus lábios nos dele. Will ficou indeciso um instante e retribuiu o beijo. Por um instante, esqueci tudo: o milhão e meio de motivos para não fazer aquilo; meus medos; o motivo para estarmos ali. Beijei-o, sentindo o cheiro da pele, os cabelos macios nas minhas mãos. Quando ele retribuiu, tudo isso desapareceu e ficamos apenas os dois numa ilha no meio do nada, sob milhares de estrelas cintilantes.

Ele então recuou.

— Eu... desculpe. Não...

Abri os olhos. Coloquei a mão no rosto dele e percorri seu lindo contorno. Senti o leve sal nos dedos.

— Will ... — comecei a dizer. — Você pode. Você...

— Não. — A palavra tinha um toque de aço. — Não posso.

— Não entendo.

— Não quero.

— Hum... acho que você tem que aceitar.

— Não posso porque eu não... — engoliu em seco. — Não posso ser o homem que quero ser com você. O que significa que isso — ele olhou meu rosto — isso apenas se transforma... em outro lembrete do que não sou.

Não afastei meu rosto. Inclinei minha cabeça para tocar na dele, nossa respiração se misturou e falei baixo, para só ele ouvir:

— Não me importo com o que você... pensa que pode ou não fazer. Não é preto no branco. Sinceramente... conversei com outras pessoas na mesma situação que você... e há coisas que são possíveis. Maneiras de agradar a ambos... — Eu tinha começado a gaguejar um pouco. Me senti estranha com aquela conversa. Olhei bem para ele. — Will Traynor — eu disse, baixo — É o seguinte. Acho que podemos...

— Não, Clark — ele interrompeu.

— Acho que podemos fazer de tudo. Sei que essa não é uma história de amor como outra qualquer. Sei que há motivos para eu nem dizer isso. Mas eu amo você. De verdade. Vi isso quando deixei Patrick. E acho até que você gosta um pouco de mim.

Ele ficou calado. Seus olhos buscaram os meus, com aquela enorme tristeza de sempre. Afastei os cabelos da testa dele como se pudesse afastar a tristeza; ele inclinou a cabeça, encostou-a na palma da minha mão e ficou assim.

Engoliu em seco.

— Preciso lhe dizer uma coisa.

— Eu sei de tudo — cochichei.

Will calou-se. O ar pareceu estagnado.

— Eu sei da Suíça. Sei... a razão do meu contrato ser de seis meses.

Ele tirou a cabeça da minha mão. Olhou para mim, depois para o céu. Os ombros caíram.

— Sei de tudo, Will. Sei há meses. E, por favor, ouça... — Peguei a mão direita dele e encostei no meu coração. — Sei que podemos. Sei que não é como você queria, mas posso fazer você feliz. Só sei dizer que você me transformou... numa pessoa que eu nem imaginava. Você me faz feliz, mesmo quando é horroroso. Prefiro estar com esse *você* que você deprecia do que com qualquer outra pessoa no mundo

Os dedos dele apertaram um pouco os meus e isso me encorajou.

— Se acha muito estranho eu trabalhar para você, saio desse emprego e procuro outro. Queria lhe contar uma coisa: me inscrevi numa faculdade. Pesquisei muito na internet, falei com outros tetraplégicos e cuidadores, aprendi muito sobre isso. Então, posso fazer o curso e ficar com você. Entende? Pensei em tudo, pesquisei tudo. Agora sou assim. Culpa sua. Você me transformou. — Eu estava quase rindo. — Você me transformou na minha irmã. Mas com um gosto muito melhor para se vestir.

Ele tinha fechado os olhos. Segurei as mãos dele e beijei os nós dos dedos. Senti a pele dele e tive mais certeza do que nunca de que não poderia deixá-lo.

— O que acha? — cochichei.

Eu podia olhá-lo pelo resto da vida.

Ele falou tão baixo que por um instante pensei ter entendido errado.

— O que disse? — perguntei.

— Não, Clark.

— Não?

— Desculpe. Não basta.

Abaixei a mão dele.

— Não entendo.

Ele esperou para falar como se, por uma vez, lutasse para encontrar as palavras certas.

— Não basta para mim. Esse meu mundo, mesmo que seja com você. E pode ter certeza, Clark, minha vida melhorou muito desde que você chegou. Mas para mim não basta. Não é a vida que eu quero.

Foi a minha vez de recuar.

— Eu entendo que podia ser bom. Entendo que, com você, talvez fosse até uma vida muito boa. Mas não é a *minha* vida. Não sou igual a essas pessoas com quem você fala. Não é a vida que eu quero. Não chega nem perto. — Ele falava aos trancos. Sua expressão me assustou.

Engoli em seco, balançando a cabeça.

— Você... uma vez me disse que aquela noite que passei no labirinto do castelo não podia ser o que me identificava. Disse que eu podia escolher o que fosse. Bom, pois você não pode deixar essa... cadeira de rodas ser a sua identidade.

— Mas é, Clark. Você não me conhece. Nunca me viu antes disso. Eu adorava a vida, Clark. Gostava mesmo. Do meu trabalho, das viagens, das coisas que eu fazia. Gostava de usar o corpo. De andar na minha moto, me desviando dos prédios. Gostava de dominar as pessoas nos negócios. Gostava de transar. Transar muito. Eu levava uma vida *muito boa*. — Falou mais alto: — Não nasci para viver enfiado nesta coisa; mas, por tudo e para tudo, é isso que me identifica. É a única coisa que me define.

— Mas você não está nem dando uma chance — cochichei. A voz parecia não querer sair do meu peito. — Não está *me* dando uma chance.

— Não é questão de dar uma chance. Nesses seis meses, vi você se transformar em outra pessoa, que está só começando a ver as possibilidades que tem. Não imagina como isso me deixou feliz. Não quero que você fique presa a mim, às minhas consultas hospitalares, às limitações da minha vida. Não quero que perca todas as coisas que outra pessoa poderia lhe dar. E, egoísta, não quero que olhe para mim um dia e sinta sequer o mínimo arrependimento ou pena por...

— Eu *jamais* pensaria isso!

— Você não sabe, Clark. Não sabe o que iria acontecer. Não sabe nem como vai estar daqui a seis meses. E não quero olhar para você todos os dias, ver você nua, andando pelo anexo com suas roupas malucas e... não poder fazer o que quero com você. Ah, Clark, se soubesse o que eu gostaria de fazer com você exatamente agora. E... não aguento pensar nisso. Não posso. Não é quem eu sou. Não posso ser um homem que apenas... *aceita.*

Ele olhou para a cadeira, com a voz trêmula.

— Jamais aceitarei isso.

Chorei.

— Por favor, Will, não diga isso. Dê uma chance para mim. Uma chance para nós.

— Psiu. Escute. Você, principalmente. Ouça o que vou dizer. Esta... noite... é a melhor coisa que você poderia fazer por mim. O que disse, o que fez para me trazer aqui... mesmo sabendo o idiota completo que eu era no começo, acho incrível você conseguir resgatar algo para amar. — Mas — ele apertou minha mão — isso precisa acabar aqui. Chega de cadeira de rodas. Chega de pneumonia. Chega de coceiras nos braços e pernas. Chega de dores e cansaço, de acordar desejando que o dia acabe. Quando voltarmos para o anexo, vou para a Suíça. E se você gosta mesmo de mim, Clark, como diz que gosta, eu ficaria muito feliz se me acompanhasse.

Recuei a cabeça, num susto.

— O quê?

— Minha situação não vai melhorar. A chance é piorar cada vez mais e minha vida, que já é limitada, vai ficar mais ainda. Os médicos disseram. Há várias coisas que estão me atingindo. Eu percebo. Não quero mais sentir dor, nem ficar enfiado nessa cadeira, nem depender de ninguém, nem ter medo. Por isso, peço a você que, se sente o que diz, me acompanhe. Fique comigo. Me dê o fim que desejo.

Olhei-o horrorizada, o sangue bombeando nos ouvidos. Mal consegui entender.

— Como pode me pedir uma coisa dessas?

— Sei que é....

— Eu digo que amo você e que quero construir um futuro e você me pede para assistir ao seu suicídio?

— Desculpe. Não queria ser agressivo. Mas não disponho do luxo de ter tempo.

— O que... o quê? Você fez reserva em algum lugar? Tem algum compromisso que não pode faltar?

Vi as pessoas do hotel parando, talvez porque falássemos alto, mas não me importei.

— Sim — respondeu Will, após uma pausa. — Sim, tenho. Estive lá. A clínica disse que me aceita. E meus pais concordaram com a data de treze de agosto. Vamos de avião um dia antes.

Minha cabeça girou. Faltava menos de uma semana.

— Não posso acreditar.

— Louisa...

— Pensei... pensei que eu tinha feito você mudar de ideia.

Ele inclinou a cabeça de lado e me olhou. A voz era suave; os olhos, gentis.

— Louisa, nada me faria mudar de ideia. Dei a meus pais o prazo de seis meses e cumpri. Você fez esse tempo ficar mais valioso do que pode imaginar. Deixou de ser um teste de resistência...

— Não diga isso!

— O quê?

— Não diga mais nada! — Eu soluçava. — Will, como você é egoísta. Como é idiota. Mesmo se houvesse a mais remota possibilidade de eu ir com você à Suíça... mesmo se você achasse que eu iria, depois de tudo o que fiz por você, de fazer o que fiz, é só isso que me diz? Fiz uma declaração de amor e você diz apenas "Não, você é pouco para mim. E agora quero que assista a pior coisa que pode imaginar." O que eu mais temia desde que soube disso. Você tem noção do que me pede para fazer?

Eu estava furiosa. De pé na frente dele, como uma louca.

— Foda-se, Will Traynor. Foda-se. Gostaria de jamais ter aceito este trabalho besta. Gostaria de jamais tê-lo conhecido. — Chorei, corri pela praia e voltei para o quarto, longe dele.

Muito depois de fechar a porta do quarto, a voz dele me chamando ainda soava nos meus ouvidos.

24

Não há nada mais desconcertante para quem está passando do que ver um cadeirante se defendendo da mulher que deveria estar cuidando dele. Aparentemente, ficar bravo não é a coisa certa a ser feita com o deficiente que está sob seus cuidados.

Sobretudo quando ele é completamente incapaz de se mexer e está dizendo, suavemente:

— Clark. Por favor. Apenas venha aqui. *Por favor.*

Mas eu não podia. Não podia olhar para ele. Nathan tinha feito as malas de Will e encontrei os dois no saguão na manhã seguinte — Nathan ainda grogue por causa da ressaca — e, a partir do momento em que fomos obrigados a ficar juntos de novo, me recusei a ter alguma coisa a ver com Will. Estava furiosa e infeliz. Havia uma voz insistente e irritada dentro da minha cabeça que exigia que eu ficasse o mais longe possível dele. Que eu voltasse para casa. Que eu nunca mais o visse.

— Você está bem? — perguntou Nathan, surgindo ao meu lado.

Assim que chegamos ao aeroporto, marchei para longe deles, em direção ao balcão de check-in.

— Não — respondi. — E não quero falar sobre isso.

— Ressaca?

— Não.

Fez-se um curto silêncio.

— Isso significa o que eu penso que significa? — De repente, ele ficou soturno.

Não consegui falar. Assenti e vi a mandíbula de Nathan se enrijecer por um momento. Mas ele era mais forte do que eu. Afinal, era um profissional. Minutos depois, ele voltou para perto de Will, mostrando-lhe algo que tinha visto numa revista, pensando alto sobre as perspectivas de um time de futebol que os dois conheciam. Ao vê-los, você não imaginaria a notícia que eu tinha acabado de receber.

Procurei me ocupar durante todo o tempo de espera no aeroporto. Encontrei mil coisinhas para fazer — ocupando-me com etiquetas de bagagem, comprando café, folheando jornais, indo ao banheiro —, tudo isso significava que eu não precisava cuidar dele. Não precisava falar com ele. Mas, de vez em quando, Nathan sumia e éramos deixados a sós, sentados um ao lado do outro, a pequena distância entre nós soando estridentemente com recriminações tácitas.

— Clark... — começou ele.

— Não — cortei —, não quero falar com você.

Surpreendeu-me como eu poderia ser fria. E, sem dúvida, surpreendi as comissárias de bordo. Eu as vi durante o voo, murmurando entre si sobre como eu me virara rigidamente para longe de Will, colocando meus fones de ouvido ou olhando resolutamente para fora da janela.

Pela primeira vez, ele não ficou furioso. Isso foi quase o pior de tudo. Ele não ficou furioso, ele não foi sarcástico, simplesmente ficou mais quieto até quase não falar. Sobrou para o pobre Nathan puxar conversa, perguntar sobre o chá ou o café, ou recusar saquinhos de amendoim torrado, ou perguntar se alguém se incomodava de ele passar por cima de nós nas poltronas para ir ao banheiro.

Isso provavelmente soa infantil agora, mas não foi apenas uma questão de orgulho. Eu não podia suportar aquilo. Não conseguia suportar pensar que poderia perdê-lo, que ele estava tão obstinado e determinado a não ver como era bom, como poderia ser bom, que não mudou de ideia. Eu não conseguia acreditar que ele fosse se prender àquela data, como se aquilo estivesse entalhado em pedra. Um milhão de argumentos silenciosos se agitaram na minha cabeça. *Por que isso não basta para você? Por que eu não basto para você? Por que não confiou em mim? Se tivéssemos mais tempo, teria sido diferente?* De vez em quando, eu me pegava olhando as mãos bronzeadas dele, aqueles dedos de formato quadrado, a poucos centímetros dos meus, e me lembrava de como era a sensação dos nossos dedos entrelaçados — o calor, a ilusão de, mesmo paralisados, terem uma espécie de força — e um nó se formava na minha garganta até eu achar que mal conseguia respirar e tinha de ir ao banheiro, onde me debruçava na pia e soluçava em silêncio sob a faixa luminosa. Havia alguns momentos, quando pensava no que Will pretendia fazer, que eu realmente precisava lutar contra a vontade de gritar; eu me sentia invadida por uma espécie de loucura e pensava que eu podia apenas me sentar no corredor e gritar e gritar até alguém aparecer. Até que alguém garantisse que ele não podia fazer aquilo.

Portanto, embora eu parecesse infantil — ainda que a equipe de bordo (uma vez que eu me recusava a falar, olhar ou alimentar Will) achasse que eu era a mulher mais sem coração do mundo —, eu sabia que fingir que ele não estava ali era quase a única maneira de lidar com aquelas horas de proximidade forçada. Se tivesse certeza de que Nathan seria capaz de lidar com ele sozinho, honestamente eu teria trocado de voo, talvez teria desaparecido até estar segura de que havia um continente inteiro entre nós, não só alguns inacreditáveis centímetros.

Os dois dormiram e eu senti uma espécie de alívio — uma breve suspensão temporária da tensão. Olhei para a tela da TV e, a cada quilômetro que nos aproximávamos de casa, sentia meu coração ficar mais pesado, minha preocupação aumentar. Comecei a achar que o fracasso não era só meu; os pais de Will ficariam arrasados. Provavelmente, me culpariam. A irmã dele decerto ia me processar. E eu havia fracassado com Will também. Eu havia falhado em convencê-lo. Ofereci a ele tudo o que podia, inclusive eu mesma, e nada do que lhe mostrei o convenceu de que tinha uma razão para continuar vivendo.

Talvez, eu me peguei pensando, ele merecesse alguém melhor que eu. Mais inteligente. Alguém como Treena poderia ter pensado em coisas melhores para fazer. Talvez tivesse encontrado alguma rara pesquisa médica ou algo que pudesse ajudá-lo. Podia tê-lo feito mudar de ideia. O fato de que eu teria de viver para sempre com esse fato fez com que eu me sentisse quase tonta.

— Quer uma bebida, Clark? — A voz de Will penetrou nos meus pensamentos.

— Não. Obrigada.

— Meu cotovelo está ocupando muito espaço no braço da sua cadeira?

— Não. Está bem.

Foi somente naquelas últimas horas de voo, no escuro, que eu me permiti olhar para ele. Meu olhar deslizou devagar da minha brilhante tela de TV até que eu o olhei disfarçadamente sob a luz suave da pequena cabine. E quando vi seu rosto, tão bronzeado e bonito, em um sono tão tranquilo, uma lágrima solitária rolou pela minha bochecha. Talvez de algum modo consciente de meu escrutínio, Will se mexeu mas não acordou. E sem que as comissárias ou Nathan vissem, puxei o cobertor devagar até o pescoço dele, prendendo-o com cuidado, para que, no ar-condicionado da cabine, Will não sentisse frio.

Eles estavam esperando no portão de chegada. De certa maneira, eu sabia que estariam lá. Senti aquela levemente desagradável sensação crescendo dentro de mim até quando empurramos a cadeira de Will no controle de passaporte, ajudados por um bem-intencionado oficial, apesar de eu ter rezado para que fôssemos obrigados a esperar, presos numa fila que durasse horas, de preferência dias. Mas não, cruzamos a vasta extensão de linóleo, eu empurrando o carrinho das bagagens, Nathan empurrando Will, e quando as portas envidraçadas se abriram, lá estavam eles de pé, atrás da barreira, lado a lado numa rara aparência de união. Vi o rosto da Sra. Traynor se iluminar por um instante ao ver Will e pensei, distraída, *Claro, ele está com uma aparência tão boa.* E, para minha vergonha, coloquei os óculos escuros — não para esconder minha exaustão, mas para ela não saber imediatamente, pela minha expressão, o que eu teria de contar.

— Olhe só para você! — exclamou ela. — Will, você está maravilhoso!! Realmente maravilhoso!

O pai de Will tinha se curvado e dava batidinhas na cadeira e nos joelhos do filho, o rosto vincado de sorrisos.

— Não acreditamos quando Nathan disse que vocês iam à praia todos os dias. E nadavam! Como era o mar: agradável e quente? Tem chovido canivete aqui. Um típico mês de agosto!

Claro. Nathan mandava mensagens de texto para eles ou telefonava. Até parece que eles iam nos deixar ficar tanto tempo sem manter algum tipo de contato.

— Era... era um lugar bem fantástico — disse Nathan. Ele também andou calado, mas agora tentava sorrir, para parecer que estava em seu estado normal.

Eu me senti congelar, minha mão agarrando o passaporte como se eu estivesse prestes a ir a algum lugar. Precisei me lembrar de respirar.

— Bom, achamos que vocês gostariam de um jantar especial — disse o pai de Will. — Tem um restaurante ótimo no Intercontinental. Champanhe por nossa conta. O que acha? Sua mãe e eu pensamos que poderia ser uma ótima pedida.

— Claro — respondeu Will. Sorria para a mãe e ela retribuía como se quisesse preservar aquele sorriso. *Como você pode fazer isso?* Tive vontade de gritar para ele. *Como você pode olhar para ela assim sabendo o que pretende fazer?*

— Vamos lá, então. Deixei o carro no estacionamento para deficientes. Fica perto daqui. Tinha certeza de que vocês todos sentiriam um pouco de jet lag. Nathan, quer que eu leve algumas malas?

Minha voz entrou na conversa.

— Na verdade... — disse. — já ia retirar a minha do carrinho... acho que vou recusar o convite. Mas obrigada de todo modo.

Foquei a atenção na minha mala, deliberadamente sem olhar para eles, mas mesmo no alvoroço do aeroporto pude detectar o breve silêncio que minhas palavras causaram.

A voz do Sr. Traynor foi a primeira a quebrar esse silêncio.

— Vamos lá, Louisa. Vamos comemorar um pouquinho. Queremos ouvir tudo sobre as aventuras de vocês. Queremos saber tudo sobre a ilha. E prometo que não precisam contar *tudo*. — Ele quase riu.

— É. — A voz da Sra. Traynor tinha uma discreta aresta. — Venha, sim, Louisa.

— Não. — Engoli em seco, tentando dar um doce sorriso. Meus óculos de sol eram um escudo. — Obrigada. Prefiro mesmo ir para casa.

— Para que casa? — perguntou Will.

Entendi o que ele estava dizendo. Eu não tinha para onde ir.

— Para a casa dos meus pais. Vai ser ótimo.

— Venha conosco — pediu ele. A voz era suave. — Não vá, Clark. Por favor.

Então eu tive vontade de chorar. Mas eu tinha absoluta certeza de que não podia ficar em nenhum lugar perto dele.

— Não. Obrigada. Espero que tenham um ótimo jantar. — Levantei minha bagagem até o ombro e, antes que alguém pudesse dizer mais alguma coisa, eu estava me afastando deles, engolida pela multidão no aeroporto.

Estava quase no ponto de ônibus quando ouvi a voz dela. Camilla Traynor, o salto dos sapatos batendo no piso, quase correndo atrás de mim.

— Louisa, espere. Por favor, espere.

Virei-me e ela abria caminho por entre um grupo que viajaria de ônibus, afastando os adolescentes mochileiros como Moisés dividindo as águas do mar. As luzes do aeroporto brilhavam nos cabelos dela, fazendo com que ficassem totalmente acobreados. Usava uma linda pashmina cinza, que se dobrava artisticamente num de seus ombros. Imaginei como ela devia ter sido bonita, apenas alguns poucos anos antes.

— Por favor, pare, por favor.

Parei e olhei para trás na estrada, esperando que o ônibus aparecesse naquela hora, que me recolhesse e me levasse embora. Que qualquer coisa acontecesse. Um pequeno terremoto, talvez.

— Louisa?

— Ele se divertiu. — Minha voz pareceu cortada. Estranhamente como a dela, pensei.

— Ele parece estar bem. Muito bem. — Ela me olhou, parada ali na calçada. De repente, ficou paralisada, apesar do mar de gente ao redor.

Não falamos nada.

Então eu disse:

— Sra. Traynor, gostaria de pedir demissão. Não posso... não posso ficar estes últimos dias. Dispenso o que ainda tenho a receber. Na verdade, não quero o salário deste mês. Não quero nada. Eu só....

Então, ela empalideceu. Eu vi a cor sumir de seu rosto e como ela balançou de leve ao sol da manhã. Vi o Sr. Traynor surgir atrás dela, seu passo acelerado, segurando firme o chapéu panamá na cabeça com uma das mãos. Murmurava pedidos de desculpas ao empurrar a multidão, seus olhos fixos em mim e na esposa quando, a alguns passos de distância, ficou hirto.

— Você... você disse que achava que ele estava feliz. Que isso podia fazê-lo mudar de ideia. — Ela parecia desesperada, como se me suplicasse para que eu dissesse mais alguma coisa, para dar a ela alguma notícia diferente.

Não pude falar. Olhei bem para ela e o máximo que consegui fazer foi um pequeno aceno de cabeça.

— Desculpe — sussurrei, tão baixo que ela não deve ter ouvido.

Ele estava quase ali quando ela desmaiou. Foi como se as pernas dela desistissem de sustentá-la, e o braço esquerdo do Sr. Traynor se esticou e a segurou quando ela caiu, a boca formando um grande O, o corpo tombando sobre o dele.

O chapéu caiu no chão. Ele olhou para mim, seu rosto confuso, ainda sem entender o que tinha acontecido.

Eu não pude olhar. Virei-me, atordoada, e comecei a andar, um pé na frente do outro, as pernas se movendo antes mesmo que eu tomasse consciência do que faziam, para longe do aeroporto, ainda sem nem saber para onde eu estava indo.

25

Katrina

Louisa não saiu do quarto por trinta e seis horas completas depois que voltou da viagem. Chegou do aeroporto no final da tarde de domingo, pálida como um fantasma sob seu bronzeado — e, no começo, não entendemos, já que ela com certeza havia dito que viria nos ver na segunda-feira cedo. *Eu apenas preciso dormir*, ela tinha dito quando se trancou no quarto e foi direto para a cama. Achamos um pouco estranho, mas o que sabíamos? Afinal, Lou era peculiar desde que nasceu.

De manhã, mamãe levou uma caneca de chá e Lou não tinha se mexido. Na hora do jantar, mamãe ficou preocupada e a sacudiu para ver se estava viva. (Mamãe pode ser meio melodramática — mas, na verdade, tinha feito torta de peixe e certamente queria que Lou experimentasse.) Mas Lou não comeu, nem falou, nem desceu. *Só quero ficar um pouco aqui, mãe*, disse, com a cara no travesseiro. Finalmente, mamãe a deixou sozinha.

— Ela está diferente — disse mamãe. — Será que é uma reação retardatária à coisa com Patrick?

— Ela não dava a mínima para o Patrick — disse papai. — Contei que ele ligou para nos avisar que chegou em centésimo quinquagésimo sétimo lugar no tal Norseman e ela não pareceu nem um pouco interessada. — Ele bebericou seu chá. — Se quer saber, para ser sincero, também acho difícil ficar animado com o centésimo quinquagésimo sétimo lugar.

— Será que ela está doente? Ela está terrivelmente pálida debaixo daquele bronzeado. E dormiu tanto. Não costuma fazer isso. Deve estar com alguma doença tropical horrível.

— Ela só está sentindo o jet lag — disse eu. Falei com certa autoridade, sabendo que meus pais me consideravam uma especialista em toda a sorte de coisas que nenhum de nós realmente tínhamos a menor ideia.

— Jet lag! Bom, se é assim que se fica após uma viagem longa, acho que vou ficar em Tenby. O que você acha, Josie, querida?

— Não sei... quem poderia imaginar que uma viagem poderia deixar você tão doente? — mamãe balançou a cabeça.

Subi depois do jantar. Não bati à porta. (Aquele ainda era, estritamente falando, o meu quarto, afinal de contas.) O quarto estava parado e denso, abri a cortina e uma janela, então Lou virou-se, grogue, embaixo do edredom, protegendo os olhos da luz, as partículas de poeira voando em círculos ao redor dela.

— Você vai me dizer o que houve? — Coloquei uma caneca de chá na mesa de cabeceira.

Ela piscou na minha direção.

— Mamãe acha que você contraiu o vírus ebola. Está ocupada em advertir a todos os vizinhos que se inscreveram na viagem para PortAventura pelo Clube de Bingo.

Ela não disse nada.

— Lou?

— Pedi demissão — disse ela, baixo.

— Por quê?

— Por que você acha? — Sentou-se na cama e, desajeitada, alcançou a caneca, tomando um longo gole de chá.

Para alguém que tinha acabado de passar quase duas semanas nas Ilhas Maurício, ela parecia mesmo horrível. Os olhos estavam pequenos e vermelhos, e a pele, não fosse o bronzeado, pareceria ainda mais avermelhada. Os cabelos estavam eriçados em um dos lados. Parecia que estava sem dormir havia anos. Mas, acima de tudo, ela parecia triste. Nunca vi minha irmã tão triste.

— Acha que ele vai mesmo seguir adiante com isso?

Ela concordou com a cabeça. Depois, engoliu em seco, com dificuldade.

— Merda. Ah, Lou. Sinto muito, de verdade.

Cheguei perto para abraçá-la e subi na cama ao lado dela. Ela deu mais um gole no chá e então encostou a cabeça no meu ombro. Estava com a minha camiseta. Não comentei nada sobre isso. Eu me sentia muito mal por ela.

— O que faço, Treen?

A voz dela era fraca, como a de Thomas quando se machucava e tentava ser realmente corajoso. Lá fora, podíamos ouvir o cachorro do vizinho correr de um lado para outro na cerca do jardim, caçando os gatos da vizinhança. De vez em quando, ouvíamos uma explosão de latidos loucos; a cabeça dele devia estar exatamente naquele momento em cima da cerca, os olhos saltados de frustração.

— Não sei se há algo que você possa fazer. Céus. Tudo aquilo que você arrumou para ele. Todo aquele esforço...

— Eu contei para ele que o amava — disse ela, a voz descendo de tom até um sussurro. — E ele apenas disse que isso não bastava. — Seus olhos estavam arregalados e vazios. — Como posso aguentar isso?

Eu sou a pessoa da família que sabe tudo. Leio mais que todo mundo. Faço faculdade. Sou aquela que deve ter resposta para tudo.

Mas olhei para minha irmã mais velha e balancei a cabeça.

— Não faço a menor ideia — respondi.

Ela finalmente se levantou no dia seguinte, tomou um banho, vestiu roupas limpas e eu disse para papai e mamãe não comentarem nada. Dei a entender que era problema com namorado e papai ergueu as sobrancelhas e fez uma cara como se isso explicasse tudo e só Deus sabia por que estávamos fazendo tanta confusão a respeito do caso. Mamãe ligou correndo para o Clube do Bingo para avisar que mudou de opinião sobre os perigos das viagens aéreas.

Lou comeu um pedaço de torrada (não quis almoçar), colocou um grande chapéu de abas largas e fomos ao castelo com Thomas para dar comida aos patos. Acho que ela não estava com muita vontade de ir, mas mamãe insistiu que todos nós precisávamos de ar fresco. Isso, na linguagem de mamãe, queria dizer que ela estava louca para entrar no quarto, arejá-lo e trocar a roupa de cama. Thomas correu e pulou na nossa frente, segurando um saco de cascas de pão, e nos esquivamos dos turistas graças a anos de prática, evitando levar mochiladas e contornando casais fazendo pose para fotos. O castelo assava no sol quente do verão, o chão de terra estava rachado e a grama rala parecia os derradeiros fios de cabelo na cabeça de um careca. As flores nos canteiros pareciam derrotadas, como se já se preparassem para o outono.

Lou e eu falamos pouco. O que havia para se dizer?

Quando passamos pelo estacionamento, eu a vi olhar sob a aba do seu chapéu na direção da casa dos Traynor. Estava lá, elegante com seus tijolos vermelhos, suas altas e vazias janelas disfarçando qualquer tragédia transformadora que pudesse estar acontecendo lá dentro, talvez até naquele mesmo instante.

— Sabe, você podia ir falar com ele — disse eu. — Eu espero por você aqui.

Ela olhou para o chão, cruzou os braços no peito e continuamos a andar.

— Não adianta — disse ela. Eu conhecia a outra parte, a parte que ela não mencionou. *Ele provavelmente nem estará lá.*

Demos uma pequena volta no castelo, olhando Thomas rolar nas partes íngremes da colina, dar comida aos patos que, a essa altura do ano, estavam tão gordos que mal se incomodavam em vir receber mero pão. Observei minha irmã enquanto andávamos, vendo suas costas bronzeadas na blusa de frente única, os ombros caídos, e concluí que, mesmo se ela ainda não tivesse notado, tudo tinha mudado para ela. Ela não poderia ficar ali agora, não importava o que acontecesse com Will Traynor. Estava com um jeito, um jeito novo de conhecimento, de coisas vistas, lugares em que esteve. Finalmente, minha irmã tinha novos horizontes.

— Ah — falei, quando íamos para os portões de saída —, chegou uma carta para você. Da faculdade, quando você estava viajando. Desculpe... eu abri, pensei que fosse para mim.

— Você abriu?

Eu esperava que fosse um dinheiro extra da bolsa de estudos.

— Você tem uma entrevista.

Ela piscou, como se recebesse notícias de um passado distante.

— É. E a grande novidade é que a entrevista é amanhã — completei. — Por isso, achei que esta noite podíamos rever umas perguntas.

Ela balançou a cabeça.

— Não posso fazer uma entrevista amanhã.

— O que mais você tem para fazer amanhã?

— Não posso, Treen — disse ela, triste. — Como vou pensar em qualquer outra coisa, a essa altura?

— Escute, Lou. Eles não fazem entrevistas como quem dá pão para os patos, sua idiota. É importante. Sabem que você é uma estudante madura, está se candidatando na época errada do ano e, mesmo assim, marcaram. Você não pode arruinar tudo.

— Não interessa. Não posso pensar nisso.

— Mas você...

— Apenas me deixe sozinha, Treen. Certo? *Não posso fazer isso.*

— Ei — disse eu, parando na frente dela. Thomas estava correndo atrás de um pombo, logo adiante. — Este é exatamente o tempo que você tem para pensar nisso. Queira ou não, está na hora de pensar no que vai fazer pelo resto da sua vida.

Estávamos bloqueando o caminho. Os turistas tinham de nos contornar para passar — faziam isso de cabeça baixa ou olhando, meio curiosos, as irmãs discutirem.

— Não posso.

— Muito bem, então. Caso não se lembre, você está desempregada. Não tem Patrick para ajudar. E se perder a entrevista, daqui a dois dias estará de volta ao Centro de Trabalho vendo se prefere processar frangos, dançar *pole dance* ou limpar a bunda de outra pessoa para viver. Acredite se quiser, você tem quase trinta anos e sua vida já está definida. E tudo isso, tudo o que aprendeu nesses seis meses, terá sido perda de tempo. Tudo.

Ela olhou bem para mim, com aquela raiva muda de quando sabe que tenho razão e não pode responder nada. Thomas surgiu ao nosso lado naquele momento e segurou minha mão.

— Mamãe... você disse *bunda.*

Minha irmã continuava a olhar para mim. Mas vi que pensava.

Virei-me para Thomas.

— Não, querido, eu disse que a praia era funda. Vamos voltar para casa, não é, Lou? E ouvir histórias sobre a praia *funda* que ela visitou. Depois que vovó der banho em você, vou ajudar a tia Lou a fazer o dever de casa.

Fui à biblioteca no dia seguinte, e mamãe ficou com Thomas, então me despedi de Lou no ônibus sabendo que não a veria até a hora do chá. Eu não tinha muita esperança naquela entrevista, mas, a partir do momento em que a deixei, não pensei mais nisso.

Pode soar um pouco egoísta, mas não gosto de me atrasar no meu curso e foi um certo alívio ter uma folga no sofrimento de Lou. Ficar perto de alguém tão deprimido é meio desgastante. Você pode sentir pena, mas não dá para não pedir que a pessoa procure se recompor também. Coloquei minha família, minha irmã e a enorme confusão onde ela se meteu num arquivo mental, fechei a gaveta e concentrei minha atenção no Imposto sobre Valor Agregado. Tive as segundas melhores notas no ano em Contabilidade I e nada no mundo me faria deixar essa nota cair só por causa dos caprichos de um sistema de avaliação da Arrecadação de Tributos e Impostos de Sua Majestade. Cheguei em casa por volta de quinze para as seis, coloquei minhas pastas na cadeira da entrada e todos já estavam espreitando a mesa da cozinha enquanto mamãe começava a servir. Thomas pulou em mim, enganchou as pernas na minha cintura e dei um beijo nele, sentindo aquele delicioso cheiro de menininho levado.

— Sentem-se, sentem-se — pediu mamãe. — Papai acabou de chegar.

— Como vão seus livros? — perguntou papai, dependurando o paletó nas costas da cadeira. Ele sempre perguntava pelos "meus livros" como se tivessem vida própria e obedecessem ordens.

— Vão bem, obrigada. Estou quase no final do módulo Contabilidade II. Amanhã tenho direito corporativo. — Desvencilhei-me de Thomas, coloquei-o na cadeira ao meu lado, uma das mãos repousando sobre seu cabelo macio.

— Ouviu essa, Josie? Direito corporativo. — Papai roubou uma batata da tigela e enfiou-a na boca antes que mamãe visse. Pronunciou "direito corporativo" como se gostasse do som. E provavelmente gostava mesmo. Conversamos um pouco sobre os temas do módulo. Depois, falamos do trabalho dele, sobretudo sobre como os turistas quebravam tudo. Não dava para acreditar em como era preciso haver manutenção, aparentemente. Até mesmo os postes de madeira da entrada do estacionamento precisavam ser substituídos em poucas semanas porque os idiotas não conseguiam passar o carro num espaço de dois metros. Particularmente, eu aumentaria o preço do estacionamento para cobrir essas despesas, mas isso sou eu.

Mamãe terminou de servir e finalmente se sentou. Thomas comia com as mãos quando pensava que ninguém estava vendo e dizia *bunda* baixo com um sorriso secreto, e vovô comia com o olhar voltado para cima, como se pensasse mesmo em algo totalmente diferente. Olhei para Lou. Ela estava encarando o prato, empurrando o frango assado para o lado como se tentasse escondê-lo. *Oh-oh*, pensei.

— Não está com fome, querida? — perguntou mamãe, acompanhando o meu olhar.

— Não muita — respondeu ela.

— Está muito calor para frango — concedeu mamãe. — Só pensei que isso a faria melhorar um pouco.

— Então... não vai nos contar como foi a entrevista? — O garfo do papai parou à caminho da boca.

— Ah, isso. — Ela parecia distraída, como se papai perguntasse sobre algo que tivesse feito cinco anos antes.

— Sim, isso.

Ela separou um pedacinho de frango.

— Foi bem.

Papai olhou para mim.

Dei de ombros levemente.

— Só "bem"? Eles devem ter lhe dado uma ideia de como você foi.

— Fui aprovada.

— O quê?

Ela continuava olhando para baixo, para o prato. Parei de mastigar.

— Disseram que sou exatamente o tipo de candidata que eles procuram. Vou fazer uma espécie de curso básico, que dura um ano, depois posso me requalificar.

Papai recostou-se na cadeira.

— Que notícia maravilhosa.

Mamãe deu um tapinha no ombro de Lou.

— Muito bem, querida. Isso é ótimo.

— Nem tanto. Não sei se consigo bancar quatro anos de estudos.

— Não pense nisso agora. De verdade. Veja como Treena está se saindo. Ei — ele fez um sinal para ela —, vamos dar um jeito. Sempre damos, não é? — papai sorriu para nós duas. — Acho que está tudo melhorando para nós, agora, meninas. Acho que será uma boa época para esta família.

Então, sem mais, Lou se derramou em lágrimas. Lágrimas de verdade. Como Thomas chora, gemendo, o nariz e as lágrimas escorrendo, sem se importar com quem estava escutando, os soluços entrando no silêncio da pequena cozinha como uma faca.

Thomas ficou olhando para ela, boquiaberto, então tive de colocá-lo no colo e distraí-lo para não se descontrolar também. E enquanto eu brincava com pedaços de batata e ervilhas falantes, Lou contou para eles.

Contou tudo — de Will e do contrato de seis meses e o que aconteceu nas Ilhas Maurício. À medida que ela falava, mamãe pôs a mão na boca. Vovô parecia solene. O frango esfriou, o molho ficou estagnado na molheira.

Papai balançou a cabeça, incrédulo. E aí, quando minha irmã contou detalhes do voo de volta do Oceano Índico, sua voz foi diminuindo até virar um sussurro, e quando ela revelou as últimas palavras que disse para a Sra. Traynor, papai empurrou a cadeira e se levantou. Contornou a mesa devagar e tomou Lou nos braços, como fazia quando éramos pequenas. Ele ficou ali e a segurou bem, bem junto a ele.

— Ah, meu Deus, coitado. E coitada de você. Ah, meu Deus.

Não sei se algum dia vi papai tão chocado.

— Que confusão dos infernos.

— Você passou por tudo isso? Sem dizer nada? E nós só recebemos um cartão-postal sobre mergulho submarino? — Minha mãe estava incrédula. — Pensamos que você estava na melhor viagem da sua vida.

— Não passei por tudo sozinha. Treena sabia — disse Lou, olhando para mim. — Ela foi ótima comigo.

— Não fiz nada — disse, abraçando Thomas. Ele se desinteressou da conversa depois que mamãe colocou uma lata aberta de biscoitos diante dele. — Eu apenas ouvi. Você fez o resto. Você teve todas as ideias.

— E algumas ideias se concretizaram. — Ela se inclinou para papai, parecendo desolada.

Papai segurou no queixo dela para que o olhasse.

— Você fez tudo o que pôde.

— E fracassei.

— Quem disse? — Papai puxou os cabelos dela para trás, tirando-os do rosto. Sua expressão era carinhosa. — Estou pensando no que sei sobre Will Traynor, o que sei sobre homens como ele. Vou lhe dizer uma coisa: não sei se alguém no mundo conseguiria convencê-lo de alguma coisa se ele estivesse decidido. Ele é assim. Não se pode mudar as pessoas.

— Mas os pais! Eles não podem permitir que o rapaz se mate! — disse mamãe. — Que gente é essa?

— São pessoas normais, mamãe. A Sra. Traynor não sabe mais o que fazer.

— Bom, não levá-lo para essa maldita clínica já ajuda — disse mamãe, zangada. Dois pontos de cor surgiram em seu rosto. — Eu lutaria por vocês duas, por Thomas, até o último suspiro.

— Mesmo se ele já tivesse tentado se matar? — perguntei. — De forma bem cruel?

— Ele está doente, Katrina. Deprimido. As pessoas vulneráveis não deviam ter chance de fazer algo de que possam... — Ela ficou numa raiva muda e secou os olhos com o guardanapo. — Essa mulher deve ser insensível. *Sem coração*. E pensar que eles meteram Louisa nisso. Ela é juíza, pelo amor de Deus. A gente imagina que uma juíza saiba o que é certo e errado. Mais que todo mundo. Tenho vontade de ir lá agora e trazê-lo para cá.

— É complicado, mamãe.

— Não. Não é. Ele está vulnerável e a mãe não pode fazê-lo mudar de ideia. Estou chocada. Aquele coitado. *Coitado*. — Ela se levantou da mesa, levando consigo as sobras do frango, e foi para a cozinha.

Louisa olhou-a, meio surpresa. Mamãe nunca ficava irritada. Acho que a última vez que a vimos falar alto foi em 1993.

Papai balançou a cabeça, os pensamentos aparentemente longe dali.

— Acabei de me lembrar... não tenho visto o Sr. Traynor no castelo. Fiquei pensando onde ele estaria. Presumi que estivessem numa espécie de viagem de família.

— Eles... eles viajaram?

— Ele não aparece no trabalho há dois dias.

Lou desmontou na cadeira.

— Ah, merda — disse eu, e coloquei as mãos nos ouvidos de Thomas.

— É amanhã.

Lou olhou para mim e olhei para o calendário na parede.

— Treze de agosto. É amanhã.

No último dia, Lou não fez nada. Ficou na minha frente, olhando pela janela da cozinha. Choveu, depois parou, depois choveu de novo. Ela ficou no sofá com vovô, bebeu o chá que mamãe fez para ela e a cada meia hora, mais ou menos, olhava devagar para a cornija da lareira e checava o relógio. Foi horrível de se ver. Levei Thomas para nadar e tentei fazê-la ir conosco. Disse que mamãe cuidaria dele se Lou quisesse ir a umas lojas comigo mais tarde. E que eu iria com ela ao pub, só nós duas, mas ela recusou todos os convites.

— Será que eu errei, Treena? — perguntou, tão baixo que só eu ouvi.

Olhei para vovô, mas ele só via a corrida de cavalos na TV. Acho que papai ainda apostava para ele às escondidas, apesar de negar para mamãe.

— O que você quer dizer?

— E se eu tivesse ido com ele?

— Mas... você disse que não podia.

Lá fora, o céu estava cinzento. Ela olhou através das nossas imaculadas vidraças para aquele dia horrível.

— Eu sei que disse isso. Mas não consigo suportar não saber o que está acontecendo agora. — Ela franziu um pouco o rosto. — Não consigo suportar não saber o que ele sente. Não consigo suportar o fato de que eu nem sequer me despedi dele.

— Não pode ir agora? Talvez tentar conseguir um voo?

— É tarde demais — disse ela. E então fechou os olhos. — Não chegaria a tempo. Faltam apenas duas horas para... a clínica fechar. Eu pesquisei. Na internet.

Esperei.

— Eles não... fazem... isso... depois das cinco e meia. — Ela balançou a cabeça, perplexa. — Alguma coisa a ver com os funcionários do governo suíço que precisam estar presentes. Eles não gostam... de verificar... coisas depois do horário oficial.

Quase ri. Mas não sabia o que dizer. Não conseguia imaginar precisar esperar por uma coisa que aconteceria num lugar distante. Jamais gostei de homem algum como ela parecia gostar de Will. Claro que gostei de alguns, quis dormir com eles, mas às vezes me perguntava se me faltava algum chip de sensibilidade. Não conseguia me ver chorando por ninguém com quem já tivesse estado. A única coisa equivalente era pensar em Thomas à espera da morte em algum país estranho e, assim que esse pensamento surgiu, alguma coisa dentro de mim se revirou, era horrível demais. Então eu também coloquei essa ideia no fundo do arquivo mental, com a etiqueta: *Impensável.*

Sentei-me ao lado de minha irmã no sofá e olhamos em silêncio a Corrida dos Potros das três e meia, depois o páreo das quatro horas e os quatro que vieram a seguir, com a preocupação intensa de quem tinha realmente apostado todo o dinheiro do mundo no vencedor.

Então, a campainha de casa tocou.

Em segundos, Louisa saiu do sofá e foi para o corredor. Abriu a porta de uma forma tão violenta que fez meu coração parar.

Mas não era Will que estava na soleira. Era uma jovem, de maquilagem pesada e muito bem-feita, os cabelos bem-cortados na altura do queixo. Ela fechou o guarda-chuva e sorriu, alcançando a grande bolsa que tinha pendurada no ombro. Pensei por um instante que fosse a irmã de Will Traynor.

— Você é Louisa Clark?

— Sim?

— Sou do *The Globe.* Será que poderia nos dar uma palavrinha?

— *The Globe*?

Eu podia ouvir a confusão na voz de Louisa.

— Do jornal? — perguntei, atrás de minha irmã. Vi o bloco de anotações na mão da moça.

— Posso entrar? Gostaria de conversar um pouquinho sobre William Traynor. Você trabalha para ele, não?

— Sem comentários — respondi. E antes que a mulher pudesse dizer mais alguma coisa, bati a porta na cara dela.

Minha irmã ficou pasma no corredor. Vacilou quando a campainha tocou outra vez.

— Não atenda — sibilei.

— Mas como...?

Comecei a empurrar Louisa escada acima. Céus, ela estava incrivelmente lenta. Era como se estivesse meio dormindo.

— Vovô, não atenda a porta! — gritei. — Para quem você contou? — perguntei, quando chegamos no andar de cima. — Alguém deve ter dito a eles. Quem sabe disso?

— Srta. Clark — a voz da mulher entrou pela caixa do correio. — Se me der apenas dez minutos... compreendemos que é um assunto muito delicado. Gostaríamos que desse a sua versão do fato...

— Isso quer dizer que ele está morto? — Os olhos dela se encheram de lágrimas.

— Não, quer dizer que algum idiota está querendo faturar. — Pensei por um instante.

— Quem era, meninas? — A voz de mamãe subiu pela escada.

— Ninguém, mamãe. Apenas não abra a porta.

Olhei por cima do corrimão da escada. Mamãe estava segurando um pano de prato e olhando para o vulto sombreado nos vidros da porta da frente.

— Não é para atender a porta?

Segurei o cotovelo da minha irmã.

— Lou.. você não contou nada para Patrick, contou?

Ela não precisou responder. A cara assustada disse tudo.

— Certo. Não precisa ter um troço. Apenas não chegue perto da porta. Não atenda o telefone. Não fale nada a ninguém, certo?

Mamãe não gostou. Gostou menos ainda quando o telefone começou a tocar. Após o quinto telefonema, deixamos todas as ligações serem atendidas pela secretária eletrônica, mas continuamos a ouvir aquelas vozes invadindo o nosso pequeno corredor. Eram quatro ou cinco, todas iguais. Todas oferecendo a Lou a chance de dar a "versão dela", como diziam. Como se Will Traynor tivesse se transformado numa apólice que todos queriam. O telefone e a campainha tocavam. Mantivemos as cortinas fechadas, ouvindo os repórteres na calçada do lado de fora do nosso portão, conversando uns com os outros e falando nos celulares.

Era como estar sitiado. Mamãe torceu as mãos e berrou pela caixa do correio para eles saírem da porra do nosso jardim, sempre que um deles ultrapassava o portão. Thomas olhou pela janela do banheiro de cima e perguntou por que tinha gente no nosso jardim. Quatro vizinhos ligaram querendo saber o que estava acontecendo. Papai parou o carro na Ivy Street e veio para casa pelo quintal, e tivemos uma conversa bastante séria sobre castelos medievais e óleo fervente.

Então, depois de pensar mais um pouco, liguei para Patrick e perguntei quanto tinha ganhado com aquela pequena dica sórdida. A sutil demora em negar me disse tudo o que eu precisava saber.

— Seu merda — gritei. — Vou dar um chute tão forte nas suas canelas de maratonista que você vai achar que o centésimo quinquagésimo sétimo lugar foi mesmo uma boa colocação.

Lou sentou-se na cozinha e chorou. Não propriamente soluçando, apenas lágrimas silenciosas que escorriam por seu rosto e que ela limpava com a palma da mão. Eu não sabia o que dizer para ela.

O que foi ótimo. Eu tinha muita coisa para dizer a todos os demais.

Todos os jornalistas sumiram lá pelas sete e meia da noite, menos um. Eu não sabia se tinham desistido, ou se haviam se cansado pelo fato de Thomas jogar peças de Lego pela caixa do correio toda vez que eles passavam mais um bilhete. Pedi para Louisa dar banho nele para mim, principalmente porque eu queria que ela saísse da cozinha, mas também porque assim eu poderia ouvir todos os recados da secretária eletrônica e apagar os que fossem de jornais enquanto ela não estivesse ouvindo. Vinte e seis. Vinte e seis daqueles cretinos. Todos parecendo tão simpáticos, tão compreensivos. Alguns chegaram a oferecer dinheiro.

Apaguei cada uma delas. Até as que ofereciam dinheiro, embora tenha de admitir que fiquei um pouquinho tentada a saber quanto davam. O tempo todo, ouvi Lou conversar com Thomas no banheiro, o barulho dele bombardeando os quinze centímetros de espuma com seu Batmóvel. Isso é algo que só se sabe depois de ter filhos — a hora do banho, Lego e tirinhas de peixe empanadas não a deixam viver numa tragédia por muito tempo. E então eu cheguei à última mensagem.

— Louisa? É Camilla Traynor. Pode me ligar, com urgência?

Fiquei olhando a secretária eletrônica. Rebobinei e ouvi a mensagem de novo. Então corri para cima, tirei Thomas do banho tão rápido que ele nem percebeu o que houve. Ficou lá, a toalha firmemente enrolada nele como um bandagem de curativo, e Lou, hesitante e confusa, já estava no meio da escada, sendo empurrada por mim pelo ombro.

— E se ela estiver com ódio de mim?

— A voz não dava essa impressão.

— Mas e se a imprensa os estiver cercando? E se acharem que isso é culpa minha? — Os olhos dela estavam arregalados e assustados. — E se for para me avisar que ele morreu?

— Ah, pelo amor de Deus, Lou. Ao menos uma vez na vida, fique calma. Você só vai saber a resposta se ligar. Ligue para ela. Apenas ligue. Não há outra maldita escolha.

Voltei correndo para o banheiro para deixar Thomas sair. Enfiei o pijama nele, disse que vovó lhe daria um biscoito se ele fosse bem rápido até a cozinha. E então dei uma olhadela pela porta do banheiro para espiar minha irmã ao telefone no corredor.

Estava de costas para mim, passando a mão pelo cabelo da nuca. Esticou o braço para se equilibrar.

— Sim — dizia ela. — Sei. — Depois: — Certo.

E após uma pausa:

— Sim.

Ficou por um bom tempo olhando para os próprios pés depois de desligar.

— Então? — perguntei.

Ela olhou para cima como se só então tivesse me visto ali e balançou a cabeça.

— Não era nada sobre os jornais — respondeu, a voz ainda entorpecida pelo choque. — Ela me pediu, me implorou, para ir à Suíça. Já reservou passagem no último voo desta noite.

26

Em outra ocasião, acho que seria estranho que eu, Lou Clark, que em vinte anos não deu mais que uma volta de ônibus na cidade natal, estivesse voando para o terceiro país em menos de uma semana. Preparei, com a rapidez eficiente de uma comissária de bordo, uma maleta com o essencial. Treena ficou por perto em silêncio, trazendo coisas que achava que eu poderia precisar, e descemos a escada. Paramos no meio. Mamãe e papai já estavam no hall com aquele jeito sério de quando chegávamos tarde da noite.

— O que está havendo? — Mamãe encarava minha maleta.

Treena parou na minha frente.

— Lou está indo para a Suíça. — disse ela. — E precisa ir logo. É o último voo.

Íamos em frente, mas mamãe se adiantou.

— Não. — Sua boca era um estranho risco, os braços estavam cruzados de maneira esquisita na frente dela. — Sério. Não quero que você se envolva nisso. Se é o que estou pensando, não.

— Mas… — começou Treena, olhando para trás, na minha direção.

— Não — repetiu mamãe, em um tom firme pouco usual. — Sem mais. Estive pensando nisso, em tudo o que você nos contou. É errado. É moralmente errado. E se você se envolver e for vista como alguém que está ajudando um homem a se matar, vai se meter em muita confusão.

— Sua mãe está certa — disse papai.

— Temos visto no noticiário. Lou, isso pode afetar toda a sua vida. A entrevista na faculdade, tudo. Se for fichada na polícia, nunca vai conseguir um diploma universitário ou um bom emprego, nem nada…

— Ele pediu para Lou ir. Ela não pode ignorá-lo — interrompeu Treena.

— Sim, ela pode, sim. Dedicou seis meses a essa família. E muitíssimas coisas boas aconteceram por causa de Lou. Muitíssimas coisas boas são devidas a essa família aqui, incluindo gente batendo na porta e todos os vizinhos pensando que nos beneficiamos com alguma fraude ou algo assim. Não, ela enfim tem a chance de fazer algo por si própria e eles querem que ela vá para esse lugar horroroso na Suíça e se meta em Deus sabe o quê. Bom, minha resposta é não. Não, Louisa.

— Mas ela tem de ir — insistiu Treena.

— Não, ela não tem. Já fez muito. Ela mesma disse isso na noite passada, fez tudo o que pôde. — Mamãe balançou a cabeça. — Qualquer que seja a confusão em que os Traynor vão se meter com isso... isso... seja lá o que eles vão fazer com o filho, não quero que Louisa se envolva. Não quero que ela acabe arruinando toda a sua vida.

— Acho que eu mesma posso decidir — falei.

— Não tenho certeza. Ele é seu amigo, Louisa. É um jovem com a vida toda pela frente. Você não pode participar disso. Fico... fico chocada só de você considerar a possibilidade. — A voz de mamãe ganhou um novo tom, ríspido. — Não criei você para ajudar alguém a acabar com a própria vida! Você acabaria com a vida do vovô? Acha que deveríamos levá-lo para a Dignitas também?

— Vovô é diferente.

— Não é, não. Ele não consegue mais fazer o que fazia. Mas a vida dele é valiosa. Da mesma forma que a de Will.

— Essa decisão não é minha, mamãe. É de Will. Tudo isso é para dar apoio a ele.

— Apoio? Nunca ouvi tamanha bobagem. Você é uma criança, Louisa. Não viu nada, não fez nada. E não tem ideia do que isso vai lhe causar. Pelo amor de Deus, como vai conseguir dormir depois de ajudá-lo a fazer isso? Você terá ajudado um homem a *morrer*. Você realmente entende isso? Você terá ajudado Will, aquele jovem inteligente e simpático, a *morrer*.

— Eu conseguiria dormir porque acredito que Will saiba o que é melhor para ele e o pior é perder a capacidade de tomar suas próprias decisões, de não ser capaz de fazer qualquer coisa sem precisar de ajuda... — Olhei para meus pais, tentando fazê-los entender. — Não sou criança. Eu o amo. Eu o amo, e não deveria tê-lo deixado sozinho e é insuportável estar longe e não saber... o que ele... — Engoli em seco. — Portanto, eu vou. Não preciso que vocês cuidem de mim ou me entendam. Sei lidar com isso. Mas vou à Suíça, não importa o que vocês digam.

O pequeno corredor ficou em silêncio. Mamãe olhou bem para mim, como se não tivesse ideia de quem eu era. Aproximei-me, tentando fazer com que ela entendesse. Mas ela recuou.

— Mamãe? Eu tenho essa *dívida* com Will. Tenho que ir. Quem você acha que me sugeriu fazer uma faculdade? Quem você acha que me incentivou a fazer alguma coisa da vida, a viajar, a ter ambições? Quem mudou minha maneira de pensar sobre todos os assuntos? Até sobre mim mesma? Foi Will. Fiz mais coisas e vivi mais nos últimos seis meses do que nos últimos vinte e sete anos da minha vida. Portanto, se ele quer que eu vá para a Suíça, eu vou. Aconteça o que acontecer.

Fez-se um curto silêncio.

— Ela é igual à tia Lily — disse papai, baixinho.

Ficamos nos encarando. Papai e Treena se entreolhavam, como se um esperasse o outro dizer alguma coisa. Mas mamãe quebrou o silêncio.

— Se você for, Louisa, não precisa voltar.

As palavras saíram de sua boca como pedras. Olhei para minha mãe, que estava chocada. O olhar dela era obstinado. E ficou tenso conforme ela aguardava a minha reação. Era como se um muro que eu não sabia que existia tivesse se erguido entre nós.

— Mãe?

— Estou falando sério. Isso não é melhor que assassinato.

— Josie...

— É verdade, Bernard. Não posso participar disso.

Lembro de pensar, como se estivesse distante, que nunca vira Katrina tão insegura antes. Papai segurou o braço de mamãe, não sei se em reprovação ou se para confortá-la. Minha cabeça esvaziou. E, sem saber direito o que fazia, desci a escada devagar, passei por meus pais e fui para a porta da frente. Um segundo depois, minha irmã veio atrás.

Os cantos da boca de papai se voltaram para baixo, como se ele lutasse para conter todos os tipos de coisas. Ele se virou para mamãe e pôs a mão no ombro dela. Ela procurou os olhos dele como se já soubesse o que ele iria dizer.

Ele então jogou as chaves do carro para Treena, que agarrou-as com uma das mãos.

— Pronto — disse ele. — Saiam pelos fundos, pelo jardim da Sra. Doherty, e peguem o carro. Eles não vão ver vocês dentro do carro. Se saírem agora e o trânsito não estiver muito ruim, talvez consigam chegar a tempo.

— Tem alguma ideia de onde tudo isso vai dar? — perguntou Katrina.

Ela me olhou de soslaio quando pegamos a estrada.

— Não.

Eu não pude olhá-la por muito tempo — mexi na bolsa, tentando descobrir se tinha esquecido algo. Ainda ouvia a voz da Sra. Traynor ao telefone. *Louisa? Por favor, você vai? Sei que tivemos nossas diferenças, mas, por favor... é fundamental que você venha agora.*

— Merda. Nunca vi mamãe daquele jeito — prosseguiu Treena.

Passaporte, carteira, chaves. Chaves? Para quê? Eu não tinha mais casa.

Katrina me olhou pelo canto do olho.

— Quer dizer, ela está furiosa agora porque está em choque. Você sabe que ela vai ficar bem no final, certo? Quando contei para ela que estava grávida, pensei que nunca mais fosse falar comigo. Mas levou, o quê?, dois dias para se reaproximar.

Eu podia ouvir minha irmã falando sem parar, mas não estava realmente prestando atenção. Mal conseguia me concentrar em alguma coisa. Minhas terminações nervosas pareciam ter despertado, quase gritavam de ansiedade. Eu ia ver Will. Não importava mais nada, pelo menos eu teria isso. Quase conseguia sentir a distância entre nós diminuir, como se fôssemos duas pontas de um fio elástico invisível.

— Treen?

— Sim?

Engoli em seco.

— Não permita que eu perca esse voo.

Minha irmã é muito determinada. Fizemos ultrapassagens arriscadas, corremos pelo corredor entre as filas de carro, desrespeitamos o limite de velocidade, procuramos no rádio informações sobre o trânsito e, finalmente, avistamos o aeroporto. Ela parou o carro guinchando os pneus e eu já estava a meio caminho do lado de fora quando a ouvi.

— Ei, Lou!

Virei-me e corri alguns passos na direção dela, que me abraçou bem apertado.

— Você está fazendo a coisa certa — disse ela. Parecia quase às lágrimas. — Agora, dane-se. Depois de me fazer perder seis pontos na carteira de motorista, se não pegar esse voo, nunca mais falo com você.

Não olhei para trás. Corri para o balcão da Swissair e precisei repetir meu nome três vezes até pronunciá-lo com clareza suficiente para conseguir pedir as passagens.

Cheguei a Zurique logo antes da meia-noite. Como era bem tarde, a Sra. Traynor reservara um quarto no hotel do aeroporto e um carro me buscaria pela manhã, às nove. Pensei que não conseguiria dormir, mas dormi — um sono pesado, estranho e desarticulado que se arrastou por horas —, acordando na manhã seguinte às sete, sem saber onde estava.

Olhei, grogue, o quarto desconhecido, as pesadas cortinas que bloqueavam a luz, a enorme TV, minha mala que eu nem sequer abri. Conferi o relógio, eram pouco mais de sete horas na Suíça. Ao notar onde estava, meu estômago se contorceu de medo.

Arrastei-me para fora da cama bem a tempo de vomitar no pequeno banheiro. Afundei no chão de azulejos, os cabelos grudados na testa, a bochecha pressionada contra a louça fria. Ouvi a voz de mamãe, seus protestos, e senti um medo soturno se rastejar sobre mim. Eu não estava preparada. Não queria falhar de novo. Não queria ter de ver Will morrer. Com um ronco audível, eu me arrastei para vomitar outra vez.

Não pude comer nada. Bebi uma xícara de café puro, tomei um banho e me arrumei, ficando pronta às oito. Olhei o vestido verde-claro que eu tinha enfiado na noite anterior e me perguntei se era apropriado. Estariam todos de preto? Eu devia vestir algo mais vibrante e alegre, como o vestido vermelho que eu sabia que Will gostava? Por que a Sra. Traynor me pediu para ir lá? Olhei meu celular, imaginando se eu poderia ligar para Katrina. Deviam ser sete da manhã agora, em casa. Mas ela provavelmente estaria arrumando Thomas e a ideia de falar com mamãe foi demais. Passei um pouco de maquiagem e então me sentei perto da janela, e os minutos passaram devagar.

Acho que nunca me senti tão sozinha na vida.

Quando não pude mais aguentar aquele quartinho, joguei minhas coisas na bolsa e saí. Ia comprar um jornal e esperar no saguão do hotel. Nada podia ser pior do que ficar sentada naquele quarto com o silêncio, ou com as notícias do canal a cabo e a escuridão sufocante das cortinas. Quando passei pela recepção vi o computador, discretamente colocado num canto. Tinha um aviso: *Para uso dos hóspedes.*

— Posso usar? — perguntei à recepcionista.

Ela anuiu. De repente, percebi com quem eu queria falar. No fundo, eu sabia que ele era uma das poucas pessoas que estaria on-line. Entrei no bate-papo:

Ritchie. Você está aí?

Bom dia, Abelha. Acordou cedo hoje?

Pensei um instante antes de responder:

Estou prestes a começar o dia mais estranho da minha vida. Estou na Suíça.

Ele sabia o que isso significava. Todos eles sabiam. A clínica tinha sido tema de muitos debates acalorados. Digitei:

Estou com medo.

Então, por que está aí?

Porque não poderia não estar. Ele me pediu. Estou esperando para ir vê-lo.

Hesitei, e então escrevi:

Não faço ideia de como esse dia vai terminar.

Ah, Abelha.

O que digo a ele? Como posso fazer com que mude de ideia?

Suas palavras surgiram devagar, como se ele estivesse tendo muito cuidado.

Se ele está na Suíça, Abelha, acho que não vai mudar de ideia.

Senti um nó enorme na garganta, e o engoli. Ritchie continuava escrevendo.

Não foi o que eu que escolhi. Nem a maioria de nós neste grupo. Eu amo a minha vida, apesar de preferir que ela fosse diferente. Mas entendo por que o seu amigo possa ter se cansado. É cansativo levar essa vida, cansativo de uma maneira que as pessoas sadias jamais entenderão de verdade. Se ele está determinado, então eu acho que o melhor que você pode fazer é apenas ficar aí. Você não precisa achar que ele está certo. Mas precisa ficar aí.

Percebi que eu estava prendendo a respiração.

Boa sorte, Abelha. E venha me ver depois. As coisas podem ficar meio confusas para você. De todo jeito, eu gostaria de tê-la como amiga.

Meus dedos ficaram parados no teclado. Escrevi:

Irei.

A recepcionista, então, avisou que meu carro tinha chegado lá fora.

Não sei o que eu esperava — talvez um tipo de prédio branco perto de um lago, ou montanhas cobertas de neve. Ou uma fachada com cara de hospital, de mármore, com uma placa dourada na parede. O que eu não esperava era percorrer uma área industrial até chegar a uma casa completamente comum, cercada por fábricas e, estranhamente, um campo de futebol. Cruzei o deque, passei por um lago com peixes dourados e entrei.

A mulher que abriu a porta soube imediatamente quem eu procurava.

— Ele está aqui. Quer que a leve lá?

Parei. Olhei para a porta fechada, bem parecida com a que encarei durante todos aqueles meses, no anexo de Will, respirei fundo e anuí.

Vi primeiro a cama de mogno, que dominava o quarto, a colcha levemente florida e almofadas meio deslocadas naquela disposição. O Sr. Traynor estava sentado de um lado e a Sra. Traynor, do outro.

Ela parecia fantasmagoricamente pálida e levantou-se ao me ver.

— Louisa.

Georgina estava sentada numa cadeira de madeira no canto, inclinada para a frente, sobre os joelhos, as mãos postas juntas como se rezasse. Ergueu seu olhar para mim quando entrei, revelando os olhos fundos, avermelhados pela dor, e senti uma breve simpatia por ela.

O que eu teria feito se Katrina insistisse em seu direito de fazer o mesmo que Will?

O quarto era claro e arejado. O piso era de ladrilho, com tapetes caros, e havia um sofá no fundo que ficava de frente para um pequeno jardim. Eu não sabia o que dizer. Era uma cena tão ridícula, os três sentados ali, como se fossem uma família escolhendo quais pontos turísticos visitariam naquele dia.

Virei-me para a cama.

— Então — falei. — Imagino que o serviço aqui não seja grande coisa.

Will grudou os olhos nos meus e, apesar dos meus temores, de eu ter vomitado duas vezes, de me sentir como se não dormisse há um ano, eu fiquei subitamente contente por ter ido. Contente não, aliviada. Como se tivesse extirpado de mim uma parte dolorosa e incômoda.

Ele então sorriu. Um sorriso adorável, lento, cheio de gratidão.

Por mais estranho que fosse, sorri de volta.

— Belo quarto — falei, e na mesma hora percebi a idiotice do comentário. Vi Georgina Traynor fechar os olhos e corei.

Will virou-se para a mãe:

— Quero falar com Lou. Pode ser?

Ela tentou sorrir. Vi um milhão de coisas no jeito como me olhou: alívio, gratidão, um leve ressentimento por ser excluída por poucos minutos, e até a remota esperança de que eu aparecer significasse algo, que aquele destino ainda pudesse ser mudado.

— Claro.

Ela passou por mim, desviei-me e ela tocou meu braço, de leve. Trocamos olhares, o dela se suavizou, por um segundo ela pareceu outra pessoa, e se afastou.

— Vamos, Georgina — chamou, quando a filha não fez menção de se mover.

Georgina levantou-se devagar e saiu em silêncio, o corpo irradiando relutância.

E então éramos só nós dois.

Will estava semiescorado na cama, de modo a poder ver a janela à esquerda, onde a fonte no jardim jogava uma fina corrente de água sob o deque. Na parede havia um quadro de dálias. Pensei que era algo horrendo para se olhar nas últimas horas de vida.

— Então...

— Você não vai...

— Não vou tentar fazer você mudar de ideia.

— Se veio até aqui, aceite que a escolha é minha. É a primeira coisa que consigo controlar desde o acidente.

— Eu sei.

E pronto. Ele sabia e eu também. Não havia mais nada que eu pudesse fazer.

Sabe como é difícil não dizer nada? Quando seu corpo inteiro quer fazer o contrário? Eu ensaiara não dizer nada durante todo o caminho do aeroporto até ali, e ainda assim aquilo estava quase me matando. Concordei com a cabeça. Quando, finalmente, falei, a voz era fraca, tremida. Saiu a única coisa que eu podia dizer com segurança.

— Senti sua falta.

Ele então pareceu relaxar.

— Venha aqui. — E, quando fiquei indecisa: — Por favor. Venha. Aqui, na cama. Bem ao meu lado.

Percebi que havia realmente alívio em sua expressão. Que estava tão satisfeito de me ver que não conseguiria expressar. E disse a mim mesma que aquilo precisava me bastar. Faria o que ele pedira. Precisava ser o bastante.

Estiquei-me ao lado dele na cama e coloquei o braço ao seu redor. Encostei a cabeça em seu peito, deixando meu corpo absorver aquele suave subir e descer. Senti a leve pressão dos dedos de Will nas minhas costas, sua respiração morna nos meus cabelos. Fechei os olhos, sentindo o cheiro dele, ainda era o mesmo de cedro, apesar do frescor do quarto, com o levemente incômodo odor de desinfetante. Tentei não pensar em nada. Tentei apenas ficar ali, absorver o homem que eu amava por osmose, guardar em mim o que sobrava dele. Não falei nada. Ouvi então sua voz. Eu estava tão perto que, quando ele falou, a voz pareceu vibrar suavemente em mim.

— Ei, Clark. Conte alguma coisa boa.

Olhei pela janela para o céu azul-claro da Suíça e contei a história de duas pessoas. Duas pessoas que não deviam se encontrar e que não gostaram muito um do outro quando se conheceram, mas que descobriram que eram as duas únicas pessoas no mundo que podiam se entender. Contei as aventuras que tiveram, os lugares onde foram e as coisas vistas que nunca esperaram ver. Conjurei para ele céus cheios de raios, mares iridescentes e noites repletas de risos e piadas bobas. Desenhei para ele um mundo, distante de uma área industrial suíça, um mundo onde ele ainda era, de algum modo, a pessoa que queria ser. Mostrei o mundo que ele tinha criado para mim, cheio de encantos e oportunidades. Deixei que soubesse que uma mágoa tinha se curado de um jeito que ele não podia imaginar, e que só por isso eu estaria para sempre em dívida com ele. Enquanto eu falava, sabia que aquelas poderiam ser as palavras mais importantes que diria e que precisavam ser as palavras certas, que não eram propaganda, uma tentativa de mudar o que ele pensava, mas que respeitavam a decisão dele.

Contei algo bom.

O tempo seguia lento, parado. Éramos só nós dois, eu murmurando no quarto vazio e ensolarado. Will não disse muito. Não retrucou, ou fez comentários ácidos ou irônicos. Às vezes, anuía, murmurava algo, ou emitia um pequeno som que podia ser de satisfação ou de alguma lembrança boa.

— E esses foram — falei — os melhores seis meses da minha vida.

Fez-se um longo silêncio.

— Engraçado, Clark, os meus também.

Então, meu coração se partiu. Meu rosto se contorceu, perdi o controle, apertei-o com força e não me importei que ele sentisse meu corpo estremecer com soluços. Aquilo me sobrecarregou, partiu meu coração, meu estômago, minha cabeça, me invadiu e não pude aguentar. Achei que, sinceramente, não aguentaria.

— Não chore, Clark — murmurou ele. Senti seus lábios nos meus cabelos. — Por favor. Não faça isso. Olhe para mim.

Fechei os olhos com força e balancei a cabeça.

— Olhe para mim. Por favor.

Eu não conseguia.

— Você está zangada. Por favor. Não quero magoá-la ou fazer você...

— Não... Não é isso. Não quero... — Minha bochecha estava contra o peito dele. — Não quero que sua última imagem de mim seja essa cara inchada e horrível.

— Clark, você ainda não entendeu, não é? — Percebi um sorriso na voz dele. — A decisão não é sua.

Levei algum tempo para me recompor. Assoei o nariz, respirei fundo. Por fim, apoiei o corpo no cotovelo e olhei para ele. Seus olhos, que por tanto tempo foram tensos e infelizes, estavam claros e relaxados.

— Você está absolutamente linda.

— Engraçadinho.

— Venha cá — disse ele. — Bem pertinho de mim.

Eu me deitei de novo, olhando-o. Vi o relógio sobre a porta e tive, então, a noção do tempo passando. Coloquei o braço dele em volta de mim, enrosquei braços e pernas de modo a ficarmos bem enlaçados. Peguei sua mão (a boa) e entrelacei meus dedos, beijei o nó dos dedos quando apertaram os meus. Conhecia seu corpo de um jeito como nunca conheci o de Patrick — suas forças e suas fraquezas, suas cicatrizes e cheiros. Cheguei o rosto tão perto do dele que suas feições ficaram confusas e comecei a me perder nelas. Passei a mão nos seus cabelos, no seu rosto, na sua testa com a ponta dos dedos, as lágrimas escorrendo por meu rosto, meu nariz encostado no dele e ele não parava de me olhar em silêncio, atento como se guardasse cada molécula minha. Ele já estava indo para algum lugar impossível de alcançá-lo.

Beijei-o, tentando trazê-lo de volta. Deixei meus lábios nos dele de maneira que nossa respiração se misturou e minhas lágrimas viraram sal na sua pele e disse a mim mesma que, em algum lugar, pequenas partículas dele virariam pequenas partículas de mim, ingeridas, engolidas, vivas, eternas. Queria apertar cada parte minha nele, deixar alguma coisa minha nele, dar a ele cada pedaço da minha vida e obrigá-lo a viver.

Percebi que estava com medo de viver sem ele. *Com que direito você destrói a minha vida* — eu queria perguntar —, *e eu não estou autorizada a dizer nada a você sobre isso?*

Mas eu tinha prometido. E segurei-o, Will Traynor, ex-rapaz esperto da City de Londres, ex-mergulhador, ex-atleta, viajante, amante. Eu o mantive perto e não disse nada, durante todo o tempo repetindo, silenciosamente, que ele era amado.

Não sei quanto tempo ficamos assim. Notei uma conversa do lado de fora, o som de passos, um distante sino de igreja. Por fim, senti que ele dava um grande suspiro, quase um estremecer, e afastou a cabeça apenas um centímetro, para podermos nos ver bem.

Pisquei para ele. Ele deu um pequeno sorriso, quase um pedido de desculpas.

— Clark — falou, baixo —, pode pedir para meus pais entrarem?

27

PROMOTORIA DO REINO
Aos Cuidados: Diretor da Promotoria Pública
Documento Confidencial
Referência: William John Traynor
9/4/2009

Os detetives já ouviram o depoimento das pessoas envolvidas no caso acima e anexo arquivos com todos os documentos pertinentes.

O cerne da investigação é o Sr. William Traynor, de trinta e cinco anos, ex-sócio da empresa Madingley Lewins, com sede na City de Londres. O Sr. Traynor sofreu uma lesão na coluna, num acidente de trânsito em 2007 e foi diagnosticado como tetraplégico de C5/C6, podendo movimentar com grande limitação apenas um braço, necessitando de cuidados contínuos. Seu histórico médico está anexado.

Os documentos mostram que o Sr. Traynor teve dificuldade para regularizar seus documentos pouco antes de ir para a Suíça. Recebemos um testamento assinado e testemunhado por seu advogado, Sr. Michael Lawler, assim como cópias de todas as informações relevantes sobre as consultas que fez de antemão na clínica.

A família e os amigos do Sr. Traynor foram contrários à decisão dele de dar fim à vida prematuramente, mas, considerando seu histórico médico e tentativas anteriores de suicídio (descritas nos documentos hospitalares anexados), além de seu nível intelectual e sua força de vontade, não conseguiram convencê-lo a desistir, mesmo num longo prazo de seis meses acertado com essa única finalidade.

Note-se que uma das beneficiadas no testamento do Sr. Traynor é sua cuidadora remunerada, Srta. Louisa Clark. Devido ao pequeno período em que ela esteve com o Sr. Traynor, colocam-se algumas questões sobre a generosidade dele para com ela, mas todos os envolvidos acatam os desejos expressados pelo Sr. Traynor, que atendem às normas legais. Foram feitas diversas e demoradas entrevistas e a polícia comprovou os esforços dela para dissuadir o Sr. Traynor de realizar seu intento. (Por favor, consulte o "calendário de aventuras" incluído nas provas.)

É preciso destacar também que a Sra. Camilla Traynor, mãe de Willian Traynor, que é uma respeitada magistrada há anos, se resignou com a situação, em vista do destaque que o caso ganhou. É sabido que ela e o Sr. Traynor se separaram pouco após a morte do filho.

Embora a Promotoria do Reino não incentive o suicídio assistido feito em clínicas no exterior, e a julgar pelas provas coletadas, fica claro que os procedimentos da família e dos cuidadores do Sr. Traynor atendem às atuais diretrizes relativas ao suicídio assistido e ao provável processo das pessoas próximas ao falecido.

1. O Sr. Traynor foi considerado apto e manifestou o desejo "voluntário, claro, definido e informado" de tomar tal decisão.
2. Não há provas de deficiência mental, ou de qualquer tipo de coerção.
3. O Sr. Traynor deu provas inequívocas do desejo de se suicidar.
4. A deficiência física do Sr. Traynor era grave e incurável.
5. Os acompanhantes do Sr. Traynor tiveram pouca participação e influência.
6. Os acompanhantes do Sr. Traynor podem ser considerados relutantes em relação ao desejo determinado da vítima.
7. Todos os envolvidos deram toda a assistência à polícia na investigação do caso.

Sendo assim, considerando a boa reputação de todos os envolvidos e a prova anexa, concluo que não é do interesse público iniciar um processo.

Sugiro que, caso seja feita qualquer declaração pública com essa finalidade, o Diretor da Promotoria deixe claro que o caso Traynor não tem qualquer precedente nos anais, e que a Promotoria do Reino continuará a avaliar cada caso conforme seus méritos e circunstâncias.

Atenciosamente,

Sheilagh Mackinnon
Promotoria do Reino

Epílogo

Eu estava apenas seguindo as instruções.

Sentei-me sob a lona verde-escura do café, olhando a Rue de Francs Bourgeois ao longo de seu comprimento, o sol tépido de um outono parisiense aquecendo um lado do rosto. Em frente a mim, o garçom, com sua eficiência gálica, pôs sobre a mesa um prato de croissants e uma xícara grande de café. Alguns metros distante na rua, dois ciclistas pararam perto do sinal de trânsito e ficaram conversando. Um deles tinha uma mochila azul com duas grandes baguetes enfiadas ali dentro num ângulo estranho. O dia, parado e pesado, cheirava a café, pães e tinha o toque acre do cigarro de alguém.

Terminei a carta para Treena (ela disse que gostaria de telefonar, mas não podia bancar os custos de uma a ligação internacional). Tinha terminado Contabilidade II como a melhor aluna do curso e arranjara um novo namorado, Sundeep, que estava em dúvida se trabalhava na empresa de importação e exportação do pai perto de Heathrow e tinha um gosto ainda pior do que o dela para música. Thomas estava muito animado por passar de ano na escola. Papai continuava bem satisfeito no trabalho e mandava lembranças. Treena estava certa de que mamãe me perdoaria em breve. *Recebeu sua carta, com certeza*, escreveu. *E leu. Dê um tempo a ela.*

Dei um gole no café e por um instante fui transportada para Renfrew Road e um lar que parecia a milhares de quilômetros de distância. Apertei os olhos em direção ao sol baixo, vendo uma mulher de óculos escuros ajeitar os cabelos no espelho de uma vitrine. Apertou os lábios diante do reflexo, empertigou-se um pouco e então seguiu seu caminho rua abaixo.

Coloquei a xícara sobre o pires, respirei fundo e peguei a outra carta, que eu levava para todos os cantos há quase seis semanas.

Na frente do envelope estava escrito, em letras maiúsculas digitadas, sob o meu nome:

PARA SER LIDO EXCLUSIVAMENTE NO CAFÉ MARQUIS, RUE DES FRANCS BOURGEOIS, COM CROISSANTS E UMA XÍCARA GRANDE DE *CAFÉ CRÈME*.

Ri até mesmo quando chorei, ao ler o envelope pela primeira vez. Era bem típico de Will — autoritário até o último momento.

O garçom, um homem alto e ágil, com uma dúzia de pedaços de papel saindo do bolso do avental, virou-se e olhou para mim. *Tudo certo?* Perguntavam suas sobrancelhas levantadas.

— Sim — respondi. Depois, mais segura, repeti: — Oui.

A carta tinha sido impressa. Reconheci a letra por uma carta que ele tinha me mandado há muito tempo. Recostei-me na cadeira e comecei a ler.

Clark,
Quando você ler esta carta, terão se passado algumas semanas (mesmo com a sua recém-adquirida capacidade de organização, não acredito que esteja em Paris antes do início de setembro). Espero que o café esteja saboroso e forte, os croissants frescos e o tempo ainda ensolarado o bastante para que você se sente na calçada numa daquelas cadeiras de ferro que nunca estão bem firmes no chão. O Marquis não é ruim. O filé também é bom, se você quiser voltar no almoço. E se olhar a rua, à esquerda, verá o L'Artisan Parfumeur onde, depois de ler esta carta, você deveria experimentar um perfume que eles chamam de algo como Papillons Extreme (não me lembro direito do nome). Sempre achei que ia ficar ótimo em você.

Certo, as recomendações acabaram. Gostaria de dizer algumas coisas e as teria dito pessoalmente, mas: a) você se emocionaria e b) você não me deixaria dizer tudo. Sempre falou demais.

Portanto, eis aqui: o cheque que você recebeu de Michael Lawler no envelope anterior não é a quantia total, apenas um pequeno presente para ajudá-la nas primeiras semanas desempregada e para ir a Paris.

Quando voltar para a Inglaterra, leve esta carta para Michael, no escritório dele em Londres, e ele vai lhe entregar os documentos necessários para você acessar a conta que foi aberta, a meu pedido, no seu nome. Essa conta tem o suficiente para você comprar um bom lugar para morar, pagar seu curso e as despesas enquanto estiver estudando em tempo integral.

Meus pais serão comunicados de tudo. Espero que isso, e os serviços jurídicos de Michael Lawler, garantam que não haverá a menor dificuldade possível.

Clark, quase consigo ouvir daqui você hiperventilar. Não entre em pânico, nem tente desistir — isso não é o suficiente para você sentar o seu traseiro pelo resto da vida. Mas pode comprar a sua liberdade, tanto daquela claustrofóbica cidadezinha que nós chamamos de lar quanto das escolhas que você foi obrigada a fazer até agora.

Não estou lhe dando dinheiro porque quero que fique saudosa, em dívida em relação a mim ou para que isso seja uma espécie de maldita lembrança.

Estou lhe dando isso porque poucas coisas ainda me fazem feliz, e você é uma delas.

Sei que me conhecer lhe causou sofrimento e tristeza e espero que um dia, quando estiver menos zangada e chateada comigo, veja não só que eu só podia ter feito o que fiz, mas também que isso lhe ajudará a ter uma vida realmente boa, melhor do que se não tivesse me conhecido.

Durante algum tempo, você vai se sentir pouco à vontade em seu novo mundo. É sempre estranho ser arrancada de sua zona de conforto. Mas espero que fique animada também. Sua expressão, quando voltou da aula de mergulho naquele dia, me disse tudo: você tem ambição, Clark. É destemida. Mas escondeu essas qualidades, como quase todo mundo.

Não estou lhe dizendo para saltar de prédios altos, nadar com baleias ou algo assim (embora, no fundo, gostaria que você fizesse essas coisas), mas para viver corajosamente. Ir em frente. Não se acomodar. Usar aquelas meias listradas com orgulho. E se quiser mesmo se acomodar com algum sujeito ridículo, garanta que um pouco de tudo isso fique guardado em algum lugar. Saber que você ainda tem possibilidades é um luxo. Saber que lhe dei algumas me dá certo alívio.

É isso. Você está marcada no meu coração, Clark. Desde o dia em que chegou, com suas roupas ridículas, suas piadas ruins e sua total incapacidade de disfarçar o que sente. Você mudou a minha vida muito mais do que esse dinheiro vai mudar a sua.

Não pense muito em mim. Não quero que você fique toda sentimental. Apenas viva bem.

Apenas *viva*.

Com amor,

Will

Uma lágrima caiu sobre a mesa bamba diante de mim. Sequei-a com a mão e pousei a carta na mesa. Levei alguns minutos para enxergar direito.

— Mais um café? — perguntou o garçom que ressurgiu à minha frente.

Pisquei para ele. Era mais jovem do que pensei e tinha perdido o leve ar de altivez. Talvez os garçons parisienses fossem treinados para serem gentis com mulheres chorosas em seus cafés.

— Talvez... um conhaque? — Ele deu uma olhada rápida na carta e sorriu como se compreendesse.

— Não — respondi, retribuindo o sorriso. — Obrigada. Tenho... tenho que fazer umas coisas.

Paguei a conta e enfiei com cuidado a carta no bolso.

Saindo de detrás da mesa, endireitei a bolsa no ombro e segui pela rua na direção da perfumaria e de toda a Paris diante de mim.

Agradecimentos

Agradeço à minha agente literária, Sheila Crowley, da Curtis Brown, e à minha editora Mari Evans, da Penguin, que viram imediatamente o que este livro é: uma história de amor.

Agradeço especialmente a Maddy Wickham, que me incentivou quando eu estava indecisa sobre se eu poderia, ou se deveria, escrevê-lo.

Na Penguin norte-americana, gostaria de agradecer a Louise Moore, Clare Ledingham e Shân Morley Jones.

Obrigada à maravilhosa equipe da Curtis Brown, sobretudo a Jonny Geller, Tally Garner, Katie McGowan, Alice Lutyens e Sarah Lewis, pelo entusiasmo e ótimo trabalho de agentes.

Enorme gratidão a toda a equipe do Writerblock, meu Clube de Luta particular. Só que sem a parte da Luta.

Da mesma maneira, a India Knight, Sam Baker, Emma Beddington, Trish Deseine, Alex Hemisley, Jess Ruston, Sali Hughes, Tara Manning e Fanny Blake.

Obrigada a Lizzie e Brian Sanders, a Jim, Bea e Clemmie Moyes. Mas, acima de tudo, como sempre, a Charles, Saskia, Harry e Lockie.

1ª edição	ABRIL DE 2013
reimpressão	JANEIRO DE 2025
impressão	GEOGRÁFICA
papel de miolo	LUX CREAM 60 G/M²
papel de capa	CARTÃO SUPREMO ALTA ALVURA 250 G/M²
tipografia	ELECTRA LH